SÉGOU
LES MURAILLES DE TERRE

Tome II

Maryse Condé, guadeloupéenne, a longtemps vécu en Afrique. Professeur de littérature négro-africaine à l'Université de Paris IV (Sorbonne). Productrice à Radio-France International. Auteur de plusieurs récits et essais dont La Civilisation du Bossal *et* Heremakhonon.

Ségou, c'était, à la fin du XVIIIe siècle, entre Bamako et Tombouctou — dans l'actuel Mali — un royaume florissant qui tirait sa puissance de la guerre. A Ségou, on est animiste; or, dans le même temps, une religion conquérante se répand dans les pays du Niger : l'islam, qui séduit les esprits et se les attache.
De ce choc historique naîtront les malheurs de Ségou et les déchirements de la famille de Dousika Traoré, noble bambara proche du pouvoir royal. Ses quatre fils auront des destins opposés et souvent terribles, en ce temps où se développent, d'un côté, la guerre sainte, et, de l'autre, la traite des Noirs.
Ainsi, acteurs et victimes de l'histoire, il y a les hommes. Mais, plus profondément, il y a les femmes, libres ou esclaves, toujours fières et passionnées, qui mieux que leurs époux et maîtres connaissent les chemins de la vie.

MARYSE CONDÉ

Ségou

Les Murailles de terre

Tome II

ROMAN

ROBERT LAFFONT

4

Malobali sentait le regard du plus âgé des deux Blancs errer sur son visage, s'y attarder, insistant, tenace comme une mouche sur une charogne, le ventre ouvert à un carrefour. Il ne pouvait entendre ce qu'il disait. Ni même suivre le dessin de ses lèvres. Pourtant il connaissait ses paroles :

« Il ne m'inspire pas confiance. Il est trop âgé d'abord. A cet âge-là, les conversations ne sont jamais que superficielles et intéressées. »

L'autre homme répondait avec sa douceur et son inflexibilité coutumières :

« Vous vous trompez, père Etienne. Il est travailleur, d'une rare intelligence. Ses progrès en français et en menuiserie sont extraordinaires. Quant à sa piété, j'en réponds... »

Et Malobali se demandait lequel il haïssait davantage. Le premier, qui le perçait si bien à jour? Le second, qui croyait si bien le connaître? Il baissa les yeux sur la planche qu'il rabotait. Père Etienne éleva la voix, détachant chaque syllabe afin de mieux se faire comprendre :

« Samuel, viens ici! »

Malobali obéit et se tint debout comme on lui avait appris à le faire, les yeux baissés, les mains sur la couture du pantalon. Les deux prêtres étaient assis sur la véranda de l'humble case à toit de paille.

L'un d'eux était chauve, assez gros. L'autre au contraire était maigre, presque décharné. Tous deux avaient le visage cramoisi et s'éventaient constamment. Ce qui terrifiait Malobali, c'était leurs yeux, clairs, transparents au fond desquels flambait un feu insoutenable comme celui d'une forge. A chaque fois qu'ils les posaient en quelque endroit de son corps, Malobali ressentait comme une brûlure et s'étonnait de voir sa chair demeurer intacte.

« Père Ulrich me dit que tu vas recevoir le corps de Notre Seigneur Jésus-Christ. Es-tu prêt à cet honneur incomparable? »

Malobali parvint à poser sur son visage le masque de la plus profonde componction et fit :

« Oui, mon père.

– Nous te donnerons ce sacrement à Ouidah où nous partons demain, car là, il y a un grand nombre de chrétiens. La famille du Seigneur s'agrandit. »

Malobali feignit un sourire de ravissement. Puis, ne pouvant plus se contrôler, il releva le front et rencontra le regard du prêtre, chargé d'une haine égale à celle qu'il éprouvait lui-même et qui lui signifiait : « Tu es une belle brute, orgueilleuse et cruelle. Tu as du sang sur les mains. Mais cela ne fait rien, jouons le jeu que tu as choisi de jouer... Nous verrons bien le premier qui s'en lassera. »

Le père Ulrich fit avec son onction habituelle :

« C'est bien, Samuel. Laisse-nous à présent... Est-ce que tu n'as pas encore du linge à laver?

La rage au cœur, Malobali tourna les talons. Voilà ce qu'il était devenu : une femme pour ce Blanc sans femme. Ce Blanc sans couilles. Sous l'auvent qui abritait la cuisine, il prit la bassine pleine de linge sale et se dirigea vers la lagune. Parfois quand il pensait à son état, Malobali se demandait s'il n'aurait pas mieux valu pour lui être emmené en esclavage vers les Amériques. Là-bas, au moins, on pratiquait un travail d'homme, celui de la terre. Il passa devant l'église faite de troncs et couverte de branchages, où lors des services se réunissaient trois ou quatre personnes qui en échange de quelques vêtements de coton avaient accepté de recevoir le baptême, avant de s'engager dans le chemin rongé d'herbe qui, tournant le dos au village, serpentait vers la lagune. La mission s'élevait en dehors du village sur un bout de terre que le roi Dè Houèzõ avait concédé aux missionnaires. Elle abritait deux prêtres, le père Ulrich et le père Porte, pour l'heure parti vers Sakété dans le futile espoir d'effectuer des conversions. Le père Etienne, le plus âgé des deux, arrivait de la Martinique où il avait passé de longues années.

Par instants, quand la haine ne l'aveuglait pas, Malobali éprouvait une sorte d'admiration pour ces hommes qui quittaient leur terre et leurs semblables, poussés par on ne sait quel idéal, et qui vivaient là, indifférents à la solitude, aux dangers, objets du caprice d'un roi qui, à tout moment, pouvait les rejeter à la mer. Leurs seuls contacts étaient ceux qu'ils entretenaient avec les négriers français qui jetaient l'ancre au-delà de la barre. Parfois quelque voyageur français, lui aussi en mal de sensations fortes, venait observer et décrire la vie sur la côte.

Pourtant, la plupart du temps, dans le cœur de Malobali, il n'y avait guère de place pour l'admiration, mais pour le désespoir et la rage impuissante. Ah! comme la terre s'était bien vengée de lui, du viol d'Ayaovi et de sa fuite! Ah! comme le jeune homme au visage avenant auquel il s'était confié à Cape Coast s'était joué de lui! Combien avait-il perçu pour sa trahison? Il l'avait conduit jusqu'à un navire où il s'était longuement entretenu avec le capitaine, et à peine avait-on repris la mer que Malobali avait été assommé, ligoté, jeté parmi les ballots de marchandises, laissé là, mourant d'inanition. Après plusieurs jours, le navire s'était arrêté à nouveau.

A travers le brouillard de sa fièvre et de sa faim, Malobali avait aperçu, rompant la crête des forêts de la côte, un village et la silhouette massive d'un fort. Une embarcation avait été mise à l'eau dans laquelle avaient pris place le capitaine et deux hommes, pagayant à vive allure vers le fort. Malobali avait compris le sort qu'on lui destinait! Grossir la cohorte d'esclaves qui bientôt sortiraient de ces flancs de pierre.

Comment était-il parvenu à rompre à demi ses liens, à se jeter à l'eau, à échapper à la cruelle tyrannie de ses geôliers? Sans doute un ancêtre avait-il eu pitié de lui... Il s'était retrouvé sur le sable, nu, transi, faible, terrifié, sous le regard d'un Blanc. Le Blanc s'était penché sur lui, puis l'avait pris dans ses bras comme un enfant et l'avait mené jusqu'à sa case. Là, il l'avait soigné jour et nuit, refusant de le rendre à tous ceux qui le réclamaient. Oui, le Blanc lui avait sauvé la vie.

Et pourtant il le haïssait. Comme il n'avait jamais haï personne. Même pas Tiékoro. Il le haïssait, car aussitôt, sans qu'il comprenne ni comment ni pourquoi, l'autre avait établi entre eux un rapport de dépendance. Il était le maître. Malobali n'était que l'élève. D'un filet d'eau versé sur son front, il avait changé son nom en Samuel. Il lui interdisait « son vil jargon » et lui apprenait le français, seule langue noble à ses yeux. Il traquait dans son esprit les croyances qui, jusqu'alors, avaient fait sa vie. Il ne le laissait pas un instant en liberté. Oui, la prison qu'il lui avait bâtie était la plus robuste et la plus subtile, puisqu'on n'en voyait pas les murs!

Souvent Malobali avait rêvé de le tuer. Une fois même il s'était approché du lit sur lequel Ulrich était étendu, livide et suant sous la moustiquaire. Plonger une lame dans sa gorge et voir couler son sang à gros bouillons. Cela seul le laverait. Cela seul referait de lui un homme. Mais Ulrich avait ouvert les yeux. Ses yeux bleus.

Alors fuir?

Mais dans quelle direction? Il n'aurait pas fait dix pas que les Gouns et les Nagos qui peuplaient ce village de Porto Novo l'auraient rattrapé et ligoté pour trafiquer de sa chair. Ceux-là aussi, il les haïssait, race avide et cruelle qui vendait ses propres enfants depuis le roi Dè Adjohan! Combien de captifs s'entassaient dans le fort, amenés de l'intérieur du pays et traités comme des bêtes! Et ce n'était pas seulement l'esclavage qui était à redouter. Souvent les lari, serviteurs eunuques du palais, par pur plaisir éventraient des femmes enceintes, décapitaient des enfants avant d'envoyer leurs têtes fumantes rouler sur la place du marché tandis qu'à travers le royaume, les princes du sang semaient la désolation!

Malobali était arrivé au bord de la lagune. Le plus pénible, c'était quand des femmes s'y trouvaient. Elles commençaient à pouffer dès qu'il apparaissait, engoncé dans cette veste d'uniforme rouge et ce pantalon droit que lui avait donnés le prêtre. Elles se tordaient quand il déballait son linge et commençait de le frotter avec des gestes maladroits. Comme il ne parlait pas leur langue, il ne pouvait les injurier comme elles le méritaient. Et, bien sûr, il n'osait pas les frapper! Heureusement, ce matin-là, les rives étaient désertes. L'épaisse végétation s'avançait jusque dans l'eau et y continuait, souterraine, émergeant par endroits en fleurs violacées, maléfiques comme des pourritures. Ailleurs, des plages grisâtres se dessinaient, défoncées par les pieds des bêtes. Malobali s'accroupit, puis, ôtant sa veste d'ordonnance, il s'étendit sur le sol. Au-dessus de sa tête, le ciel était sans un nuage. Quelque part sur la terre, au nord? à l'est? à l'ouest? Nya pensait à lui et pleurait. Sans arrêt, elle priait ses féticheurs d'intercéder auprès des ancêtres afin de lui assurer une bonne vie. Eh bien, ils n'avaient pas réussi, ces féticheurs! C'est en enfer qu'il se trouvait, dans cet enfer dont parlait sans cesse le père Ulrich.

La religion que le prêtre tentait d'inculquer à Malobali lui semblait totalement incompréhensible, abstraite, puisqu'elle ne s'appuyait sur aucun de ces gestes auxquels il était habitué. Sacrifices, libations, offrandes. Plus grave encore, elle condamnait toutes les manifestations de la vie : musique, danse, réduisant son existence à un désert dans lequel il circulait tout seul. Parfois, quand le père Ulrich lui parlait, Malobali tournait la tête à droite et à gauche pour tenter de surprendre ce dieu omniprésent dont il était question. Seuls le silence, l'absence lui répondaient.

Que faire?

Une fois de plus, Malobali se posa cette question, sans y trouver de réponse. Au loin, un calao se détacha du faîte d'un arbre.

De Porto Novo à Ouidah, que, dans la région, on appelait Gléhoué, il était plus sûr de se rendre en barque en suivant la côte. Conduits par quatre pagayeurs, les deux prêtres et Malobali firent ce trajet en deux jours et demi. La ville de Ouidah était passée sous contrôle du puissant roi du Dahomey qui y avait planté ses vodoun[1]. De la mer, on y

1. Dieux, en fon.

accédait par une courte route piétinée depuis des années par les esclaves emmenés vers le Brésil et Cuba principalement et par les Européens, Portugais, Hollandais, Danois, Anglais, Français, qui tous possédaient un fort et rivalisaient d'intrigues auprès du souverain. En entrant dans la ville, comme tous les étrangers, les deux prêtres durent aller trouver le yovogan, représentant du roi du Dahomey, et lui exposer l'objet de leur présence. En effet, ils avaient appris que se trouvait à Ouidah une importante colonie catholique composée d'Africains, anciens esclaves affranchis de retour du Brésil, de commerçants portugais et brésiliens. Or le dernier prêtre portugais qui vivait dans le fort était mort et le Portugal, affaibli par les guerres et la récente perte de sa colonie brésilienne, ne pouvait plus y assurer la présence de missionnaires. Dieu est Dieu. Qu'importe qu'il soit servi par des Portugais ou par des Français ! Père Ulrich et père Etienne venaient donc offrir leurs services à ces brebis sans pasteur.

Le yovogan Dagba était un homme énorme, si énorme qu'il pouvait à peine se déplacer. Entouré de ses porte-éventails, il était assis sur une haute chaise de bois, vêtu d'un pagne de coton immaculé, avec des rangées de cauris autour du cou. Malobali, habitué à la pompe de l'entourage de l'Asantéhéné à Kumasi, regarda autour de lui avec un certain mépris. Une case à toit de paille s'ouvrait sur une cour soigneusement balayée et était encombrée de toutes sortes d'objets apparemment hétéroclites qui étaient en réalité les symboles de la haute fonction de Dagba.

Dagba accorda gracieusement sa permission de demeurer dans la ville et, surcroît d'amabilité, chargea un esclave de conduire les nouveaux venus chez la senhora Romana da Cunha, ancienne esclave revenue du Brésil où, selon la coutume, elle avait pris le nom de son maître qui était l'âme de la communauté chrétienne.

Dans les rues de Ouidah, les deux prêtres et Malobali suscitèrent une vive curiosité. Depuis des années, les gens de Ouidah étaient habitués aux allées et venues des Blancs. Mais ces deux-là, avec leurs robes noires, leurs larges ceintures et leurs croix autour du cou ne ressemblaient en rien aux hommes en habits à pans tombants, gilets boutonnés et bottes courtes à revers qu'ils avaient coutume de voir. Malobali également intriguait. On s'interrogeait sur ses scarifications rituelles. D'où venait-il? Ce n'était ni un Mahi ni un Yoruba. Un Ashanti?

Ouidah était une jolie ville aux rues bien tracées, aux concessions pimpantes serrées autour du temple du dieu Python, cœur symbolique de la ville, que l'on avait hérité des Houédas, premiers occupants de l'endroit. Non loin du temple était situé un marché où l'on vendait de tout. Produits locaux, viande fraîche et boucanée, maïs, manioc, mil, ignames. Mais aussi produits européens, cotonnades aux couleurs vives, mouchoirs anglais et surtout alcool : rhum, aguardente[2], cachaça. A la différence de Cape Coast, les forts des Européens se trouvaient dans la ville et à portée de fusil l'un et l'autre comme pour se surveiller mutuellement.

Romana da Cunha habitait le quartier Maro, exclusivement peuplé d'anciens esclaves du Brésil que l'on appelait les « Brésiliens » ou les « Agoudas », à côté d'authentiques Brésiliens et de Portugais de race blanche auxquels ils étaient liés par la religion et certaines pratiques de vie. Romana avait fait fortune en blanchissant le linge des négriers européens et, donc, habitait une vaste maison de

2. Eau-de-vie appréciée dans le golfe du Bénin, lors de la Traite.

forme rectangulaire, entourée d'une galerie fermée par des fenêtres aux volets de bois finement ajourés.

Afin d'indiquer sans équivoque la religion qui était la sienne, la façade nord de la maison était couverte d'azulejos représentant la Vierge Marie, son précieux fardeau dans les bras, tandis qu'au-dessus de la porte d'entrée une croix était sculptée. Un garçonnet aux manières d'adulte vint ouvrir et pria les visiteurs d'attendre pendant qu'il courait prévenir sa mère. Au bout d'un temps assez long, la senhora da Cunha fit son apparition.

C'était une petite femme, assez frêle, encore jeune, qui aurait même été jolie n'était l'expression de son visage, à la fois austère et exaltée, chagrine et dévote, apeurée et inflexible. Un mouchoir de toile noire cachait la moitié de son front, cependant qu'une robe de même couleur cousue comme un sac l'engonçait, effaçant ses seins qu'on devinait cependant ronds et fermes, ses hanches, ses fesses. Elle bredouilla, utilisant son fils comme interprète, qu'elle était très honorée, que sa maison si modeste ne méritait pas un pareil honneur. Puis elle ouvrit à deux battants la porte d'une pièce meublée de fauteuils, d'une lourde commode et d'une table décorée de chandeliers de métal brillant. Pendant tout ce temps, par discrétion, Malobali était demeuré debout à l'entrée de la concession. Sur un signe du père Ulrich, il se décida à s'approcher et à saluer à son tour l'hôtesse.

Quand Romana leva les yeux sur lui, ses traits se décomposèrent. Une expression d'incrédulité, suivie d'une peur panique, se peignit sur son visage. Elle balbutia et son fils, imperturbable, traduisit :

« D'où sort-il? Que veut-il? Qui est-ce? »

Père Ulrich répondit d'un ton apaisant :

« C'est Samuel, notre bras droit. Un enfant de Dieu, lui aussi. »

Convulsivement, Romana tourna le dos à Malobali, lui intimant :

« Reste dehors, toi...

Hors de lui, Malobali obéit. Qui était cette femme? De quel droit lui parlait-elle ainsi? Une vile esclave de traite, qui avait usurpé le nom de son maître, abjuré ses dieux, renié ses ancêtres... Il faillit se raviser, entrer à l'intérieur de la maison, narguer Romana, lui demander les raisons de son impolitesse, mais il se retint. Autour de lui, c'était le branlebas. En un rien de temps, la nouvelle de l'arrivée des deux prêtres s'était répandue à travers la ville et tous les catholiques accouraient. Il y avait des Blancs. Des mulâtres pareils à ceux que Malobali avait vus à Cape Coast. Mais en majorité, il y avait des Noirs. Vêtus de robes à fleurs, parlant un portugais agrémenté de quelques mots de français et d'anglais, ponctué de grands gestes.

Romana réapparut dans la cour. En attendant que père Etienne et père Ulrich se rendent en ambassade auprès du roi du Dahomey afin d'obtenir l'autorisation d'édifier une mission, elle se chargeait de les héberger, leur offrant ses meilleures chambres à coucher, meublées de lits à moustiquaire avec des draps de Hollande. Son regard évita soigneusement Malobali qui se demanda si elle pensait à le loger ou s'il devrait trouver refuge dans la rue.

Comme Malobali demeurait mélancolique sous son oranger, une jeune fille s'approcha de lui et murmura :

« Bambara? »

Il acquiesça. Alors, elle lui fit signe de le suivre. Surpris, il obéit.

Au pas de course, ils reprirent le chemin du

centre de la ville, arrivèrent en vue des forts. Là, elle lui fit signe de l'attendre et disparut à l'intérieur de l'un d'entre eux.

Au bout de quelques minutes, elle réapparut, suivie d'un soldat. Avant qu'il se soit approché de lui et qu'il ait ouvert la bouche, Malobali avait reconnu un Bambara. Les deux hommes se jetèrent dans les bras l'un de l'autre. En entendant parler sa langue, Malobali se voyait obligé de frotter ses yeux contre le drap de l'uniforme de l'inconnu pour ne pas verser de larmes, humiliantes, bonnes pour les femmes. Enfin ils se séparèrent, se tenant néanmoins par les mains comme s'ils ne pouvaient pas se quitter entièrement.

« Tiè[3], je suis Birame Kouyaté... »

– Je suis Malobali Traoré... »

Un Bambara! Chantez *bala, flé,n'goni!* Battez Dounoumba! Un Bambara! Alors il n'était plus seul!

La jeune fille qui avait conduit Malobali se tenait à l'écart, à la fois discrète et présente. Malobali interrogea, la désignant du geste :

« Qui est-ce? »

Birame sourit :

« C'est Modupé[4]. Et personne n'a mieux mérité ce nom... Quand elle a entendu dire que tu étais un Bambara, elle a tout dc suite pensé à te conduire auprès de moi. Elle-même est une Nago. Elle habite le quartier Sogbadji à côté d'une fille que je vais épouser... »

Cependant, il fallut penser à rentrer. Que diraient les deux prêtres s'ils s'apercevaient de l'escapade de « leur bras droit »? Que dirait Romana si elle s'apercevait de l'absence de sa servante? Mais, à présent, Malobali avait du baume au cœur.

3. Mot bambara signifiant « homme » et par extension « frère ».
4. Prénom yoruba qui signifie : « Je remercie ».

Quand ils arrivèrent chez Romana, personne ne prêta attention à eux, car la maison recevait la visite d'un grand personnage, le plus important du pays après le roi Guézo, le Portugais Francisco de Souza dit Chacha Ajinakou. Francisco était arrivé à Ouidah comme teneur de livre du garde-magasin du fort San João d'Ajuda. Puis quand Portugais et Brésiliens s'étaient retirés, il était demeuré sur place et était devenu l'autorité suprême, s'enrichissant spectaculairement du commerce des esclaves dont il était l'agent de vente exclusif. En fait, pas un négrier ne pouvait prendre un esclave à bord sans sa permission. Catholique fervent, cela ne l'empêchait pas d'avoir un véritable harem, à ne plus pouvoir compter ses enfants. Vêtu avec une négligence surprenante pour un homme de son rang, coiffé d'une calotte de velours ornée d'un gland qui lui retombait sur le front, il expliquait par l'intermédiaire de son fils Isidoro qui bredouillait un peu le français que c'était une offense de ne pas honorer son toit. Mais père Etienne, qui savait apaiser les susceptibilités, broda avec bonheur sur le thème de Marthe et Marie, ces humbles femmes dont Notre Seigneur Jésus-Christ avait choisi la demeure, et Chacha Ajinakou se calma. Il promit d'intervenir auprès du roi Guézo qui lui devait beaucoup, car il l'avait aidé à monter sur le trône au détriment de son frère, afin qu'il reçoive les prêtres au plus vite et leur accorde ce qu'ils souhaitaient.

Bientôt les servantes, et parmi elles Modupé, apportèrent des plats de nourritures inconnues de Malobali : féchuada, mélange de jus de tomate, d'oignons, de viande frite et de gari[5], dont la recette venait de Bahia, cocada et pè de moulèque[6].

5. Farine de manioc.
6. Friandises brésiliennes.

Ce n'était certes pas la première fois que Malobali se trouvait parmi des étrangers puisque depuis des mois il bourlinguait loin de chez lui. Pourtant, c'était la première fois qu'aucun effort d'hospitalité n'était fait dans sa direction. C'était la première fois qu'il se voyait traité en paria. Ignoré. Négligé.

Pourquoi?

Parce qu'un vaisseau négrier ne l'avait pas emporté vers une terre de servitude pour l'introduire dans une douteuse intimité avec les Blancs? Parce qu'il n'en était pas revenu, singeant leurs manières et professant leur foi?

Voilà que, joignant les mains, tout le monde se mettait à chanter le *Salve Regina,* les voix aiguës des enfants dominant celles des adultes, cependant que père Ulrich s'efforçait, battant la mesure de la main, de contenir l'emportement de ses nouvelles ouailles. Malobali rencontra le regard de Romana. Elle avait troqué son vêtement noir contre une longue robe couleur gorge-de-pigeon, resserrée à la taille par une ceinture, les manches bouffantes, six rangs de dentelle autour du cou. Mais cet accoutrement ridicule, du moins semblait-il ainsi à Malobali, lui seyait, faisant ressortir sa jeunesse d'autant plus que la visite des prêtres, l'emplissant de joie, animait son visage. Elle détourna vivement les yeux de Malobali, confondu. Pourquoi cette femme le haïssait-elle? La veille encore, ils ne s'étaient jamais vus.

Comme il se posait cette question, ployant le genou, Modupé lui tendit une calebasse de nourriture. Elle, au contraire, portait sur le visage une expression d'adoration et déjà de totale soumission. Malobali sut qu'aussitôt qu'il le voudrait elle serait à lui. Somme toute, ce séjour à Ouidah ne s'annonçait pas mal. Il retrouvait dès le premier jour l'amitié d'un homme et l'amour d'une femme.

5

« Ago[1]!

Malobali ouvrit les yeux et reconnut la silhouette d'Eucaristus. Il sourit et lui fit signe d'approcher, car une étrange amitié s'était nouée entre l'enfant et l'adulte, mêlée chez le dernier d'une profonde pitié. Quand Malobali se rappelait sa liberté, sa gaieté, ses jeux dans la concession de Dousika et qu'il les comparait à l'éducation que recevait Eucaristus, couvert de vêtements, frappé au « palmatoire » pour un oui ou pour un non, forcé de prier des heures entières, à genoux et d'ânonner interminablement des phrases dont il connaissait à peine le sens, il se sentait tenté d'aller vers Romana et de lui exprimer ce qu'il ressentait. Mais, en vérité, de quel droit? Apparemment, c'était l'amorce de mœurs auxquelles il ne comprenait rien.

L'enfant demeura debout timidement auprès de la porte et fit :

« Maman voudrait que tu coupes du bois... »

Malobali soupira. Il sentait que, malgré ses efforts, il allait vers une confrontation violente avec Romana. Depuis plus de deux semaines, père Etienne et père Ulrich étaient partis en ambassade auprès du roi Guézo, le laissant derrière eux puis-

1. Mot fon qui signifie « Attention! ».

qu'il ne pouvait leur être d'aucune utilité. Et Romana s'était mise à l'employer comme un serviteur : « Samuel, fais ceci, Samuel, fais cela... »

S'il avait obéi les premiers temps, c'était en vertu de sa qualité d'hôte et par courtoisie. Mais il avait très vite compris que pour Romana il s'agissait de tout autre chose. D'un désir de l'humilier. Pourquoi ?

Il se releva et, sans prendre la peine d'enfiler ses vêtements, portant seulement un cache-sexe, il sortit dans la cour. Une hache était plantée à côté d'une pile de bois qui atteignait presque le rebord du toit. Dominant sa fureur, Malobali se mit à l'ouvrage. A grands coups puissants, il fendit les troncs et les branches cependant que sous l'effort la sueur ruisselait le long de son dos. Il avait disposé ainsi d'un bon tiers de la pile quand Romana surgit de la maison. Elle semblait en proie à une colère inouïe, prononçant des paroles incompréhensibles, entrecoupées de cris. Se jetant sur Malobali, elle lui retira la hache des mains au risque de se blesser et la lança au loin. Malobali demeura interdit. Que se passait-il ? Que lui reprochait-elle ? Au vacarme, toutes les petites servantes étaient sorties de dessous l'auvent où elles préparaient le linge pour la lessive, tandis que celles qui balayaient les pièces de la maison accouraient à leur tour. Malobali essuya de la main la sueur de son front et fit face à Romana.

A la voir ainsi hurler et s'époumonner, il fut saisi d'une réelle pitié. Cette femme souffrait. De quoi ? Modupé lui avait dit que son mari était mort au Brésil dans des circonstances telles qu'elle n'en parlait jamais et qu'elle ne voulait plus d'autre époux que Notre Seigneur Jésus-Christ. Etait-ce son souvenir qui la torturait et la rendait pareillement inhumaine ? Un instant, les cris de Romana s'interrompirent et Malobali remarqua la beauté de ses yeux en amande, le dessin un peu puéril de sa bouche habituellement masqué par un pli amer. Il dit doucement :

« Qu'est-ce que tu veux? »

C'est alors qu'Eucaristus qui, terrifié, se tenait plaqué contre le mur de la maison, s'en détacha et balbutia :

« Elle dit que tu dois t'habiller, qu'elle ne veut pas de sauvage tout nu dans sa maison, parce que c'est une maison chrétienne. »

Malobali se serait attendu à tous les reproches, sauf à celui-là. Depuis quand le corps d'un homme est-il objet de scandale? Il éclata de rire, tourna le dos et rentra dans sa chambre.

Les choses auraient pu en rester là. Il n'en fut rien.

Apparemment enragée de la manière nonchalante avec laquelle Malobali se retirait dans une chambre qu'il n'occupait que grâce à son bon plaisir, Romana rentra dans sa maison, en ressortit avec le palmatoire destiné à ses enfants et suivit Malobali. Peut-être n'avait-elle pas l'intention de s'en servir? Peut-être n'était-ce qu'un geste de bravade?

Quand Malobali la vit revenir vers lui, la palmatoire à la main, il en fut médusé. Qu'était-il donc devenu pour qu'une femme ose ainsi le menacer? En même temps la rage l'inonda. Il allait se jeter sur Romana, l'assommer, la tuer peut-être, quand une voix lui rappela ses démêlés en pays ashanti après le viol d'Ayaovi. Que se passerait-il à présent s'il se rendait coupable de meurtre?

Il repoussa Romana, brisa le palmatoire sur son genou et sortit.

Modupé le rejoignit dans la rue. Elle commença par lui tendre ses vêtements, objets du litige, puis cette fois encore, comme un esprit bienfaisant, elle le guida à travers les rues. Il était encore très tôt. Pourtant, dans la ville, l'activité était intense. Des femmes affluaient vers les marchés autour desquels étaient déjà installés les artisans, graveurs sur calebasses, potiers, vanniers, tisserands, offrant leurs objets aux passants. Des files d'esclaves se hâtaient vers les palmeraies nouvellement plantées aux portes de la ville ou vers les champs dont les produits nourrissaient la population. Les commerçants prenaient le chemin du port.

Modupé et Malobali passèrent devant le temple du Python, puis entrèrent dans le quartier Sogbadji où habitait la famille de Modupé.

Originaire d'Oyo, celle-ci se spécialisait dans le tissage. C'étaient des gens aisés qui ne demandaient rien à personne, mais qui avaient cru bon de confier une de leurs filles à la senhora Romana da Cunha, nago comme eux et fort estimée dans la communauté. Aussi, il ne serait jamais venu à l'idée de Modupé de se plaindre de coups ou de mauvais traitements qu'elle aurait imputés au seul désir de lui inculquer une bonne éducation. Mais son amour pour Malobali lui donnait du courage. Traversant l'enfilade de cours de la concession, elle osa se jeter aux pieds de sa mère et lui conter en pleurant ce qui venait de se produire, soulignant que Malobali était un parent de Birame. La première pensée de Molara, la mère de Modupé, fut de ne rien faire qui puisse irriter la puissante Romana. Mais la tradition d'hospitalité du peuple auquel elle appartenait prit le dessus. « Si le babalawo[2] consulte Ifa[3] chaque jour, c'est qu'il sait bien que la vie est changeante », dit le proverbe. Qui sait si un jour, un de ses fils, un membre de sa famille ne serait pas aussi loin de

2. Prêtre-devin yoruba (ce mot signifie « père du secret »).
3. Dieu yoruba de la divination.

chez lui et dans le besoin? Elle pria une de ses servantes d'apporter à Malobali de l'eau fraîche, un plantureux petit déjeuner de plantains et de haricots, en attendant le retour de son mari.

Francisco de Souza dit Chacha Ajinakou avait coutume d'arbitrer les querelles survenues dans la communauté des « Agoudas ». Dans sa maison du quartier Brésil qu'il avait fondé, il faisait figure de juge et de conseiller. Il écouta d'abord l'exposé de Romana da Cunha puisqu'elle s'estimait offensée, puis celui de Malobali tel que le lui présentait l'honorable famille de Modupé, comprenant bien le désir de cette dernière d'en référer à son autorité.

La maison de Chacha était belle. Une douzaine de pièces meublées d'objets venus d'Europe, fauteuils, tables, commodes, lits à moustiquaire, qui s'ouvraient sur une vaste cour carrée plantée d'orangers et de filaos. A côté de la résidence s'élevait un barracon, entrepôt formé de vastes espaces découverts entourés de palissades avec des abris pour les esclaves que l'on amenait de tous les coins du pays. Dans l'attente d'un vaisseau, ils étaient environ une centaine et on voyait leurs pauvres silhouettes prostrées, dans toutes les postures de l'abattement. Mais personne de l'entourage de Chacha n'y prêtait attention, et lui moins que tout autre.

Chacha prit un peu de tabac à priser et dévisagea Malobali, essayant de le jauger comme un mâle, un autre. Quelle folie que celle des femmes! Ainsi, Romana avait cru pouvoir le frapper impunément? Il se tourna vers Isidoro et rendit son verdict :

« Le père Etienne et le père Ulrich, en laissant Samuel chez la senhora da Cunha, n'ont pas dit pour autant qu'il serait à son service. Samuel est catholique, baptisé et ne saurait être traité comme un esclave. Pourtant, avouons que, se promenant indécemment vêtu chez une femme honorable, il se mettait dans son tort. Ce qui n'autorisait pas cependant la senhora da Cunha à le menacer avec un palmatoire. Pour éviter que pareils incidents se reproduisent, je prendrai Samuel sous mon toit jusqu'au retour des serviteurs de Dieu. »

Là-dessus, il récita trois Pater et trois Ave, que toute l'assistance reprit en chœur. Modupé en eut les larmes aux yeux. Elle avait espéré que Malobali serait confié à sa famille, et, alors, au lieu de ces étreintes à la sauvette, quelles nuits en perspective!... Malobali, lui, s'estima comblé et alla serrer vigoureusement la main de Chacha, de son fils, d'Olu, le père de Modupé, avant de s'incliner devant sa mère ainsi qu'il l'aurait fait devant Nya, en un de ces gestes pleins de grâce qui lui gagnaient les cœurs des femmes. Olu, avec lequel il avait aussitôt sympathisé, lui avait donné des vêtements yorubas et, du coup, il avait retrouvé toute sa noblesse et sa majesté.

Le jugement rendu, Romana se retira avec Eucaristus. L'enfant glissa sa main dans la sienne, s'étonnant de la trouver brûlante, et fit :

« C'est mieux ainsi, maman! »

Romana l'entendait à peine, car Malobali avait vu juste, elle souffrait le martyre. Depuis la mort de Naba et son retour en Afrique, Romana n'avait pas regardé un seul homme. Son cœur était une chapelle ardente au défunt, et dans son esprit elle revivait chaque événement qui avait conduit à sa terrible fin. Les révoltes musulmanes à Bahia. La trahison d'Abiola. Le procès. De tout cela, elle ne s'était jamais confiée à personne, sentant bien qu'au premier mot prononcé les digues de la douleur se rompraient et qu'elle risquait la folie, la mort, alors qu'elle avait trois fils à élever.

Dès que Malobali avait paru, tout cela avait changé. Son cœur, qu'elle croyait racorni comme une viande boucanée au marché, s'était remis à palpiter. Le désir l'avait torturée. Dans son délire, elle croyait revoir Naba, plus jeune, plus beau. Et cependant étrangement semblable. Avec son intuition féminine que décuplait la jalousie, elle avait tout de suite deviné ce qui se passait entre Modupé et lui, comment elle le rejoignait à l'heure de la sieste quand ils croyaient la maison endormie. D'abord, elle avait pensé recourir à la délation et informer le père de Modupé. Puis elle avait eu honte d'elle-même.

Que venait-elle de faire? Par sa stupidité, elle s'était privée de le voir. Il ne traverserait plus la cour de son grand pas nonchalant. Il ne la saluerait plus dans son yoruba hésitant. Le matin, elle ne le verrait plus boire debout sa bouillie de maïs. Le pis, lui semblait-il, c'est que chacun avait percé son secret, chacun savait qu'elle était folle de cet homme, de cet étranger, de ce serviteur des curés, plus jeune qu'elle de surcroît! Ils arrivèrent à la maison et Romana se dirigea vers sa chambre pour pleurer en paix. Mais elle avait compté sans la communauté agouda! Ce fut le défilé des d'Almeida, de Souza, d'Assumpçao, da Cruz, do Nascimiento... qui tous s'estimaient offensés par ce jugement. N'aurait-on pas dû punir ce nègre qui s'était promené nu chez une chrétienne? Les exagérations allaient bon train et au bout de la matinée, Malobali avait agressé des servantes, fait des gestes obscènes à l'adresse de Romana et frappé les enfants. On parlait d'en référer au roi Guézo qui avait toujours favorisé les Agoudas et, pour la première fois peut-être, un esprit de rébellion soufflait contre Chacha.

Quand la nuit tomba, Romana ne put plus y tenir. Elle dépêcha une petite servante auprès de Malobali pour le prier de venir la voir.

Malobali, quant à lui, n'avait aucun moyen de deviner les sentiments qu'il inspirait à Romana. Il reçut ce message avec surprise et se demanda ce que cette femme qui lui avait causé tant d'ennuis lui voulait à présent. Il sortit dans la nuit noire.

Quelque part dans un quartier de la ville, un être humain avait payé son tribut à la mort et on entendait le chœur funèbre.

Le serpent qui s'en va
Compte sur les feuilles mortes
Pour dissimuler ses petits.
Toi, sur qui as-tu compté?
A qui nous as-tu laissés
En t'en allant au pays des morts?
O kou, O kou, O kou[4]*...!*

Ce chant lui sembla de mauvais augure et il faillit rebrousser chemin. Néanmoins, il continua sa route. Quand il atteignit le quartier Maro, il s'aperçut que la demeure de Romana était pratiquement plongée dans l'obscurité. Les petites servantes avaient regagné leurs chambres dans les dépendances au fond de la cour. Les enfants étaient au lit. Seule était éclairée par des bougies à la stéarine la chambre de Romana, pièce sommairement meublée de nattes et de calebasses, car elle gardait son beau mobilier pour les salles d'apparat. Romana avait ôté ses vêtements portugais et portait un ensemble yoruba, c'est-à-dire un court pagne tissé, noué sur le

4. Kou : la mort, en fon.

côté et une blouse largement échancrée sous laquelle son corps se dessinait soudain libre et jeune. Elle était tête nue et ses épais cheveux noirs apparaissaient finement et harmonieusement tressés. En réalité, Romana ne savait pas elle-même ce qu'elle attendait de Malobali et, quand elle le vit si près d'elle, elle manqua défaillir. Il lui sembla que c'était Naba qui venait d'entrer. Naba, jeune et vigoureux, comme il l'était sans doute avant que la captivité ne l'ait détruit, lui apportant son amour avec ses fruits. Mais Malobali demeurait silencieux, la fixant d'un regard perplexe. Enfin, il l'interrogea, cherchant ses mots dans le labyrinthe d'une langue étrangère :

« Qu'est-ce que tu veux? Si ce que tu as à dire est bon, pourquoi attends-tu la nuit? »

Romana se détourna :

« Je voulais te demander de m'excuser... »

Malobali eut un haussement d'épaules :

« Ne parlons plus de cela puisque Chacha Ajinakou a arrangé l'affaire... »

Il y eut un silence, puis Romana s'arma de courage et fit front :

« Je voudrais te demander de revenir habiter ici. Par Notre Seigneur, je ne te maltraiterai plus. »

Malobali sourit :

« On dit chez moi que celui qui se fie à une femme se fie à une rivière qui déborde. Malgré ta promesse, tu te fâcheras à nouveau... »

En entendant ces mots, « chez moi », une phrase trembla sur les lèvres de Romana :

« Mon défunt mari était comme toi de Ségou... »

Puis cela lui sembla une trahison. Parler du mort au vivant qui lui infligeait le plus cruel des outrages, puisqu'il s'emparait du cœur et des sens de sa veuve. Au lieu de cela, elle fit :

« Reviens au moins voir les enfants. Ils t'aiment tant. Eucaristus surtout. »

Malobali se dirigea vers la porte :

« Je reviendrai, *senhora*, je reviendrai. »

Troublé, mécontent de lui-même, inquiet, Malobali prit la route du fort pour rencontrer Birame. Pourquoi cette femme ne le laissait-elle pas en paix ?

Le cheminement de Birame avait été entièrement différent de celui de Malobali. Il venait du Kaarta et avait été capturé par des Touaregs qui l'avaient emmené dans le Walo[5]. Là, il avait fait partie des recrues du gouverneur Schmaltz dans son expérience de colonisation agricole au Sénégal. De là, il avait bourlingué toujours avec des Français et finalement avait échoué avec eux au fort de Ouidah. Quand ils avaient été rappelés par leur gouvernement, il y était resté avec les autres Bambaras, se livrant à la Traite et hissant le drapeau pour signaler aux traitants qu'il y avait des esclaves disponibles. En fait, il était un peu un des hommes de Chacha.

Quand il eut entendu ce qui venait de se produire, Birame proposa :

« Viens habiter ici. Il y a place pour tous... »

Mais Malobali hocha la tête :

« Non, Chacha m'a permis de demeurer chez lui et je ne veux pas avoir l'air d'être ingrat. »

Birame eut une moue :

« Méfie-toi de ces Portugais, de ces Brésiliens, des Noirs surtout. C'est une sale race de singes blanchis qui méprisent tout le monde et se croient supérieurs. Evite-les autant que tu peux... »

Malobali pensait à Romana. Aurait-il été question d'une autre femme qu'il aurait certainement percé

5. Royaume situé dans l'actuel Sénégal.

son secret. Mais là, il ne comprenait rien à cette attitude, à cette douceur faisant suite à tant de violence, à ces sourires, à ces regards. Dans la totale confusion d'esprit où il se trouvait, il vida avec Birame plusieurs calebasses d'aguardente.

Bientôt, toute la communauté agouda et tout Ouidah eurent sujet de potins.

Chacha Ajinakou se toqua d'amitié pour Malobali. La chose était inhabituelle. Car Chacha était un homme arrogant qui ne fréquentait guère que les capitaines de négriers quand il n'était pas couché avec une de ses femmes. Il employa Malobali dans son commerce d'esclaves. Depuis plus de dix ans, les Anglais avaient interdit la Traite et forcé nombre de nations à les imiter. Les Français venaient quant à eux d'en faire autant. Et pourtant, le trafic des esclaves ne diminuait pas. Des bateaux entiers faisaient voile vers le Brésil et vers Cuba.

On vit donc Malobali se diriger en chaloupe jusqu'aux négriers, en redescendre avec les capitaines, les conduire chez le yovogan Dagba, puis chez Chacha. On le vit prendre ses repas à la table de Chacha avec les traitants, inspecter avec eux le bétail humain qu'il avait lui-même rendu présentable auparavant par toutes sortes d'artifices.

Bref, en peu de temps, Malobali fut haï.

Pourquoi? Est-ce parce qu'il pratiquait la Traite? Certainement pas. Tout le monde s'y livrait plus ou moins à Ouidah. Parce qu'il était un étranger? Non plus. Dans cette étroite langue de terre, entre les fleuves Coufo et Ouémé, Ajas, Fons, Mahis, Yorubas, Houédas... s'étaient rencontrés, sans parler des Portugais, des Brésiliens, des Français et même des Anglais du fort William's. Les langues s'étaient mêlées, les dieux s'étaient échangés, les coutumes s'étaient confondues. Alors, que lui reprochait-on? D'être arrogant, de plaire aux femmes, de boire trop, de rafler des gains dans un jeu de cartes qu'il disait avoir appris dans ses pérégrinations, de croire Ségou supérieure à tout autre endroit de la terre. Dans ce cas, que n'y était-il resté?

Les choses se corsèrent quand les deux prêtres revinrent d'Abomey, débordant de reconnaissance pour le roi Guézo qui leur avait fait cession d'un bout de terrain en dehors de la ville. Ils réclamèrent leur serviteur, mais Chacha refusa de le leur rendre, prétextant que Malobali valait mieux que la fonction qu'ils lui réservaient.

Ce fut un beau tollé!

Les prêtres reprochèrent à Chacha de l'engager dans le trafic de « chair humaine », indigne d'un chrétien, blâmèrent Malobali et finirent par avoir d'une certaine façon gain de cause. Désormais, Malobali partagea son temps entre la construction de l'église et le travail dans les palmeraies du planteur José Domingos.

En effet, conjointement au trafic des esclaves, un nouveau commerce se développait qui faisait déjà la fortune des traitants de la Côte-de-l'Or et surtout de ceux des Rivières à Huile[6]. Le commerce de l'huile de palme.

Désormais, on vit Malobali conduire hors de la ville jusqu'aux palmeraies des pelotons d'esclaves, les surveiller tandis qu'ils grimpaient aux arbres, noués par une corde, une hache entre les dents pour abattre les régimes de noix, avant de les charger dans des pirogues ou de les acheminer dans des paniers par voie de terre.

Malobali continua de demeurer chez Chacha.

6. On appelait « Rivières à Huile » le delta du Niger dont on ne connaissait pas encore le cours.

Tard dans la nuit, on entendait les deux hommes jouer au billard avec les capitaines de négriers, boire du rhum en échangeant des plaisanteries au point qu'Isidoro, Ignacio, Antonio, les trois aînés de Chacha en concevaient de la jalousie et parlaient de sortilège bambara.

Ce fut apparemment un moment heureux de l'existence de Malobali. Après les dangers, les tueries et les viols de la vie de soudard, les frustrations de la vie de serviteur de prêtres, il goûtait à une totale liberté. En outre, avec les noix de palme que José Domingos lui laissait en guise de paiement, il faisait fortune, car il les vendait à des femmes qui concassaient les amandes et fabriquaient de l'huile rouge. Deux Français, les frères Régis, étaient récemment arrivés dans la ville et parlaient de transformer le fort en factorerie privée. Là, on emmagasinerait l'huile qu'on dirigerait ensuite vers Marseille, une ville de France où des négociants en feraient du savon, de l'huile pour les machines, etc. A la longue, ce serait plus lucratif que le commerce des esclaves...

Malobali hésitait. Chacha se targuait d'obtenir du roi Guézo à son intention la concession d'un terrain où il bâtirait sa maison. Ensuite, il pourrait épouser Modupé... Mais il songeait de plus en plus à retourner à Ségou. Il flairait un danger dans l'odeur sèche et brûlée du pays, dans ses lagunes, dans sa mangrove. Quelque part, celui-ci était tapi comme une bête attendant le moment de bondir sur lui, d'enfoncer ses crocs dans sa gorge. Quelqu'un lui dit que d'Adofoodia, dans le nord du royaume, on ne se trouvait qu'à dix jours de Tombouctou. Il n'eut de cesse qu'il n'apprît où se trouvait cette ville et comment on pouvait s'y rendre.

Une fois à Tombouctou, n'était-on pas pratiquement arrivé à Ségou?

6

EUCARISTUS toucha le bras de Malobali et murmura :

« Raconte-moi une histoire... »

Malobali réfléchit, puis commença :

« Souroukou et Badéni se rencontrèrent. Badéni crut que Souroukou était sa mère. Aussi, il courut après elle et se mit à la téter. Souroukou voulut se dégager et prendre Badéni par la tête. Mais brusquement elle enleva d'un coup de dents toutes ses propres parties sexuelles. Alors elle cria « Ah! ce Badéni tète vraiment trop fort. »

Eucaristus, le dernier-né des fils de Romana, éclata de rire. Quand Malobali parlait ainsi, remontait dans sa mémoire le souvenir confus de son père. Il était si jeune quand il était mort! Trois ans à peine. Et depuis, sa mère ne prononçait jamais son nom, comme s'il avait été enterré dans un champ maudit sur lequel on laisse pousser arbres, plantes et broussailles sans jamais sarcler ni défricher. Quand Malobali lui disait un conte, il croyait revoir un homme très grand, à carrure imposante, très doux, plus tendre que sa mère. Il croyait entendre les accents d'une langue qui n'était pas le yoruba. A quel peuple appartenait son père? Il n'osait interroger Romana, car il savait qu'elle lui répondrait d'un coup de palmatoire ou d'un soufflet sur la bouche.

Câlinement, il appuya la tête contre l'épaule de Malobali :

« Raconte-moi à présent l'histoire de ta naissance... »

Malobali rit :

« Mais ce n'est pas un conte. Le jour même de ma naissance, un Blanc se tenait à la porte de Ségou et demandait à être reçu par le Mansa. D'où venait-il? Que voulait-il? Personne ne le savait. Aussi les féticheurs crurent que c'était le déguisement d'un mauvais esprit puisque sa peau avait la couleur de celle d'un albinos... »

– Pourquoi a-t-on peur des albinos?

A ce moment, une petite servante entra dans la pièce où l'homme et l'enfant se tenaient et murmura :

« Iya te demande, Samuel! »

Romana se tenait à l'intérieur de la maison. Elle venait visiblement de prendre son bain, car sa peau, huilée et brillante, exhalait un faible parfum. Elle leva la tête vers Malobali et lui reprocha :

« Eh bien, tu viens voir Eucaristus et tu ne me salues même pas!

Il s'excusa avec un sourire :

« Je croyais que tu dormais, senhora... »

Elle lui désigna un siège :

« Je voudrais te proposer une affaire, une association. Je sais que tu réussis fort bien dans le commerce de l'huile de palme. Je voudrais m'y associer...

– Comment cela?

Homme obtus, qui ne comprenait pas qu'elle se souciait peu de palmiers, de palmistes et d'huile de palme! Elle poursuivit :

« Eh bien, je voudrais que tu t'engages à me livrer ici chaque semaine trois à cinq paniers de noix. J'ai suffisamment de domestiques et d'esclaves pour faire le reste... »

Malobali réfléchit. Il n'avait aucune envie d'entrer dans une association trop étroite avec Romana, car sa présence lui inspirait une sorte de terreur. Son extrême nervosité le dérangeait, puisqu'il n'osait lui attribuer la seule cause possible. Il répondit :

« Tu sais bien que je ne suis pas mon maître. Je dois en parler à José Domingos. »

Elle soupira :

« Il me hait... »

Il haussa les épaules :

« Pourquoi te haïrait-il?

– Parce qu'on hait les femmes, on les méprise, on ne veut pas qu'elles prennent des initiatives. »

Ces paroles semblèrent à Malobali parfaitement incompréhensibles et, comme il ne trouvait rien à dire là-dessus, Romana poursuivit :

« Tu sais, la vie est très difficile pour une femme sans mari. »

A présent, Malobali se retrouvait sur un terrain qu'il pouvait appréhender et rétorqua :

« Mais pourquoi restes-tu sans mari? Tu es... »

Pour la première fois peut-être, il la regarda bien en face, remarquant combien elle était fragile et termina sa phrase avec sincérité :

« ... belle...

– Aussi belle que Modupé? »

Aucun doute n'était possible. Malobali avait vu trop de femmes pâmées devant lui pour ne pas être éclairé. Il se leva vivement comme un homme face à un serpent dans la brousse et balbutia :

« Iya, Eucaristus m'attend, je vais lui raconter la fin de l'histoire... »

Il l'appelait Iya pour la rappeler au respect d'elle-même. Mais comme il prononçait ce mot, de façon incorrecte en appuyant à tort sur la première syllabe et en négligeant la hauteur de ton, elle se redressa et se jeta contre lui :

« Autrefois quelqu'un m'appelait comme cela. »

Malobali referma les bras autour d'elle et, emporté par l'habitude, allait faire ce qu'à l'évidence on attendait de lui, puis une intuition lui souffla qu'avec ce corps frêle entraient dans sa vie des sentiments dangereux, inconnus : la passion, la possessivité, la jalousie, la terreur du péché. Il se ressaisit, la repoussa fermement sur sa natte et s'en alla.

Eucaristus, qui le guettait sous les orangers, le vit s'en aller à grands pas.

Quand Romana réalisa qu'elle était seule, elle fut d'abord pétrifiée. Ainsi, elle s'était offerte, elle avait enfreint le septième commandement, elle avait profané la mémoire de son époux et elle avait été refusée. Epouvantée, elle poussa un cri tel que les petites servantes plongeant leurs mains dans l'eau savonneuse, les enfants et les proches voisins l'entendirent.

Ce cri vrilla les oreilles de Malobali et lui fit pousser instantanément des ailes aux chevilles. Il se mit à courir ventre à terre et les gens sortaient devant les cases pour voir ce voleur fuyant après son forfait.

Il se retrouva sur la plage, du sable blanc et fin sous les pieds et se laissa tomber sur un tronc de cocotier rongé de sel et de mousse qui s'effondra doucement sous son poids. Au large flottaient une goélette et un sloop. Ah! Refaire son existence au Brésil, à Cuba, n'importe où!

Malobali regardait le visage de sa vie et le haïssait comme celui d'une catin rencontrée dans une case immonde, mais avec laquelle il fallait désormais partager ses jours.

Comme il se tenait là, la tête entre les mains, un

homme s'approcha de lui et, l'ayant observé à la dérobée, lui adressa la parole :

« Est-ce que tu n'es pas Samuel, l'associé de José Domingos? »

Malobali lui tourna le dos. Il n'allait pas cette fois encore se laisser prendre aux conseils d'ancêtres faussement compatissants, en réalité décidés à le perdre! Néanmoins l'homme insista :

« Si tu veux, partons pour Badagry. Ou Calabar. C'est là qu'est l'avenir! En trois mois, nous pourrions être habillés de soie et de velours comme Chacha Ajinakou lui-même... »

Non! S'il devait quitter le pays, ce serait pour retourner chez lui. Pourtant, y parviendrait-il jamais? Il sentait bien qu'il s'était rendu bien plus coupable en refusant de faire l'amour avec Romana qu'en lui cédant. Comment, comment se vengerait-elle? Une chaloupe se détacha de la rive, chargée de malheureux qu'on allait jeter fers aux pieds dans le ventre du sloop. Le vent porta aux narines de Malobali leur odeur de sueur et de souffrance.

Pendant ce temps, une armée d'Agoudas en colère envahissait la cour de la maison de Chacha Ajinakou. Alerté, Chacha sortit drapé dans une robe de chambre, car il était au lit cuvant un excès d'aguardente. Francisco d'Almeida, un mulâtre revenu de Bahia l'année précédente, ôta en signe de respect la calotte en filet qu'il portait sur la tête et fit :

« Donne-nous Samuel, Chacha. Il a violé la senhora da Cunha... »

Bien qu'il fût de fort mauvaise humeur, Chacha éclata de rire :

« Qui vous a raconté cette histoire?
– Il y a des témoins, Chacha... »

Chacha haussa les épaules :

« Des témoins? Alors, ce n'est plus un viol... »

Néanmoins, il donna l'ordre à un esclave d'aller chercher Malobali afin qu'il se justifie. Au moment où l'esclave, revenant seul, annonçait sa disparition, ce qui provoqua de vives réactions parmi les Agoudas, Malobali apparut dans la cour, le front bas, signifiant dans toute son attitude qu'il savait déjà de quoi on l'accusait. Chacha se tourna vers lui :

« Samuel, ceux qui sont ici sont venus me présenter une affaire très grave. Il paraît que tu as violé la senhora da Cunha... »

Malobali releva la tête et fixa Chacha avec désarroi :

« Qui leur a dit cela? »

Francisco fit haineusement :

– Mais la senhora elle-même, et tout le voisinage a entendu les cris qu'elle poussait en se défendant contre toi. Même le petit Eucaristus t'a vu t'enfuir après ton crime... »

Chacha s'interposa :

« Menons-le auprès de Dossou qui lui fera l'adimo[1]... »

Malobali soupira :

« Ce n'est pas la peine. Je suis coupable... »

Ce fut un beau tumulte. Certains firent mine de se jeter sur Malobali. D'autres l'injurièrent tandis que d'autres encore allaient casser des branches aux filaos de la concession pour le flageller. Chacha imposa calme et silence à tout ce monde :

« Au royaume de Guézo, personne ne se fait justice lui-même. Conduisez-le auprès de Dossou qui décidera de la peine. »

Dossou était le représentant à Ouidah de l'ajaho[2],

1. Ordalie.
2. Ministre de la Justice.

qui vivait, quant à lui, à Abomey dans l'intimité constante du roi. Faisant fonction de juge d'instruction, il s'occupait des petites affaires et quand celles-ci dépassaient sa compétence, il envoyait les plaignants auprès de Guézo. Dossou habitait non loin du yovogan Dagba une maison d'apparence assez modeste si on la comparait aux splendides demeures des Agoudas. Pour cette raison peut-être il les haïssait. Il sortit dans la cour, pensant aux ignames cuites sous la cendre et au calalou que lui avait préparé une de ses épouses et fit avec exaspération :

« Est-ce que votre affaire ne peut pas attendre à demain? »

Puis il ordonna à deux esclaves de lier derrière son dos les mains de Malobali et de le conduire dans la petite case attenante à la sienne, qui faisait office de prison. Les Agoudas furent bien forcés de se disperser.

Malobali s'accroupit dans un coin de la case, petite, sombre et humide dont les esclaves obstruèrent la porte avec des troncs de cocotier. Il ne comprenait pas exactement ce qui se passait en lui. Une sorte de lassitude, comme s'il n'en pouvait plus de jouer à la course avec son destin. Il avait échappé à Ayaovi pour se retrouver aux prises avec Romana. Et puis, un autre sentiment confus, complexe, l'habitait. Une sorte de pitié pour Romana. Allait-il l'humilier publiquement en la déclarant menteuse? Malobali avait bien vu le sourire de Chacha. Il signifiait : « Quelle idée saugrenue d'aller violer Romana! Allons donc! »

Il se rappelait la question plaintive : « Plus belle que Modupé? » Ah! c'est « oui » qu'il aurait dû lui répondre avant de la prendre dans ses bras! Au lieu de cela, il s'était retiré comme un lâche. Quelle était la peine qu'il risquait pour un viol? Romana n'étant ni une femme mariée ni une jeune fille impubère, l'offense à Ségou ne serait pas considérée comme très grave. Mais il ignorait les mœurs du Dahomey.

Ne disait-on pas que les condamnés étaient souvent emmenés à Abomey et sacrifiés lors des grandes cérémonies coutumières aux mânes des ancêtres royaux? Dans d'autres cas, ils étaient envoyés dans une région marécageuse appelée Afomayi et cultivaient leur vie durant les terres du roi. Et puis, Romana était une Agouda, c'est-à-dire qu'elle appartenait à un groupe social puissant, ayant crédit en cour. On pouvait redouter le pire. Dans l'ombre de sa prison, Malobali entendait les voix et les rires des femmes et des enfants de Dossou dans la cour de la concession. S'il était condamné à la mort ou aux travaux forcés, qui s'en soucierait, ici? Personne, à part Modupé. Mais Modupé n'avait pas seize ans, elle l'oublierait. Même là-bas, à Ségou, Nya se lasserait d'attendre son retour et bercerait les enfants que Tiékoro ne manquerait pas de faire à une autre femme que Nadié. Qu'est-ce que la vie? Un fugitif passage qui ne laisse aucune trace à la surface de la terre. Un enchaînement d'épreuves dont on ne perçoit même pas la signification. Le père Ulrich disait que tout cela n'avait qu'un but : purifier l'homme et le rendre pareil à Jésus. Avait-il raison de parler ainsi?

Les moustiques commencèrent leur ronde infernale autour de son visage. Le lendemain, on le traduirait à l'agoli[3] pour être jugé. En attendant, il fallait dormir. Malobali n'avait pas été pour rien un soldat, habitué à voler le sommeil au détour des batailles et des razzias. A peine eut-il fermé les yeux

3. Tribunal, en fon.

que son esprit se détacha de son corps pour rôder dans l'invisible.

Son esprit survola la sombre étendue des forêts, le pelage fauve des terres sableuses et atterrit à Ségou dans la concession de feu Dousika.

On y fêtait une naissance. Nya, étendue sur le flanc, serrait un bébé contre elle. Un fils prénommé Kosa[4]. Quoi de plus beau pour une femme qu'enfanter dans son âge mûr! Nya rayonnait. Le fard de la jeunesse s'était posé sur ses traits quand elle regardait son nouveau-né, endormi, une goutte de lait aux lèvres. Soudain, l'enfant ouvrit les yeux, des yeux d'adulte, noirs et profonds, pleins d'une réelle malice. Il fixa Malobali et déclara :

« Auras-tu autant de chance que moi, Naba? »

La force du rêve fut telle que Malobali s'éveilla, haletant. Que signifiait-il? Malobali n'avait guère plus de sept ou huit ans quand Naba avait disparu, ce qui fait qu'il n'avait pas vraiment connu son aîné, et ne l'avait pas pleuré. Aussi, c'était bien rarement que sa pensée se tournait vers lui. Cette confrontation soudaine et brutale avec un nouveau-né qui prétendait être sa réincarnation ne pouvait avoir qu'un sens : Naba était mort. Mais pourquoi cette malice, cette agressivité? Quel tort son cadet lui avait-il causé?

Malobali tourna et retourna ces questions dans sa tête. Au matin, les esclaves écartèrent les troncs de cocotier qui obstruaient l'entrée de la case-prison et le père Etienne entra.

C'était bien la dernière personne que Malobali s'attendait à voir! Passe encore si ç'avait été le père Ulrich! Encore sous le coup de son rêve et de l'angoisse qu'il avait installée en lui, Malobali se

4. Le mot signifie : « affaire terminée », en bambara. On le donne à un enfant tard venu.

blottit dans un angle en poussant un grognement. Que voulait-il, celui-là? Se réjouir de son malheur? Père Etienne se signa longuement et ordonna :

« A genoux, Samuel! Récite avec moi le Pater Noster... »

Comme chaque fois qu'il se trouvait sous le regard maléfique des deux prêtres, Malobali ne put qu'obéir. Il rassembla ces mots pour lui dénués de véritable signification, mais auxquels ses interlocuteurs accordaient tant de poids.

« Je sais que tu n'as pas péché, que tu es innocent du crime dont on t'accuse... »

La flamme de l'espoir bondit dans le cœur de Malobali. Il balbutia :

« Comment le savez-vous, mon père? »

Père Etienne joignit à nouveau les mains :

« Hier soir, j'ai reçu en confession Romana da Cunha. Samuel, connais-tu la parabole des perles jetées aux pourceaux? C'est une perle que tu as là, pourceau indigne. Mais peut-être Dieu dans son insondable sagesse a-t-il voulu ainsi obtenir ta rédemption. A son contact, tu te purifieras. Elle te fera marcher dans la voie du Seigneur... »

Confondu, Malobali regarda le prêtre :

« Que voulez-vous de moi, mon père?

– Que tu l'épouses, Samuel, et que cet amour dont tu l'as enflammée travaille à votre salut à tous deux... »

« Il faut que je t'explique, pour que tu ne croies pas que je me jette ainsi à la tête du premier venu... »

Malobali posa les doigts sur les lèvres de Romana, mais elle les écarta fermement et poursuivit :

« Laisse-moi parler. Trop longtemps, j'ai porté ce poids-là sur mon cœur. Il faut que je m'en délivre.

Je suis née à Oyo, dans le plus puissant des royaumes yorubas. Mon père avait d'importantes fonctions à la cour puisqu'il était un arokin[5], chargé des récitations des généalogies royales. Nous habitions dans l'enceinte du palais. Puis un jour, victime des querelles, des intrigues d'ennemis, mon père a été destitué de ses fonctions. Notre famille a été dispersée. Je ne sais pas ce que sont devenus mes frères, mes sœurs. Moi, j'ai été vendue à des négriers et emmenée au fort de Gorée. Peux-tu imaginer la douleur d'être séparée de ses parents, arrachée à une vie de luxe et de bien-être? J'avais alors treize ans à peine, j'étais une enfant. Alors dans ce fort abominable, parmi ces créatures promises comme moi à l'enfer, je ne cessais de pleurer. Je souhaitais mourir et je serais certainement arrivée à mes fins quand un homme est apparu. Il était grand, fort. Il portait à l'épaule un sac d'oranges. Il m'en a offert une et c'était comme si le soleil qui, depuis des semaines refusait pour moi de se lever, réapparaissait dans le ciel.

« Pour moi, pour me protéger, cet homme a fait l'effroyable traversée. Parfois les vagues aussi hautes que le palais d'Alafin[6] balayaient le pont. Alors je me serrais contre lui et il me chantait des berceuses dans une langue dont je ne saisissais que la douceur. Dans les cales, les marins blancs violaient les femmes noires et j'entendais leurs plaintes mêlées aux gémissements de la mer. Samuel, si l'enfer existe, il ne doit pas être différent.

« Puis nous sommes arrivés dans une grande ville sur la côte du Brésil. Peux-tu imaginer ce que c'est que d'être vendue? La foule qui vous dévisage autour de l'estrade, les groupes des nègres

5. L'arokin est un peu l'équivalent du griot.
6. Titre donné au roi d'Oyo.

blottis les uns contre les autres, l'examen des muscles, des dents, des parties sexuelles, le marteau du commissaire-priseur! Hélas! Naba et moi, nous avons été séparés...

– Naba, tu dis Naba?

– Laisse-moi continuer. Après, après, je répondrai à tes questions. J'ai été achetée par Manoel da Cunha qui m'a emmenée sur sa fazenda tandis que Naba s'en allait vers le nord dans le sertão. Et c'est là que mon véritable calvaire a commencé. Car je n'avais pas souffert jusqu'alors, j'allais m'en apercevoir, puisqu'il était près de moi. Désormais j'étais seule. Seule. Et je n'étais pas depuis deux nuits dans la senzala que Manoel m'envoyait chercher. Alors j'ai dû subir cet homme que je haïssais. Et il a déposé sa semence en moi...

– Tais-toi, puisque parler te fait tant de mal...

– Non, je dois continuer. Cent fois, mille fois, j'ai voulu tuer cet enfant. Les vieilles esclaves connaissaient des plantes et des racines grâce auxquelles, dans un jus rougeâtre, j'aurais pu expulser ce fœtus, symbole de ma honte. Quelque chose m'en empêchait. Et un jour, Naba est réapparu. Dans la cuisine, au moment où je servais le repas et sans un mot, il m'a serrée contre lui... Et je me suis sentie lavée, absoute... »

Comme elle reprenait son souffle, Malobali la supplia :

« Parle-moi de cet homme, Romana... Tu l'appelles Naba?

– Oui, il faut que je t'en parle pour que tu ne croies pas que je suis une dépravée, s'amourachant du premier venu! C'était comme toi un Bambara de Ségou. Son diamou était Traoré. Son totem était la « grue couronnée ». Il n'avait pas quinze ans qu'il avait tué son premier lion et les femmes chantaient en le voyant :

Le lion jaune au reflet fauve
Le lion qui délaissant les biens des hommes
Se repaît de ce qui vit en liberté
Corps à corps, Naba de Ségou...

« Mais un jour, des « chiens fous dans la brousse » l'avaient capturé et vendu... Et quand je t'ai vu entrer dans ma maison avec les deux prêtres, j'ai cru que Dieu dans son insondable bonté me le rendait. J'allais tomber à genoux pour le remercier. Hélas! je me suis aperçue de mon erreur. La fureur m'a prise, car une fois de plus le destin se moquait de moi et me faisait souffrir. Car il faut que je continue mon histoire. Ils l'ont tué, Samuel, ils l'ont tué!

– Ils ont tué mon frère?

– Ton frère?

– Mon frère, c'était mon frère. L'histoire que tu racontes est celle de ma famille. A cause d'elle, les cheveux de ma mère ont blanchi, mon père est mort avant son âge et rien chez nous n'a plus été comme avant... »

Malobali serra Romana contre lui, s'émerveillant de la clairvoyante ténacité des ancêtres. Car elle lui revenait légitimement à la mort de son aîné. Mais comment aurait-il pu rentrer en possession de son bien, séparé de lui par tant de mers, de déserts, de forêts, sans leur aide, sans cet enchaînement d'aventures qu'ils avaient patiemment tissé? De Ségou à Kong. Puis à Salaga. De Salaga à Kumasi. Puis à Cape Coast. De Cape Coast à Porto Novo. Enfin de Porto Novo à Ouidah...

Oh! comme il allait l'aimer à présent! Pour lui faire oublier. Déjà, grâce à lui, elle avait retrouvé sa beauté, sa jeunesse. Bientôt elle retrouverait sa gaieté. Il n'aurait de cesse qu'il n'ait ramené le rire sur ses lèvres. Et sur celles de ses enfants. Il passa la main sur ses seins très doux, son ventre légèrement bombé, osa effleurer le duvet secret de son sexe. Tout ce jardin, cette belle terre qu'il allait désormais labourer sous le regard complice des dieux et des ancêtres.

Modupé ? Il chassa sa pensée de son esprit. Quel droit avait-elle devant la veuve de son aîné ? C'était là un devoir à la fois saint et impérieux auquel il ne pouvait se soustraire.

Serrant Romana contre lui, il satisfit son désir d'être possédée.

7

Les canons rouillés des forts Saint-Louis-de-Grégory, Sâo Joáo Baptista de Ajuda et de Fort William's se seraient mis à tonner en même temps contre la ville qu'ils n'auraient pas produit plus d'effet que l'annonce du mariage de Malobali et de Romana. On voyait là la main des prêtres. Mais dans quel but? Ils étaient bien placés pour savoir que le catholicisme de Malobali n'était qu'un vernis et qu'au bout de deux mois, Romana se verrait affligée d'une ou plusieurs coépouses. Les Agoudas ne comprenaient pas qu'elle puisse troquer ce beau patronyme brésilien de da Cunha pour ce nom de Traoré qui sentait à plein nez la barbarie et le fétichisme. Tout le monde plaignait Modupé qui, elle, ne disait rien puisque les grandes douleurs sont muettes.

Le mariage fut célébré à la fin de la saison sèche. Les missionnaires, aidés des esclaves que Chacha avait mis à leur disposition, avaient fait du beau travail. Ils avaient édifié une église, assez imposante. C'était une grande case rectangulaire couverte d'un toit de paille reposant sur des piliers faits de troncs d'iroko, reliés à mi-hauteur par un mur ajouré. L'autel était dressé sur une estrade s'adossant à une palissade sur laquelle une croix était peinte avec des couleurs végétales. Une allée séparait les deux ailes dans lesquelles des bancs étaient disposés, et cet ensemble pouvait bien abriter une centaine de personnes. Derrière l'église s'élevait un bâtiment qui faisait à la fois office d'école et de logement pour les prêtres. La Société des missions africaines de Lyon était aux anges, car la mission de Ouidah se vantait d'un total de cinquante-six élèves, tous enfants d'Agoudas et demandait l'aide de sœurs pour résoudre le problème de l'enseignement féminin. En effet, ne serait-ce pas la constitution de familles chrétiennes, prenant en main la formation de leurs enfants, qui permettrait aux missions de s'installer de façon stable?

Pour son mariage, Malobali céda aux sollicitations de Romana et fit, auprès d'un commerçant anglais en route pour les Rivières à Huile et arrêté quelques jours à Fort William's, l'acquisition d'une redingote, d'un pantalon moulant et d'une cravate de soie noire. Romana elle-même avait acheté une robe de soie couleur parme avec des manches pagode et un châle dont l'extrémité balayait le sol. Quant à ses trois fils, Eucaristus, Joaquim et Jésus, ils étaient tout de noir vêtus et portaient de petites cannes à pommeaux d'argent. Chacha Ajinakou servit de témoin à Malobali.

Un incident gâta le bel ordonnancement de la cérémonie. Père Ulrich, qui officiait, avait à peine terminé son homélie sur la beauté de l'amour humain, reflet de celui de Dieu, qu'un long python détacha ses volutes de la branche du toit sur laquelle il était enroulé. L'animal balança la tête d'avant en arrière dans le vide puis, avec une souplesse silencieuse, sauta par terre au pied des enfants de chœur. Dagbé, le python Dagbé, incarnation de l'Etre suprême! Qu'était-il venu annoncer? Certains prirent cela pour un bon présage. D'autres pour un mauvais. Tous furent troublés.

Tous les habitants de Ouidah sortirent de chez

eux, partagés entre l'hilarité et l'admiration, pour regarder défiler le cortège des Agoudas. Comme ils devaient avoir chaud, enveloppés de velours et de soie sous le soleil! Manoel da Cruz portait un chapeau haut de forme qu'il avait acheté à un traitant, et la foule se tordait à son passage. Ces gens oubliaient-ils la couleur de leur peau? Les voilà qui s'habillaient comme des Blancs!

Le cortège entra chez Chacha et tous les esclaves du barracon, tirés de leur abattement, vinrent contempler les mariés. Chacha leur fit servir des rations supplémentaires. De grandes tables étaient dressées avec des services en porcelaine de Chine, des verres admirablement taillés, des plats d'argent dans lesquels s'entassaient toute sorte de nourriture. Mets brésiliens, bien sûr, fechuada, cousidou, cachuapa, piron. Mais aussi mets locaux, boulettes d'acassa, marmites de calalou, poissons pêchés à la mer ou dans le marais de Wo et bouillis entiers, monceaux de crevettes, ignames, manioc... Des cale basses de bière de mil circulaient, de l'aguardente, du gin, de l'aquavit, des vins de Porto, des vins français ainsi que des pintes de stout et de Guinness. Les capitaines des négriers prirent part au banquet. Même le yovogan Dagba fit une apparition, entouré de son cortège de danseurs et de musiciens.

Les plus heureux de l'assemblée étaient peut-être les enfants de Romana, assis au bout de la table. Ils croyaient voir poindre l'aube d'une vie nouvelle. Leur mère était transformée, souriante, pleine d'indulgence. Leur père leur était rendu en la personne du frère de leur père. C'était bien plus fantastique que les histoires de la bête tutu, de zumbi et de jurupari[1] que leur contait autrefois leur mère! Avec

1. Personnages du folklore brésilien.

ce nouveau père, finis les coups de palmatoire! Finies les psalmodies des dizaines de chapelets, des Salve Regina, des

Peuples africains dans la nuit
Non, tu n'es pas voué au mépris, à la haine
Tu n'es plus abandonné comme un peuple maudit!

suivis de :

Marchons, marchons sur les pas de Jésus.

Finies les éprouvantes séances de lecture et de calcul!

Bien plus que les autres convives, ils sentaient qu'un combat allait s'engager entre deux modes de vie, deux cultures, deux univers et, naïvement, ils croyaient deviner le vainqueur.

Au dessert, des musiciens portant en bandoulière des banderoles jaune et vert, aux couleurs nationales de Bahia, firent irruption. C'étaient les esclaves des Agoudas qui frappaient sur de petits tambours carrés, raclaient des scies avec des tiges métalliques, tapaient des planchettes les unes contre les autres, claquaient des mains, bref faisaient un beau chahut!

Les Bambaras présents à la fête, Birame en particulier, regardaient tout cela avec stupeur. Si c'était pour perpétuer ainsi le souvenir du Brésil, que les Agoudas n'y étaient-ils restés! Les voilà qui clamaient qu'ils y avaient passé les meilleures années de leur vie. Oubliaient-ils qu'ils y avaient été esclaves? Et qu'ils avaient choisi de revenir dans la terre d'Afrique? Oubliaient-ils que souvent ils y avaient fomenté des révoltes? Etrange revirement!

Vers la fin de l'après-midi, les deux prêtres se retirèrent après une dernière homélie et l'atmosphère s'encanailla quelque peu. Jeronimo Carlos se leva et commença d'imiter la cadence endiablée du « boi a ou boi », le taureau, tandis que son frère João jouait à la « careta », à l'homme masqué. Les enfants firent éclater des pétards dont le bruit emplit de terreur les autochtones de Ouidah, peu au fait de ces divertissements appris des Blancs.

La soirée se poursuivit par un bal. Tous les Agoudas avaient en mémoire les bals donnés par leurs anciens maîtres à Recife, à Bahia ou sur les fazendas, le jour de la botada[2], et où ils s'étaient contentés de porter les plats. Eh bien, à présent, c'était eux qui évoluaient aux accents des quadrilles et des valses avec un emportement que les Portugais ignoraient peut-être. Il y avait dans l'air un mélange de nostalgie et d'esprit de revanche qui donnait une coloration particulière à la cérémonie et soudait étroitement tous les convives.

Tout se termina par un feu d'artifice dont les arabesques se dessinèrent longtemps au-dessus des toits de paille de Ouidah, entre les cocotiers du littoral, et jusqu'à la mer bleu sombre comme le ciel.

Les premiers temps du mariage furent, pour Malobali, une découverte. Peut-être parce qu'il avait possédé tant de femmes, il ne leur avait jamais prêté attention. Elles n'étaient que des corps dociles dont il aimait la tiédeur, mais qu'il oubliait aussitôt. Pour la première fois, en face de Romana, il s'apercevait qu'une femme était un être humain dont les sentiments complexes le déconcertaient. Il reconnut vite en Romana une intelligence qu'il ne possédait pas lui-même. Aussi, il aurait été porté à

2. Fête de la moisson au Brésil.

l'admirer, si, en même temps, elle n'avait été si dépendante de lui. Une parole un peu brusque, un geste d'impatience la mettaient en larmes. Un semblant d'indifférence l'affolait et elle pouvait passer des heures à lui demander de quoi elle était coupable.

Pour Malobali, l'amour avait toujours été un acte simple et satisfaisant comme l'absorption d'une nourriture ou d'une boisson bien préparée. Avec Romana, cela devint un drame, un jeu fascinant et pervers, un théâtre de la cruauté dont il était bien incapable de déchiffrer les signes et auquel il se trouvait mêlé presque à contrecœur, presque avec effroi. Il ne comprenait ni pourquoi Romana le désirait si fort, ni pourquoi elle semblait tant s'en repentir.

Sur le plan matériel, le couple prospéra. Chacha, qui ne s'intéressait pas au commerce de l'huile de palme, intervint auprès du roi Guézo pour donner à Malobali le monopole de sa vente aux Européens, en particulier aux frères Régis. Malobali achetait toute l'huile rouge, produite par les femmes, et, après s'être acquitté d'une taxe auprès du tavisa, fonctionnaire du roi, la revendait aux traitants. Bientôt, il fut si riche qu'il créa une tonnellerie, employant des Agoudas qui avaient appris les métiers du bois au Brésil. Les tonneaux de bois présentaient cette supériorité sur les jarres de terre, jusqu'alors employées, qu'ils ne se cassaient pas et étaient plus maniables.

Romana avait toujours été âpre au gain, Naba, autrefois, le lui reprochait. Cet aspect de son caractère s'était développé pendant ces longues années où, seule avec ses enfants, elle avait craint pour leur avenir. Elle acheta un coffre de métal où elle entassa de la poudre d'or et des cauris, bien sûr, mais aussi des pièces d'or et d'argent qu'elle obtenait de certains traitants, et dont elle enfouit la clef entre ses seins, car elle se méfiait des accès de générosité de Malobali et de sa propension à dépenser des fortunes en alcool de traite ou au jeu de cartes. C'est pour cette raison qu'elle tentait de le détourner de la compagnie de Chacha et aussi de Birame. Mais là, il se mêlait à ses efforts beaucoup de jalousie. Elle détestait le temps que Malobali passait loin d'elle, le plaisir qu'il prenait ailleurs, la liberté dont il jouissait. Elle aurait aimé le garder dans la concession à portée de sa vue comme un de ses enfants et, quand il était là, pour le forcer à s'intéresser à elle, elle ne cessait de le houspiller.

Quand commença la mésentente du couple? En vérité, dès la nuit de noces, quand Malobali fut contraint de donner plus qu'il ne possédait. Bientôt tout devint sujet de querelles. Les Agoudas, dont Malobali trouvait les amusements puérils et guindés, et l'arrogance vis-à-vis des autochtones insupportable; les Bambaras, que Romana trouvait quant à elle grossiers, dépravés, ennemis du vrai Dieu. Elle haïssait tout particulièrement Birame parce qu'il était musulman et que, à ses yeux, l'islam était une religion meurtrière qui mettait Oyo, son pays natal, à feu et à sang et avait causé la mort injuste de Naba; les enfants, Eucaristus surtout, car, ayant appris que les missionnaires anglais envoyaient de jeunes Africains à Londres pour devenir prêtres, Romana voulait supplier père Etienne de songer à Eucaristus. Elle voyait déjà son dernier-né vêtu de la longue robe noire, le chapelet reposant sur la hanche comme une arme de Dieu, la croix suspendue autour du cou, tandis que la foule se prosternait devant lui. Or Malobali ne parlait aux garçons que de Ségou, ce repaire du fétichisme, et leur avait donné des noms bambaras qu'il affectait d'utiliser exclusivement.

Pour éviter ces différends suivis de réconciliations plus épuisantes encore, Malobali, qui cependant avait toujours haï l'effort, se plongea dans son commerce. Peu à peu, ses seules conversations avec Romana eurent trait à la mesure de l'huile de palme, à son conditionnement, à sa vente avec profit, à l'élimination de tel ou tel concurrent. Le pis, c'est que les lunes se succédaient et que Romana n'enfantait pas. Elle qui avait mis au monde quatre fils! Son corps lui faisait l'effet d'un champ trop longtemps laissé en jachère et qui ne peut plus nourrir la semence.

Dans son angoisse, Romana alla trouver un babalawo. L'homme était originaire de Kétu et on en disait le plus grand bien parmi les Nagos de Ouidah. Il était assis sur sa natte, avec devant lui les instruments de divination, les seize noix de palme, la chaîne sacrée et la poudre. Il planta son regard étincelant dans le sien, la forçant à réciter les paroles rituelles :

Ifa est le maître de ce jour,
Ifa est le maître de demain,
Ifa est le maître du jour qui suit demain.
A Ifa appartiennent les quatre jours
Créés par Oosa[3] *sur la terre.*

Puis il lança ses noix de palme sur le plateau divinatoire de bois, décoré sur le pourtour de dessins triangulaires et d'une image d'Eschu le messager. Le cœur de Romana battait à tout rompre. Mais l'homme d'Ifa la rassura, récitant un long et obscur poème qui se termina par ce mot : Olubunmi[4].

3. Oosa, ou Oosala, Eshu : dieux du panthéon yoruba.
4. « Dieu (te) comblera », en yoruba.

Quand Malobali reprit-il le chemin de la maison de Modupé qui, de son côté, confortée par les prédictions de son babalawo, attendait patiemment son retour? Quand commença-t-il de la considérer comme sa seule et véritable épouse? Non, cette cérémonie dans l'église de Ouidah ne signifiait rien. Puisque les cadeaux n'avaient pas circulé. Puisque les dieux et les ancêtres n'avaient pas été sollicités, apaisés, invités à offrir leur protection. Puisque le chœur n'avait pas chanté la bénédiction traditionnelle :

Que ce mariage soit heureux!
Qu'il en sorte pieds et mains!
Que dure le feu de cette union!

Ségou! Ségou! Il fallait retourner à Ségou! Pourquoi s'attarder parmi des étrangers? Près d'une femme qui l'épuisait, mais qui n'enfantait pas? Que se passait-il à Ségou?

Sûrement le règne du Mansa Da Monzon se poursuivait en grandeur et en victoire. Que n'était-il là pour vivre ces grandes heures! Ah! poser la tête sur les genoux de Nya!

« Mère, tes cheveux ont blanchi en mon absence. Je n'ai pas vu ces rides se dessiner autour de ta bouche et je te retrouve plus frêle et vulnérable que dans mon souvenir. Mère, me pardonneras-tu mes errances? »

Malobali fit part à Modupé de ses projets :

« Je ne sais pas très bien comment arriver jusque-là. Je dois prendre conseil des commerçants haoussas, car ces gens-là connaissent toutes les routes... »

Les yeux de Modupé s'emplirent de larmes :

« Est-ce que je peux parler de tout cela à ma mère? »

Malobali la serra contre lui. Il était conscient de tous les sacrifices qu'elle consentait pour lui. Si la majorité des Agoudas, bien que catholiques, avaient deux ou trois femmes, il savait que cela lui était interdit, car Romana ne l'accepterait jamais. Aussi, malgré les cadeaux dont il comblait sa famille, il n'avait jamais pu célébrer son mariage avec Modupé. Elle souffrait, il le savait, de cette humiliation, de cette situation fausse. Il fit doucement :

« Nous célébrerons notre mariage à Ségou, parmi les miens. Ensuite, ma famille chargera une caravane de présents destinés aux tiens. Tu la vois entrer dans Ouidah? Les gens sortiront de chez eux et s'exclameront : « Mais d'où viennent-ils, ceux-là? « Et qui cherchent-ils? »

A force, il parvint à lui arracher un sourire. Oui, sans tarder, il fallait mettre ce plan à exécution. Birame, lui aussi, en avait assez de cette vie en terre lointaine. Il se joindrait, c'était certain, à tout projet de retour au pays natal.

La maison de Romana avait subi d'importantes modifications. Malobali avait fait édifier dans la cour un bâtiment aux murs de terre qui, d'un côté, tenait lieu d'entrepôt aux tonneaux d'huile de palme en attendant le passage des navires marchands; de l'autre, de boutique avec des balances et des poids français qui servaient à peser les jarres apportées par les détaillants. Toute la matinée, c'était une rumeur, un babillage de femmes, méfiantes devant les appareils de mesure des Blancs et qui toujours s'estimaient lésées, menaçant de se plaindre au roi Guézo lui-même. Eucaristus, qui à présent maîtrisait parfaitement l'écriture, tenait un livre de comptes, assis à une table couverte d'encriers, de plumes de diverses couleurs, de cachets de cire. Sa jeune figure, sérieuse et compassée, les dessins cabalistiques qu'il traçait sur le papier intimidaient tout le monde, et sous tous les toits on parlait de lui comme d'un prodige. La tonnellerie elle-même avait été bâtie sur un terrain adjacent et employait dix ouvriers qui, toute la journée, coupaient, rabotaient, polissaient, cependant que des esclaves apportaient des troncs d'arbres venus des forêts voisines.

Mais, quand Malobali arriva chez lui, tout était tranquille, car il était fort tard. Flottait seulement ce parfum âpre de l'huile de palme mêlé à celui des bois fraîchement coupés qui s'attachait à tous les objets de la concession. Il entra dans la chambre à coucher et Romana nota avec bonheur qu'il n'était pas soûl. Il bourra sa pipe de tabac de Bahia, la ficha entre ses dents, mais ne l'alluma pas, car il savait que Romana en détestait l'odeur. Et celle-ci, qui en était réduite à se contenter de miettes, se réjouit de cette apparente attention. Puis, il fit gravement .

« Iya, je crois que je vais aller à Abomey... »

Elle répéta avec incrédulité :

« A Abomey? Qu'est-ce que tu as à y faire?

Malobali avait tout préparé et fit avec conviction :

« Ecoute, je veux posséder ma propre palmeraie. Je veux que mes propres esclaves montent cueillir les régimes et extraient l'huile. Cela sera plus rentable pour nous que de l'acheter à des détaillants... »

Romana demeura un instant silencieuse, puis reprit :

« Extraire l'huile de palme est un travail de femmes libres dont certaines appartiennent à de puissantes familles fons. Par exemple, une des femmes du yovogan Dagba... Crois-tu qu'elles te laisseront faire?

– Voilà pourquoi je dois demander audience au roi lui-même... »

Romana soupira :

« Malobali... [Car il lui avait interdit de l'appeler Samuel.] Tu es un étranger, ne l'oublie pas! »

Malobali balaya l'objection :

« Oui, mais je suis marié à une Agouda et le roi Guézo les adore. Et puis, étranger, étranger! Est-ce que les Portugais, les Brésiliens qui font la pluie et le beau temps par ici ne sont pas des étrangers? »

Si elle avait rétorqué : « Oui, mais ce sont des Blancs! » il serait entré en fureur. Alors elle ne dit rien et conclut sans entrain :

« Si tu crois bien faire... »

Il fit mine de se lever et elle ne put s'empêcher de murmurer :

« Tu ne restes pas avec moi? »

Malobali songea rapidement que s'il voulait apaiser tous ses soupçons et avoir les mains libres pour préparer son départ, il valait mieux la combler sexuellement. Il s'approcha d'elle et alors il s'aperçut qu'elle s'était frotté le corps d'une crème parfumée que vendaient les Haoussas. Cela lui fit pitié et son émotion lui donna l'illusion du désir.

Que Romana n'avait-elle accepté sa condition de femme! Que ne s'était-elle laissé conduire au lieu de prétendre le guider, lui imposer un mode de vie qu'il haïssait! C'était poignant de passer ainsi à côté du bonheur!

Romana, quant à elle, expliquait à sa manière les difficultés survenues entre Malobali et elle. Naba, c'était Naba. Si doux et tolérant de son vivant, il ne supportait pas de voir sa veuve dans les bras de son frère. Malobali avait beau lui répéter que c'était la coutume en pays bambara, que Nya, sa mère, à la mort de Dousika, avait été donnée à son frère cadet Diémogo pour le plus grand bien de la communauté, Romana croyait flairer en tout cela comme un parfum d'inceste. Aussi, s'abîmait-elle en prières, décorant de bouquets l'autel de l'église, chantant avec passion : « Pitié, Seigneur! »

En un mot, elle était encore plus torturée après son mariage qu'avant. Comme elle ne cessait de maigrir, les matrones de Ouidah pinçaient les lèvres. Les ancêtres avaient leur raison de ne pas favoriser ce mariage, et le Dieu des chrétiens, qui l'avait béni, l'apprendrait bientôt à ses dépens. Cette nuit-là, pour une fois apaisée, elle caressa le bras de Malobali et souffla :

« Pour obtenir une audience auprès de Guézo, il te faudra lui offrir des cadeaux très coûteux, surtout qu'il n'aime que les choses des Blancs. Demain, je vais ouvrir le coffre et tu prendras ce que tu voudras... »

Ces phrases destinées à lui plaire et à lui marquer de la soumission irritèrent Malobali. N'est-ce pas lui qui aurait dû dire : « Iya, demain j'ouvrirai le coffre, car j'ai de grosses dépenses à faire? » N'est-ce pas ainsi que cela se passait entre Nya et Dousika lors des cérémonies importantes de la famille? Il ramassa ses vêtements dans l'ombre et se leva. Elle supplia :

« Où vas-tu? »

Sans répondre, il sortit.

Une fois dans la cour, il alluma sa pipe et aspira profondément la fumée. La nuit était douce. Un croissant de lune sans force se dissimulait derrière les branches d'un fromager. Fallait-il partir? Laisser derrière soi les enfants de Naba, c'est-à-dire les siens, affublés de noms d'emprunt, élevés dans l'ignorance de leurs traditions et de leur langue, adorant une idole étrangère? N'était-ce pas là un crime dont il devrait répondre devant la famille? Comment s'en expliquer devant le clan? Comment soutenir le regard de Nya apprenant qu'il avait retrouvé les fils de Naba et ne les avait pas ramenés à Ségou?

Malobali s'efforçait de faire taire sa conscience, se persuadant que la prudence lui interdisait une telle entreprise, quand Eucaristus surgit de l'ombre. Cela signifiait que l'enfant avait guetté son retour, laissant sa porte entrebâillée. Des trois garçons, c'était le plus attaché à lui, le plus sensible, le plus meurtri par l'absence du père. Eucaristus pria :

« Raconte-moi une histoire... »

Malobali caressa la tête ronde et fit tendrement :

« Bon, écoute! Un homme et son fils étaient en train de manger. Un étranger affamé arriva. Ils l'invitèrent donc à partager leur repas. L'étranger s'assit et prit une énorme poignée de nourriture. Alors l'enfant s'écria : « Baba, tu as vu comme cet « étranger prend une grosse bouchée? » Le père le blâma et lui dit : « Tais-toi. Est-ce qu'il t'a dit qu'il « va la manger pour en reprendre une autre? » A ton avis, qui a chassé l'étranger du repas, le fils ou le père? »

Eucaristus, qui connaissait la réponse, ne manqua pourtant pas de feindre l'ignorance, puis il interrogea :

« Qu'est-ce que je suis : un Agouda, un Yoruba ou un Bambara? »

Malobali le serra contre lui :

« Les fils n'appartiennent jamais qu'à leur père. Tu es un Bambara. Un jour, tu viendras à Ségou. Tu n'as jamais vu de ville comme celle-là. Les villes par ici sont des créations des Blancs. Elles sont nées du trafic de la chair des hommes. Elles ne sont que de vastes entrepôts. Mais Ségou! Ségou est entourée de murailles. C'est comme une femme que tu ne peux posséder que par violence... »

Eucaristus écoutait et son imagination s'enflammait. Non, il ne voulait pas de l'avenir que lui préparait sa mère. Il ne voulait pas devenir un prêtre, un homme sans épouses. Il voulait que les jeunes filles, faisant tinter les grelots de leurs chevilles, s'exclament en chœur, pleines d'admiration et d'effroi devant lui comme les chasseurs yorubas devant le léopard :

Prince, prince, géant de ceux de ton espèce
Ton étreinte donne la mort
Tu joues et tu tues
Tu déchires les cœurs
La mort qui vient de toi est douce et rapide.

Un nuage passa devant le croissant de lune et pendant un instant le ciel fut noir. Par bouffées arrivait l'odeur de la mer, dominant celle des orangers qui poussaient à profusion dans les concessions. Malobali soupira. Il allait partir, sa décision était prise. Pourtant, au moment de quitter Romana, il imaginait sa vie sans elle et s'en désolait. Modupé comblerait-elle le vide de son absence?

Eucaristus sentait que Malobali s'était en pensée éloigné de lui et voulait encore entendre parler de Ségou. Aussi pria-t-il :

« Parle-moi du jour de ta naissance et de ce Blanc à la porte de la ville...

– Tu as déjà entendu cela cent fois... »

L'enfant eut une moue câline :

« Peut-être, mais tu ne m'as jamais dit si ta mère elle-même a pris cela pour un mauvais présage?

– Ma mère? »

Malobali se leva. Il n'avait pas loin de trente ans à

présent. Il avait bourlingué, vu le monde, serré des femmes dans ses bras. Et pourtant la douleur était là, intacte. Les paroles de Nya résonnaient encore à ses oreilles : « Je suis ta mère puisque je suis la femme de ton père et puisque je t'aime. Mais ce n'est pas moi qui t'ai porté dans mon ventre... »

Où était-elle, celle qui l'avait ainsi abandonné? Mère absente! Marâtre! Sais-tu que tu m'as condamné à errer sans fin à ta recherche?

8

A PARTIR de Ouidah, la terre remplace le sable. La végétation est plus abondante, les arbres plus fournis, et puis, on entre dans une épaisse forêt pour ne la quitter qu'à Ekpè. Après Ekpè, la Lama est un terrain formé d'une sorte de terre glaiseuse où le niveau d'eau n'atteint jamais qu'une faible hauteur. C'est une dépression boueuse, faite d'argile et de marne. Puis sortant de la Lama, la route remonte en pente raide, devient plus douce et arrive enfin sur un plateau tourné au sud en forme d'arcs de cercle. La grande végétation disparaît peu à peu et ce plateau n'est plus couvert que de hautes herbes et garni de bouquets d'arbres, palmiers rôniers, fromagers...

Pour Malobali, tout avait mal commencé.

D'abord, il avait cédé devant les pleurs de Modupé et mis sa famille dans le secret. Ainsi, il suffisait d'une indiscrétion toujours possible pour que Romana apprenne la vérité sur ce voyage à Abomey. Ensuite quand il avait approché le yovogan Dagba, celui-ci lui avait fait observer en riant qu'il ne s'occupait que des rapports des Blancs avec le souverain. Malobali était un Noir, marié de surcroît avec une femme du pays, c'est-à-dire parfaitement libre de ses mouvements à condition de s'acquitter des taxes dues aux différents dénou[1]. Il

1. Poste de douanes, mot fon.

lui avait donné le droit d'aller à cheval sous un parasol, entouré de serviteurs armés comme les chefs dahoméens, honneur que Malobali n'avait pu décliner, mais qui le signalait à l'attention de tous. Alors qu'il avait envisagé de se perdre dans la foule des commerçants et de franchir le fleuve Zou jusqu'à Adofoodia d'où, lui avait-on dit, il était très facile de se rendre à Tombouctou. Là, il attendrait que Modupé, guidée par Birame, vienne le rejoindre. Tout cela était périlleux, peu sûr, soumis à nombre d'impondérables.

En entrant à Abomey, Malobali fut surpris par l'étendue de la ville et surtout du palais royal, le palais Singboji. Celui-ci s'étendait sur une surface égale à celle de Ouidah tout entière. Entouré d'énormes fortifications dont la protection était renforcée par un large fossé, il abritait environ dix mille personnes. Le roi, ses femmes, ses enfants, ses ministres, ses amazones[2], ses guerriers et toute une foule de prêtres, de chanteurs, d'artisans, de serviteurs préposés aux fonctions les plus diverses. Si les bâtiments qu'occupaient Guézo étaient rectangulaires, les tombeaux des rois défunts, sis à l'intérieur de cette même enceinte, étaient circulaires et abrités de toits de paille si bas qu'on ne pouvait y pénétrer qu'en rampant, à la fois par égard pour les augustes mânes et parce que toute autre position était impossible. Ces tombeaux se dressaient à l'est d'une allée centrale appelée Aydo Wedo, arc-en-ciel, tandis que les demeures des « mères des rois », encore appelées « mères de panthères » et dont l'importance était considérable à la cour, étaient situées à l'ouest. Il s'élevait un incessant bruit de musique, causé par divers instruments, olifants en défenses d'éléphants, tam-tams, cloches et la voix de

2. Corps de troupes uniquement composé de femmes.

centaines de jeunes filles surnommées les « oiseaux du roi », dont les pépiements accompagnaient tous ses déplacements.

Malobali devait passer une ou deux nuits au quartier Okéadan, dans une famille apparentée à celle de Modupé. Là, il comptait se débarrasser de son escorte, la payer grassement et la renvoyer à Ouidah. Le temps qu'elle y parvienne et que l'on commence à s'étonner de son absence, il serait, du moins il l'espérait, bien près de Tombouctou. Or il se trouvait qu'un certain Guédou, membre de la police secrète du roi Guézo, la fameuse lêguêdê, fréquentait cette maison nago où il espérait prendre épouse. Guédou fut intrigué par cet étranger, la manière dont il se séparait furtivement de son escorte et l'empressement qu'il mettait à se retirer dans la pièce qu'on lui avait offerte sans même songer à faire connaissance avec la famille. Son instinct lui souffla que cet individu-là avait quelque chose à cacher. Il attira un des enfants du maître de maison à l'ombre d'une muraille :

« Sais-tu qui est cet homme? »

L'enfant eut une moue :

« Je crois que c'est un Ashanti ou un Mahi. En tout cas, ce n'est pas un Nago. »

Guédou fronça les sourcils. Un Ashanti? Un Mahi? Alors, de toute façon, c'était un ennemi!

En effet, les relations entre l'Asantéhéné de Kumasi et le roi du Dahomey n'avaient jamais été bonnes, au point qu'un ou deux ans auparavant Guézo avait fait savoir au gouverneur MacCarthy installé dans le fort de Cape Coast qu'il serait heureux de voir les Anglais mettre la main sur le pays ashanti. Quant aux Mahis, c'étaient les ennemis héréditaires que tous les stratèges de Guézo le pressaient de détruire. On savait qu'une fois de plus, le roi s'apprêtait à partir en campagne contre

Hounjroto, la capitale de ses voisins, car il avait besoin de captifs pour la Traite et de victimes expiatoires pour la grande fête de l'Atto[3]. Saison féconde pour les espions en quête de renseignements sur les expéditions militaires que l'on projetait!

Guédou courut donc au quartier Ahuaga où son supérieur Ajaho, à la fois ministre des cultes, huissier du palais et chef de la police secrète, possédait sa résidence de fonction.

Que les rues d'Abomey étaient animées! Des Blancs affalés dans des hamacs allant au pas de leurs porteurs. Des féticheurs, les cheveux rasés, le torse nu, les poignets et les chevilles ceints de filières de cauris, les yeux entourés de traits blancs et rouges faits d'une solution de kaolin et de latérite. Des files de jeunes filles vêtues de pagnes de velours et de satin allant à la source Dido puiser l'eau des offrandes aux rois défunts.

Arrivé au quartier Ahuaga, Guédou apprit que Ajaho s'était rendu dès le matin au palais Singboji pour une importante réunion ministérielle. Le palais s'ouvrait sur la place et la ville par nombre de portes. Guédou évita soigneusement la porte Hongboji, réservée aux allées et venues des reines et gardée par des eunuques, et passa par la porte Fêdê. Le conseil était terminé, Ajaho était en grande conversation avec le bijoutier Hountonji, assis sur un billot de bois, les pieds dans la poussière, le corps baigné de sueur et vêtu seulement d'une bande d'étoffe passée entre les jambes et retenue par une ceinture de lianes. Ajaho lui-même était un grand et bel homme, un des sept « porteurs de chapeaux de feutre » du royaume, vêtu d'un pagne

3. Cérémonie au cours de laquelle le roi distribue des présents à son peuple.

flottant de soie blanche. Guédou lui conta rapidement les soupçons que Malobali lui avait inspirés et Ajaho, loin d'en sourire, l'écouta avec une extrême attention. Car l'affaire était sérieuse. Après un temps de réflexion, il déclara :

« Guézo n'a d'yeux que pour les Mahis. Il veut leur donner une leçon, car ils ont tué deux ou trois Blancs de ses amis qui voulaient visiter leurs bois sacrés. Il néglige complètement les Ashantis. Je pense au contraire que c'est de ce côté qu'il faut redouter une attaque! Les Ashantis n'ont pratiquement plus d'accès à la mer à cause du blocus des Anglais et aimeraient bien faire main basse sur notre port de Ouidah. Sois vigilant, Guédou. Ne quitte pas cet homme... »

Guédou ne se le fit pas dire deux fois. Il quitta le palais, traversa la place Singboji en direction du grand marché, puis tournant à l'ouest, se dirigea vers le quartier Okéadan. A présent, le soleil s'apprêtait à aller se reposer vers le fleuve Coufo. La grande chaleur s'était apaisée et une ombre fraîche commençait de tomber du ciel. Les femmes quittaient les marchés, suivies de fillettes portant les ballots de piments, les gourdes d'huile de palme, la viande boucanée, le maïs, qu'elles n'avaient pas vendus. Guédou se demandait comment découvrir la véritable identité de l'étranger. Il ne pouvait tout simplement l'aborder et l'interroger. Soudain, il eut une idée. La bière de mil délie la langue. Surgir à l'heure du repas puisqu'il était un familier de la maison. En offrir en abondance. Il entra au marché Ajahi.

La voix légèrement pâteuse, Malobali déclara :

« Je ne comprends pas nos rois. Ils adorent les Blancs. Après avoir fait fête aux Portugais, voici que

Guézo n'a d'yeux que pour les Zodjaguis[4]. Quand j'étais à Cape Coast, c'était les Anglais qui étaient les bien-aimés. Est-ce qu'ils ne voient pas que ces Troncs-Blancs[5] renferment un danger? Moi, j'ai... »

Guédou n'avait retenu qu'un mot et l'interrompit :

« Tu étais à Cape Coast? Pardonne ma curiosité, mais de quel pays viens-tu? »

Malobali allait dire la vérité, quand il songea qu'il valait mieux garder l'incognito. Qui sait si Romana n'avait pas dépêché des espions après lui? Il ne serait tranquille qu'à Tombouctou. Guédou, qui le fixait, nota cette hésitation et fit avec une politesse feinte :

« Pardonne-moi, je suis indiscret. »

Malobali secoua la tête :

« Indiscret? Non. Je suis un Ashanti de Kumasi. J'ai porté longtemps l'uniforme des guerriers et puis, voilà quelques années, je me suis reconverti dans le commerce. Je vends de la noix de kola à ces « noircisseurs de planchettes » du pays haoussa et c'est là que je me rends en ce moment. »

Tout cela sonnait faux, Guédou n'aurait su dire pourquoi. Cependant, il ne poussa pas l'inquisition plus avant et revint à leur conversation initiale :

« Tu as raison en ce qui concerne les Blancs. Qu'est-ce qui séduit nos souverains en eux? Leurs fusils et leur poudre? Est-ce que nous n'avons pas d'arcs ni de flèches? Leurs alcools? Est-ce que la bière de mil ou de maïs n'est pas aussi bonne? Leurs velours et leurs soies? Moi, je te dirai que je préfère nos tissus de raphia... »

4. Surnom donné aux Français par les Fons.
5. Les Blancs, en général.

Les deux hommes rirent et vidèrent à nouveau une calebasse de bière de mil. Malobali reprit :

« On dit que les Blancs refusent de se prosterner devant Guézo? »

Guédou inclina la tête :

« J'en suis témoin. Et ce n'est pas tout. Le roi les a invités à la grande fête de l'Atto. Au moment où les victimaires envoyaient les captifs vers les dieux et les ancêtres, ils ont manifesté publiquement de la désapprobation et du dégoût. Certains d'entre eux ont même quitté l'estrade royale.

– Et qu'est-ce que Guézo a fait? »

Guédou hocha tristement la tête :

« Rien, bien sûr. Les Blancs ne comprennent pas que nous honorions les nôtres. Imagine qu'à la mort de votre Asantéhéné Osei Bonsu les prêtres n'aient pas dépêché avec lui, pour lui tenir compagnie, ses femmes, ses esclaves, ses favoris... »

C'est alors que Malobali commit une erreur, somme toute compréhensible. Il était à moitié soûl, las de longues journées de voyage, angoissé, inquiet quant à la réussite de ses projets personnels. Entendant les paroles de Guédou, il s'exclama étourdiment :

« Osei Bonsu est donc mort? »

Guédou le regarda dans les yeux et fit simplement :

« Cela fait au moins deux saisons sèches que Osei Yaw Akoto a pris sa place sur le trône d'or. »

Là-dessus, il se retira.

Il est des moments où l'homme se lasse de lutter. Contre lui-même. Contre le destin. Contre les dieux. « Ah! se dit-il, advienne que pourra! » Plus grave encore, quelque chose en lui aspire à la fin des troubles et de l'agitation, et ne désire que la paix. La paix éternelle. Il semblait à Malobali que, depuis des années, il ne cessait de fuir une force obscure et toute-puissante à laquelle il n'échappait que pour en être victime plus tard. Il avait évité les conséquences du viol d'Ayaovi pour tomber dans les rets des missionnaires. Puis dans ceux de Romana. A présent, il tentait d'échapper à Romana. Pour aller où?

Et alors que tout son instinct lui soufflait de se méfier de Guédou, de quitter cette maison après la formidable gaffe qu'il venait de commettre, de reprendre la route et de franchir le Zou, il était incapable d'agir. Il avait beau se rappeler les seins tièdes de Modupé, le visage de Nya, l'odeur de la terre de Ségou quand le soleil la réchauffe ou que les pluies de l'hivernage l'inondent, il restait là, le corps et l'esprit gourds. Et pendant ce temps-là, Guédou courait vers le palais Singboji.

Ajaho était avec son ami Gawu, un prince du sang, célèbre pour son courage à la guerre. Les deux hommes se passaient une tabatière et vidaient des calebasses de rhum venu de Ouidah dont l'usage était en principe réservé au roi. Contrairement aux apparences, ils n'étaient nullement d'humeur joyeuse et traitaient de ce qui faisait jaser et s'inquiéter toute la cour : l'influence des Blancs sur Guézo.

« Qui aurait cru que Guézo n'aurait pas hérité du caractère de son père, le roi Agonglo?

– Est-ce qu'il a oublié qu'il descend d'Agasu, la panthère? »

Guédou toussa légèrement pour attirer l'attention sur sa présence, et Ajaho se tourna vers lui :

« Eh bien? »

Guédou s'agenouilla sur le sable blanc et fin venu de Kana, qui couvrait le sol, et souffla :

« Que dirais-tu d'un Ashanti qui ne saurait pas que l'Asantéhéné Osei Bonsu a rejoint ses ancêtres depuis deux saisons sèches? »

Les trois hommes se regardèrent, puis Gawu railla :

« Etrange en effet! »

Il y eut un silence, puis Ajaho ordonna :

« Prends quelques hommes et va l'arrêter. Présente-le devant moi demain matin... »

Guédou, songeant déjà à son avancement, leva le regard vers Ajaho :

« Où dois-je le faire enfermer? »

Car les prisonniers étaient répartis dans les geôles en fonction de leur rang social. Il existait à l'intérieur du palais des cellules pour les princes et les princesses. D'autres dans divers quartiers d'Abomey, pour les gens du commun. Celle de Gbekon-Huegbo avait une sinistre réputation. On disait que les prisonniers s'y tenaient accroupis, le cou entravé par un carcan qu'une chaîne reliait à l'extérieur et sur laquelle les geôliers s'amusaient à tirer. Quelquefois, quand ils étaient d'humeur particulièrement joueuse, ils tiraient si fort que le cou de la malheureuse victime se rompait. Alors on disposait du corps à la faveur de la nuit. Les familles ne pouvaient donc ni lui raser les cheveux, ni lui couper les ongles, ni le laver à l'eau tiède avant de l'oindre de pommade odorante afin qu'il se présente en bonne condition et soit admis par Sava le douanier dans Koutomé, la cité des morts.

C'est à Gbekon-Huegbo que Guédou conduisit Malobali.

« Après tout, est-ce que nous savons qui il est? Il est arrivé dans ce pays avec les missionnaires. Et puis, il les a abandonnés. Il a séduit nos femmes. Si à présent, les hommes de la lêguêdê l'arrêtent, c'est qu'ils ont leurs raisons. »

Voilà à peu près ce qui se dit à Ouidah quand on

y apprit l'arrestation de Malobali. Personne ne songea à se précipiter vers Abomey pour jurer de son identité et garantir son honorabilité. Chacha Ajinakou grommela qu'il était devenu si arrogant qu'il avait dû commettre quelque insolence à la cour. Père Etienne et père Ulrich ne bougèrent pas. D'abord, ils craignaient d'indisposer le roi. Ensuite, Malobali avait toujours été un élément de discorde entre eux, le premier ne lui faisant pas confiance, le second étant convaincu qu'il ramènerait cette âme à Dieu. La famille de Modupé, quant à elle, fit venir un babalawo qui prescrivit des breuvages et des onguents de nature à chasser le souvenir de Malobali de l'esprit de la jeune fille et, pour parfaire cette cure, conseilla de l'expédier chez un oncle à Kétou. Les bambaras du Fort, Birame en tête, se souvinrent qu'ils étaient des étrangers s'appuyant sur la présence de Français, étrangers eux-mêmes, et que l'humeur de Guézo pouvait rejeter tout ce monde à la mer. Bref, personne ne prit fait et cause pour Malobali.

A l'exception de Romana.

Romana ne comprenait pas pourquoi elle était condamnée à revivre inlassablement la même histoire. Voir l'homme qu'elle aimait emprisonné pour un forfait qu'il n'avait pas commis. Quel crime expiait-elle? Les Orisha[6] yorubas la punissaient-ils de les avoir abandonnés, changeant son nom d'Ayodélé, « La joie est entrée dans ma maison », en celui de Romana? Alors elle accusait le père Joaquim qui l'avait convertie et les religieuses de l'hôpital Santa Casa de Misericordia à Recife.

Puis elle se reprochait d'avoir aimé et désiré Malobali comme on ne doit aimer et désirer que Dieu. D'avoir trahi à cause de lui la fidélité qu'on

6. Dieux yorubas équivalents des Vodoun fons.

doit à un défunt époux. Elle était dans un tel état d'agitation qu'on ne donnait pas cher de ses jours. Toute la communauté agouda, qui l'avait si souvent critiquée, se retrouvait autour de sa natte, apportant qui un emplâtre de feuilles à poser sur son front, qui une décoction de racines à lui faire boire, qui un onguent bienfaisant.

Les babalawo et les bokono[7], assis sous les orangers et les filaos, faisaient courir des noix de palme ou des cauris sur leurs plateaux divinatoires, récitaient des litanies connues d'eux seuls, sous le regard du père Etienne et du père Ulrich qui n'osaient les chasser et de leur côté donnaient la communion à la malade chaque fois que son état le permettait.

Alors qu'on la croyait au plus mal, Romana revint à elle, s'assit sur sa natte et réclama une calebasse d'eau. Puis elle dit fiévreusement :

« Il faut que j'aille à Abomey. Il faut que je le sauve. »

Le trajet de Ouidah à Abomey demandait bien une semaine à un marcheur entraîné. Car le portage en hamac était réservé au roi et aux Blancs qui visitaient le royaume. L'usage du cheval et du mulet, aux grands dignitaires. Fallait-il laisser cheminer une femme affaiblie, à moitié folle de douleur? A la surprise générale, Birame et les Bambaras, comme pris de remords, s'offrirent à l'accompagner. Les servantes de Romana et les épouses des Bambaras bourrèrent des sacoches de maïs grillé, de farine de mil et de boules d'accassa, et remplirent des gourdes d'eau fraîche.

Le petit groupe prit la route au matin, Birame emmenant avec lui Molara, sa jeune épousée. A la

7. Les babalawo sont yorubas. Les bokono sont des prêtres-devins fons. Ils ont la même fonction.

sortie de la ville se dressait une statue de Legba, esprit du mal. C'était une statue de terre de barre, affublée d'un pénis monstrueux et dont le regard exprimait toute la méchanceté du monde. Le cœur de Romana s'emplit de terreur. Il la regardait, il la regardait et lui signifiait que toute tentative de sauver Malobali était vaine. Il tenait sa proie. Il ne la lâcherait pas.

Bientôt, on traversa une région de palmeraies et devant les esclaves, grimpant le long des troncs, s'agitant autour des régimes tombés à terre, Romana se rappelait Malobali. Les premiers temps de leur mariage, quand il revenait des champs en nage, elle lui offrait un plat brésilien d'acaraje, beignets de purée de haricots mélangés de crevettes pilées, qu'il adorait. Puis il la rejoignait dans sa chambre et, l'enlaçant, riait :

« L'amour l'après-midi! Ça, c'est les Blancs qui vous l'ont appris... »

Les Blancs! Oui, c'était leurs manières, leur religion qui l'avaient séparée de Malobali. Elle n'avait pas su jouer le jeu de la soumission, du respect et de la patience comme sa mère avant elle. Elle avait prétendu lui parler d'égal à égal. Le conseiller, voire le diriger. Et, en fin de compte, elle l'avait perdu. Car c'est elle qu'il fuyait en courant à Abomey, elle le savait à présent. Elle. Elle seule.

Pendant que ces pensées se bousculaient en désordre dans la tête de la pauvre Romana, Birame et sa compagne prenaient plaisir au spectacle de la route de Ouidah à Abomey, la plus fréquentée du royaume. Ils essayaient de distinguer les Français des Anglais mais n'y parvenaient pas. Ils ne voyaient que visages couleur de kaolin, cheveux jaunes et yeux étincelants comme ceux des bêtes de proie.

Le Dahomey était un pays prospère. A perte de vue, des champs de maïs, les buttes des ignames dont la chevelure verte et bouclée sortait du sol et le pointillé blanc des bourres du coton. Une fourmilière d'esclaves transportait l'eau des puits dans de larges calebasses.

Tout le monde dut se ranger dans les herbes qui poussaient dru sur le bord de la route quand un dignitaire passa, précédé de ses chanteurs, de ses danseurs et de ses musiciens, abrité d'un vaste parasol que ses esclaves tenaient au-dessus de sa tête. Certains assurèrent qu'il s'agissait du prince Sodaaton qui allait remplacer le yovogan Dagba, lequel avait déplu à Guézo.

Les gens qui savaient le drame que vivait Romana la regardaient avec commisération. Pourtant ils se tenaient éloignés d'elle. Le malheur n'est-il pas contagieux? Quand Zo, le feu, veut brûler un arbre, n'incendie-t-il pas aussi l'herbe et la broussaille à côté de lui?

Un matin, ils arrivèrent dans une ville léthargique, en attente. Le roi, les dignitaires, les soldats, les amazones étaient partis au siège de Hounjroto, la capitale du pays Mahi. Romana, étant une Agouda, bénéficiait d'un puissant réseau d'alliances. Car depuis le roi Adandozan, nombre de Brésiliens, métis, Noirs, anciens esclaves gravitaient à la cour d'Abomey où ils exerçaient les fonctions les plus diverses : interprètes, cuisiniers, médecins. En peu de temps, elle put savoir dans quelle prison était Malobali.

9

LE siège de Hounjroto dura trois mois.

Le roi Guézo avait une revanche à prendre contre cette ville car deux de ses frères y avaient été faits prisonniers et y étaient morts. Aussi une fois que ses troupes s'en furent rendues maîtresses, il la fit raser et inccndier cependant que les vieillards étaient éventrés, les hommes valides, les femmes et les enfants emmenés en captivité.

A l'aube donc, le cortège des vainqueurs rentra dans Abomey par la porte de Dossoumoin, face au soleil levant. En tête marchaient les soldats, suivis des dignitaires à cheval, encadrant le roi couché dans son hamac. Guézo portait sa tenue de guerre, une tunique rouge, un pagne passé sous l'aisselle droite et noué sur l'épaule gauche. Il était ceint de sa giberne, coiffé d'un béguin à larges bords cousu d'amulettes protectrices et tenait à la main droite une corne de buffle remplie de poudre. Les amazones, quant à elles, formaient la garde royale et séparaient les hommes des reines qui avaient tenu à accompagner leurs époux. Si les reines malgré les circonstances étaient somptueusement vêtues de pagnes de satin, de velours et de damas, le cou chargé de colliers d'or, les poignets de bracelets, des feuilles de métal précieux fichées dans le lobe des oreilles, les amazones, armées de mousquets, portaient virilement une culotte sous une tunique sans manche qui leur serrait la taille sans la gêner. A l'arrière, les eunuques protégeaient les reines de tout contact et de tout souffle de nature à les souiller. Puis venaient, en file interminable, les captifs, mains liées derrière le dos, chevilles entravées.

Le peuple ne savait pas très bien ce que l'on reprochait aux Mahis et pourquoi bientôt tout le monde devait tomber sous le couteau du victimaire ou partir en captivité au Brésil ou à Cuba. Mais comme les tam-tams battaient, les soldats chantaient, les olifants beuglaient dans une odeur de poudre et de poussière, il était heureux. Pour mettre le comble à l'excitation, des soldats déchargèrent leurs fusils, et un rugissement d'enthousiasme monta jusqu'au ciel.

Romana, s'appuyant sur Birame et Molara, s'était traînée sur la place du palais Singboji. Elle ne distinguait rien et fixait Ajaho dans l'espoir de déceler quel genre d'homme il était, car elle entendait aller se jeter aussitôt à ses pieds. S'il ne la croyait pas, s'il pensait qu'elle voulait protéger un individu dangereux, eh bien, qu'il lui fasse donner l'adimu, on verrait bien le résultat. Birame passa son bras sous le sien et l'entraîna :

« Viens, Ayodélé (car comme Malobali, il ne lui donnait jamais son prénom catholique), il n'y a plus rien à faire par ici. Allons plutôt attendre Ajaho à sa résidence. »

Avant cette épreuve, Romana et Birame se haïssaient, l'un accusant l'autre d'accaparer Malobali. Mais, depuis trois mois qu'ils vivaient l'un près de l'autre à Abomey, unis dans la même inquiétude, ils avaient fini par se connaître et par s'aimer. Songeant aux extraordinaires épreuves que cette femme avait traversées, Birame était pris d'un véritable respect doublé d'admiration. En même temps, son esprit se heurtait à une énigme. Pourquoi une créature douée de tant de qualités : force, ambition, intelligence, s'était-elle si follement éprise de Malobali qui n'avait à son actif que sa belle gueule et l'avait tant humiliée? Quels animaux déconcertants que les femmes!

A travers la foule en liesse, il guida Romana et Molara jusqu'au quartier Ahuaga. Le calme revint. Les femmes retournèrent à leurs étals sur les marchés, les tisserands à leurs métiers, les teinturiers à leurs bassins. Près de la porte d'Adonon se tenaient les fabricants de parasols royaux, entourés d'un peuple d'apprentis et tout ce monde bavardait, riait dans l'attente des célébrations qui allaient suivre. Dans la joie de sa victoire, Guézo ne serait pas avare de victuailles et lancerait par poignées des pièces d'or et d'argent à la foule. On aurait à manger et à boire des jours entiers!

Romana, Birame et Molara n'eurent pas longtemps à attendre, car Ajaho, fonctionnaire consciencieux, tenait à savoir ce qui s'était passé en son absence.

Dans un instinctif réflexe de coquetterie, Romana s'était parée d'une de ses plus belles robes brésiliennes. La partie supérieure du vêtement était faite de mousseline travaillée tandis qu'une large dentelle allait de l'encolure à la taille. La jupe était volumineuse, formant un cercle complet, garnie dans le bas d'une arabesque blanche. En outre, un châle, fait d'étroites bandes de coton de couleur cachait son épaule droite, nue, selon la coutume. Autour de sa tête, elle avait drapé un grand mouchoir de filet blanc. Ajaho fut séduit. Il l'écouta sans l'interrompre, puis prenant à témoin ses adjoints, railla :

« Pourquoi un homme qui possède une femme

telle que toi voudrait-il la quitter? Tu te trompes. L'homme que tu crois ton mari est bien un chien mahi qui s'est fait passer pour un Ashanti... »

Romana se jeta à ses pieds et supplia :

« Fais-le paraître devant moi, seigneur, on verra bien s'il aura le cœur de le soutenir... »

Curieuse affaire! Ajaho renvoya Romana et lui demanda de revenir le lendemain. Comme Romana et Birame, quittant le quartier Ahuaga, passaient à nouveau devant la porte d'Adonon, ils se heurtèrent à un crieur public agitant sa clochette cependant qu'à deux pas derrière lui venaient deux batteurs de tam-tam. Ils s'arrêtèrent pour l'écouter :

« Habitants d'Abomey, le Maître du monde, le Père des richesses, l'Oiseau-cardinal-qui-ne-met-pas-le-feu-à-la-brousse[1] ordonne d'annoncer les « fêtes de coutume[2] » qui commenceront après-demain soir. Le Maître du monde distribuera des pagnes et de l'argent à son peuple après l'expédition des messages aux rois défunts... »

Romana frémit. L'expédition des messages aux rois défunts! Cela signifiait les sacrifices. Ah! si elle ne parvenait pas à sauver Malobali, il ferait partie des messagers!

Un peu plus loin, ils rencontrèrent des Blancs dans leur hamac. Ils quittaient la ville en hâte, car ils ne pouvaient supporter la vue des sacrifices humains auxquels, pour les honorer, Guézo les conviait à assister du haut de l'estrade royale. Birame cracha sur leur passage :

« Hypocrites! Il paraît que dans leur pays, avec les armes qu'ils fabriquent, ils se tuent les uns les

1. Nom donné aussi à Guézo.

2. On appelle ainsi les fêtes en l'honneur des rois défunts et des divinités.

autres par centaines de milliers. Ici, ils veulent donner des leçons... »

Des hommes qui l'entendirent approuvèrent hautement et une conversation s'engagea. Tout le monde était d'accord. Les Blancs détruiraient le Dahomey puisqu'ils voulaient supprimer et le commerce des esclaves et les sacrifices aux rois. Romana, quant à elle, n'entendait rien. Tout son être n'était que prières. Elle faisait appel à Jésus-Christ, à la Vierge Marie, aux saints du paradis. Mais aussi aux puissants Orisha yorubas que ses parents apaisaient avec de l'huile de palme, de l'igname nouvelle, des fruits et du sang. Lequel avait-elle offensé? Ogun, Shango, Olokun, Oya, Legba, Obatala, Eshu...?

Guédou fit tomber la pierre qui retenait la planche à l'entrée de la cellule et recula devant l'épouvantable puanteur. Forcément, pendant ces trois mois, l'homme avait fait ses excréments sous lui. Cette odeur se mêlait à celle des détritus d'aliments pourris, de bêtes mortes, et d'air vicié de l'étroit boyau. Puis il fit signe à deux de ses hommes d'entrer et leur ordonna :

« Détachez-le... »

Les hommes tirèrent au jour un paquet d'os recouvert d'une mince peau suintant de sanie, fendue d'ulcères, ou écailleuse comme celle d'un serpent. Les cheveux et la barbe avaient poussé comme la mauvaise herbe et, effarée, toute une colonie de bestioles, puces, punaises, dérangées dans leur habitat habituel, s'enfuyaient. Blessés par la lumière, les yeux de l'homme virevoltaient comme des papillons de nuit surpris par un flambeau. Devant ce spectacle, une sorte de fureur emplit Guédou qui, croyant faire son devoir, n'avait été en fin de compte qu'un bourreau. Il décocha à l'homme un grand coup de pied :

« Si tu es un honorable Bambara, pourquoi ne l'as-tu pas dit? Pourquoi t'es-tu fait passer pour un Ashanti? Les querelles avec les femmes se règlent sous l'arbre... Non dans les prisons. »

Malobali était bien incapable de se défendre. Depuis longtemps, il était à peu près inconscient, l'esprit détaché du corps, s'impatientant contre les fils qui le retenaient encore à la terre. Les hommes firent cercle autour de lui et Guédou continua avec la même rancœur :

« Il paraît même que c'est un ami de Chacha Ajinakou. Ajaho va lui envoyer un des médecins du roi avant qu'on ne le rende à sa femme, une Agouda. »

Tous ces mots, Chacha Ajinakou, Agouda, scandaient l'étendue de la méprise. Mais enfin pourquoi l'homme ne s'était-il pas défendu?

Le médecin royal ne tarda pas à arriver et posant les yeux sur Malobali le crut d'abord mort. Puis une faible sudation de la peau le convainquit de son erreur. Il ouvrit l'outre qu'il portait et dans laquelle se trouvaient placés ses poudres, ses emplâtres, ses onguents et les gris-gris, destinés à consolider leurs effets. Mais il eut beau faire, Malobali demeura inconscient, incapable de se tenir sur ses jambes et d'obéir à la voix humaine. En désespoir de cause, le médecin lui ayant fait couper barbe, cheveux et ongles, couvrit son corps de pansements destinés à arrêter l'infection et se retira. C'est un véritable cadavre que l'on remit à Romana.

Souvent une femme accouche avant terme d'un enfant difforme. La famille veut le faire disparaître et se réconcilier avec les dieux qui ont manifesté leur courroux de cette manière. Mais la femme refuse et s'attache à ce nourrisson malgracieux. Elle le préfère à ses autres enfants. Elle guette la moindre étincelle de vie dans son regard, prend ses rictus pour des sourires et, enfin, devant tant d'amour, le petit être prend une forme humaine. C'est ce qui se passa entre Romana et Malobali. Apparemment indifférente à l'odeur de ses plaies ouvertes, de son vomi, de ses défécations, elle le soigna, réunissant les objets les plus difficiles à trouver que lui demandaient les babalawo et les médecins et ne reculant devant aucun sacrifice. On lui conseilla de s'adresser à Wolo, un des bokono royaux qui, parfois, consultaient l'oracle pour le commun des mortels. Grâce à la complicité de Marcos, un Agouda, cuisinier de Guézo, elle parvint à pénétrer dans le palais royal, jusqu'à la pièce ronde du côté droit de l'entrée, où se tenait le vieil homme. Wolo se recueillit un long moment avant d'entrer en communication avec les esprits, puis commença la séance. Mais au fur et à mesure qu'il manipulait ses instruments, il semblait plus soucieux, plus déconcerté. Il donna l'impression de parlementer longuement avec un interlocuteur invisible, usant tour à tour de persuasion et de menace. Ensuite, il demeura silencieux, préoccupé avant de rendre son verdict.

Sava, le douanier qui ouvre les portes de Koutomé, la cité des morts, avait laissé entrer l'esprit de Malobali qui rôdait dans l'au-delà. Cela paraissait une erreur et Wolo le sommait de le libérer et de le rendre aux vivants. Mais Sava objectait que le premier médecin appelé auprès de Malobali lui avait rasé les cheveux et coupé les ongles de nuit, rites que l'on réserve aux cadavres. En conséquence, il était dans son bon droit. Wolo ne désespérait pas de faire fléchir Sava. Mais tout cela serait long.

Pour la première fois, Romana céda au découragement. Elle avait dépensé déjà une part considérable de sa fortune. Ses enfants étaient loin d'elle et que devenaient-ils à Ouidah? Elle se trouvait dans cette ville étrangère, toute au bonheur d'une victoire qui pour elle ne signifiait rien. La patience de ceux qui l'avaient accompagnée, de Birame et Molara eux-mêmes, s'amenuisait et ils en venaient à penser que la fin de Malobali tardait trop. Un instant, elle pensa à l'achever et à se donner la mort, comme une épouse royale qui suit son seigneur. Puis elle eut honte de ces pensées qui offensaient et la foi chrétienne et les croyances yorubas. Au marché Ajahi, des jeunes filles vendaient du mil et du maïs. La volaille, les pattes liées par des brindilles sèches, caquetait sans arrêt. Que racontait-elle? Des histoires aussi douloureuses que celles des humains? Romana s'appuya pour ne pas tomber à un des piliers d'iroko qui soutenaient la voûte du marché. D'un étal proche, un parfum de gingembre et de piments lui montait aux narines. Une femme riait, découvrant des dents étincelantes. La vie continuait, alors qu'elle était submergée de douleur. Alors qu'elle souhaitait périr. Sans forces, elle se traîna à la zone du marché réservée aux animaux à quatre pattes et acheta le mouton noir qu'avait demandé Wolo. Intrigués, les gens regardaient cette femme frêle que l'énorme animal semblait conduire.

Quand elle arriva au quartier Okéadan, elle trouva tout le monde en émoi. Malobali s'était assis, avait réclamé de l'eau. A présent, on lui faisait avaler un peu de bouillie de maïs. Il regarda Romana et fit d'un ton plaintif :

« Iya, où étais-tu allée? »

Son corps d'athlète avait maigri de moitié. Sa peau toujours soigneusement huilée était couturée, griffée de cicatrices dont certaines fermaient mal et laissaient échapper du pus. Son visage un peu brutal sur lequel tant de femmes s'étaient retournées était émacié, tuméfié par endroits, comme frappé au hasard par le marteau d'un forgeron fou. Mais il était vivant. Rendant grâces aux dieux, Romana se serra contre lui.

Ce furent certainement les plus beaux jours de leur vie. Romana avait toujours rêvé de posséder Malobali exclusivement. Possession toujours impossible, car d'autres femmes, des camarades de beuveries, des compagnons de plaisir l'accaparaient. A présent, personne ne voulait plus de lui. Elle seule pouvait le prendre dans ses bras, rechercher le contact de son corps, suivre sans se lasser sa parole à peine audible. Ceux qui s'approchaient de leur chambre entendaient un murmure pareil à la douce musique des flûtes quand la lune est haute et que les bergers se vautrent dans l'herbe auprès de leurs troupeaux. Ils hésitaient à entrer, posant à la porte les aliments ou les médicaments nécessaires aux soins. Puis, étonnés, ils se retiraient sur la pointe des pieds. L'amour parfait existe-t-il? Un homme et une femme peuvent-ils parvenir à une totale fusion des cœurs et des corps?

Aucun homme ne voit réellement clair dans les desseins des dieux, et les bokono royaux ont beau siéger en permanence dans la faagbaji[3], ils ne peuvent tout prévoir. Quelques semaines après le sac de Hounjroto alors que le peuple digérait encore les victuailles que lui avait fait distribuer Guézo, Sakpata, déesse de la variole, se fâcha. Nul ne peut dire ce qui suscita sa colère. Des sacrifices

3. Pièce ronde dans le palais royal où les bokono se tiennent en permanence à la disposition du roi.

avaient-ils été négligés? Des prières marmonnées à la hâte? Et par qui? Toujours est-il qu'un beau matin, Sakpata entra en fureur, couvrant Abomey de son souffle puant. Elle marcha à grands pas de droite et de gauche, depuis le quartier Okéadan, repaire de Nagos, jusqu'au quartier Ahuaga et au quartier Adjahito sans oublier les quartiers Dota et Hetchilito. Passant par-dessus le tombeau de Kpengla[4], elle entra au palais royal, renversant sur le sable et dans des douleurs violentes gardes et amazones qui, leurs mousquets à leurs pieds, devisaient tranquillement. Elle tourna autour de la « demeure des perles », édifiée en honneur des rois défunts, évita la demeure d'Agasu, la panthère, ancêtre des rois fons et, pour mieux marquer son humeur, fit irruption dans la salle des trônes où Guézo, entouré de dignitaires et de princes du sang, écoutait les louanges de ses chantres patentés. Mortellement atteint, le prince Doba[5], glissa aux pieds du roi, le visage brusquement rose et boursouflé, les yeux inondés de larmes putrides. Sakpata fixa Guézo avec méchanceté et siffla :

« Je t'épargne cette fois. Mais je reviendrai te chercher, tu ne m'échapperas pas... »

Puis en piaffant, elle revint vers les quartiers populaires.

Molara, la jeune femme de Birame, se trouvait au marché Ajahi quand elle sut que Sakpata était entrée dans la ville. Elle venait d'acheter du poisson fumé venu du marais de Wo, de l'huile de palme et des feuilles de manioc et cherchait du lait caillé pour Malobali. En hâte, elle rentra à la maison, car quand Sakpata se fâche, mieux vaut rester chez soi, éconduire les visiteurs, éviter les voisins. En un rien

4. Roi du Dahomey de 1775 à 1789.
5. Un des fils de Guézo.

de temps, les marchés se vidèrent ainsi que la place du palais Singboji, toujours encombrée d'une foule guettant l'arrivée des princes sur leur lieu de palabres et parfois l'apparition du roi lui-même. Toutes les rues s'emplirent de gens terrifiés, pensant aux infusions qu'ils pourraient prendre à titre préventif. Partout, on croisait les prêtres de la déesse, se hâtant vers ses temples pour tenter de l'apaiser par des prières et des sacrifices. Apparemment, ils n'y parvinrent pas, car, au soir, on comptait déjà deux cent cinquante cadavres. Les familles finissaient à peine de laver un mort qu'un autre des leurs succombait et qu'elles devaient courir vers lui afin de le parer pour le voyage. Elles ne savaient plus où creuser des fosses dans les concessions. Bientôt les nattes funéraires manquèrent, ainsi que les moutons blancs et la volaille. Des malins se dirigèrent vers les agglomérations voisines dans l'espoir de s'en procurer et de faire de fructueux bénéfices, en tablant sur la douleur des parents des défunts. C'est ainsi qu'on échangea un poulet malingre contre deux sacs de cauris ou trois jarres d'huile de palme.

Sakpata ragea encore davantage au second jour. Les gens commencèrent à hasarder des explications. Sakpata était une déesse mahi dont Guézo avait introduit le culte. Ne manifestait-elle pas son mécontentement de voir les siens écrasés par ceux d'Abomey? Ne manifestait-elle pas son aversion pour le pays où son culte était transplanté? Ne s'insurgeait-elle pas contre le grand prêtre Misayi qu'avait nommé le roi? Bref, on n'était plus loin des pensées sacrilèges.

Au quartier Okéadan, tout le monde tremblait pour Malobali. Certes il avait recommencé à s'alimenter et à faire quelques pas sans aide. Pourtant il demeurait un être sans défense qui, au premier appel de la déesse, viendrait grossir le cortège de ses suivants. Romana fit provision de tamarin dont les graines et les feuilles étaient en principe souveraines. Birame et Molara, qui pourtant venaient d'avoir un enfant, s'en souciaient moins que de Malobali. Quelqu'un ayant recommandé à titre préventif l'infusion de racines de cailcédrat, Birame se rendit jusqu'à Kana pour en trouver.

Le cortège de Sakpata grossissait sans cesse; il n'y avait plus dans Abomey une famille qui ne soit endeuillée quand Malobali eut un accès de fièvre. Prise de panique, Romana fit venir un médecin qui venait de sauver les enfants d'une famille voisine. Mais celui-ci ne put se prononcer et prescrivit des cataplasmes de feuilles de baobab. Au soir, toute la maison respirait, car la fièvre était tombée. Trois jours plus tard, elle revenait au galop.

Romana qui était allée puiser de l'eau au canari entendit un grand cri. Courant jusqu'à la chambre, elle trouva Malobali tendu comme un arc, le corps dévoré de pustules qui s'étaient abattues sur lui aussi brusquement que des sauterelles sur un champ, les yeux noyés de larmes laiteuses. Quelques heures plus tard, il mourait dans ses bras.

A quoi pensa Malobali au moment de rejoindre Koutomé? A Ayoavi qu'il avait violée, déchaînant sur sa tête la colère de la Terre? Et n'était-ce pas celle-ci qui se vengeait par l'intermédiaire d'une autre déesse? A Modupé qu'il n'épouserait jamais et à qui il ne ferait jamais de fils? A Romana, perle jetée au pourceau qu'il était? Non, il pensa aux deux seules femmes qui avaient compté dans sa vie. Nya et Sira. Que faisaient-elles au moment où il fermait les yeux? Eprouvaient-elles une brusque douleur en plein cœur et relevaient-elles la tête, inquiètes, pour scruter les pans du ciel au-dessus des cailcédrats? Ou bien continuaient-elles d'aller à travers les cours sableuses des concessions, donnant des ordres à leurs servantes?

« Mère, je meurs et vous ne le savez pas! »

Au moment même où l'esprit de Malobali quittait définitivement son corps, Sakpata s'apaisait. Elle avait ragé, parcouru la ville, épuisé ses prêtres pendant quarante et un jours et quarante et une nuits. Le nombre de ses adeptes avait triplé, frappés par une pareille démonstration de puissance. A toutes les portes de la ville, ses statues s'élevaient tandis qu'à Abomey, sur les tombes à présent plus nombreuses que les cases, s'étalaient ses mets favoris.

Cependant, au palais Singboji, l'angoisse régnait. Sakpata n'avait-elle pas promis de revenir chercher le roi Guézo lui-même? Aussi, la faagbaji ne désemplissait pas de prêtres tentant de deviner le moment de ce retour fatal. Tout le jour, ils faisaient courir leurs noix de palme sur leurs plateaux divinatoires, mais Faa[6] restait silencieux et ne révélait rien.

6. Faa est le dieu fon de la divination (Ifa des Yoruba).

10

« APRÈS la mort de Malobali, Ayodélé n'a plus eu goût à rien. Elle songeait à se laisser mourir, quand elle s'est aperçue qu'elle était enceinte. Un enfant! Le trésor qu'elle avait vainement espéré pendant tout le temps de son union avec Malobali. Voilà qu'il lui était donné après sa mort. Elle s'est rappelé les paroles du babalawo qu'elle était allée consulter des années plus tôt. Il avait conclu sa séance en disant " Olubunmi " qui signifie " Tu seras comblé ". Alors c'est le nom qu'elle a donné à son enfant. Oui, quelle ironie! Dieu te comblera d'une main et te frappera de l'autre. Pourtant c'était une chrétienne, alors elle a accepté. Elle a porté vaillamment sa grossesse. Mais je crois que pour une femme comme elle, des enfants ne suffisaient pas à donner un sens à la vie. Nous avons eu beau l'entourer. Il n'y avait plus en elle le désir d'aller et venir sur la terre. Son esprit était tourné vers Koutomé, essayant de franchir ses portes. Un beau matin, nous l'avons trouvée morte sur sa natte. Comme elle n'avait pas de lait, c'était ma femme Molara qui allaitait son nouveau-né. Alors, nous l'avons gardé et quand j'ai décidé de reprendre le chemin de Ségou, je vous l'ai amené. Il vous appartient. »

Birame se tut et pendant un instant on n'entendit

que les pleurs des femmes et les soupirs des hommes. Pourtant, quel est le remède, quel est le médicament contre la mort, si ce n'est l'enfant? Olubunmi restait. Nya était la seule à ne pas partager ces sentiments de résignation, car elle apprenait d'un même coup la mort de deux de ses fils. Aussi perdit-elle la tête, apostrophant Birame :

« Et les autres? Les autres enfants de mes fils? Qu'en as-tu fait? »

Diémogo lui fit signe de se taire. Sans rudesse cependant. C'est bien connu, la femme, surtout quand elle souffre, n'est jamais maîtresse de ses paroles. Mais déjà Birame reprenait son récit :

« La famille d'Ayodélé est originaire d'Oyo. Nous la croyions détruite, dispersée par les troubles religieux de la région, les guerres entre Peuls musulmans et Yorubas. Or voilà qu'un homme est arrivé à Ouidah qui s'est dit être son oncle paternel, son père, en un mot. Installé à Abéokuta, il avait été lui-même esclave à la Jamaïque, puis libéré s'était établi à Freetown, d'où il était revenu. Il était riche, tout à fait capable de s'occuper des trois aînés et nous n'avons pu l'empêcher de les emmener avec lui... »

Nya se roula par terre et toutes les autres femmes avec elle. Diémogo, partagé entre le désir d'être reconnaissant envers cet hôte qui tout de même ramenait un enfant et le chagrin d'en avoir perdu trois autres, interrogea :

« Mais pourquoi? Pourquoi l'as-tu laissé faire? »

Birame baissa la tête :

« Pardonne-moi. J'ai eu peur d'entreprendre ce long voyage dans l'inconnu à travers les pays en guerre pour se procurer des esclaves, et j'ai craint que la triste aventure survenue à Naba ne se reproduise avec l'un de ses fils. Tandis qu'Olubunmi n'est qu'un bébé au dos de Molara. Là où elle va, il va. Il n'a besoin que de son lait. »

Pour la première fois peut-être, la famille songea à regarder le petit garçon. Potelé, dodu, il n'avait pas encore un an et fixait tout ce monde d'un regard sérieux comme s'il comprenait toute la gravité de la situation. Quelqu'un s'exclama :

« Olubunmi ? Mais ce n'est pas un nom de Bambara ! »

Diémogo eut un geste apaisant :

« Qu'importe son nom ! L'essentiel est qu'il soit vivant... »

Puis il se tourna vers Birame :

« Nous sommes injustes avec toi. Nous devrions te remercier et te couvrir de présents. Au lieu de cela, nous te querellons. C'est ce qui arrive au messager. On le rend toujours responsable des mauvaises nouvelles qu'il apporte. »

Birame soupira :

« Crois-moi, j'aurais aimé vous les éviter. Mais c'est la volonté des dieux. »

Le conseil de famille était réuni dans la cour principale de la concession. Diémogo était assis au centre, entouré de ses frères cadets, des fils aînés de Dousika et des siens. Les femmes étaient présentes, elles aussi, groupées autour de Nya, l'entourant de leur chaude compassion. Car n'était-elle pas la principale victime du drame qui se jouait ? Qu'avait-elle fait pour mériter tant d'épreuves ? Cependant on hésitait à la plaindre entièrement. En effet, ne tenait-elle pas Kosa entre ses bras, l'enfant de son âge mûr, et n'est-ce pas le signe évident de la bienveillance des dieux qu'un fils tardif ? Qu'elle était belle, Nya ! Tant de douleurs regardées en face avaient creusé ses yeux, tempéré l'éclat un peu arrogant de leur jeunesse, y allumant au contraire les reflets d'une tendre indulgence devant les folies.

Deux plis s'étaient imprimés autour de ses lèvres. Mais loin de la rendre amère, ils ajoutaient à l'expression un peu lasse, généreuse et bienveillante de son visage.

Nya regarda Tiékoro comme pour l'inviter à parler, car il ne s'était pas encore prononcé. Or Tiékoro occupait une place particulière dans la famille. Certes Diémogo en était le fa, le chef désigné par le conseil. Pourtant, Tiékoro en était incontestablement le guide spirituel. Contrairement à ce qui aurait pu se produire, il était sorti grandi de l'épreuve du suicide de Nadié, puisqu'il avait reconnu sa part de responsabilité et fait ouvertement pénitence. Ensuite, son séjour à Hamdallay, capitale du Macina, auprès de Cheikou Hamadou qui discutait avec lui de la possibilité de faire progresser l'islam en terre de Ségou, lui avait conféré une auréole de sagesse et de compétence. Il était devenu celui vers lequel tout le monde se tournait avant de prendre une décision, une sorte d'oracle animé par Mahomet. Pour couronner le tout, voilà que, l'année précédente, il s'était rendu en pèlerinage à La Mecque et s'était arrêté au retour à Sokoto où le sultan l'avait comblé d'honneurs, lui donnant une épouse. Désormais, le clan tout entier s'enorgueillissait de posséder pareil fils dont la réputation était grande aux quatre coins de la terre.

Tiékoro se leva. Ce qui ajoutait encore à son prestige, c'était la magnificence avec laquelle il était vêtu, un boubou de soie par-dessus un pantalon de même étoffe, un court boléro richement brodé par-dessus le boubou, un lourd turban dont il ramenait souvent un pan sur son visage et sur lequel il posait un voile blanc. Il joignit les mains et se tourna vers Birame :

« Loin de te quereller, je te remercierai plutôt et

j'inviterai toute la famille à m'imiter. Ne nous as-tu pas apporté les meilleures nouvelles? La mort n'est-elle pas une fête? N'est-ce pas le mécréant qui se lamente devant l'enveloppe charnelle et ne pense pas au bonheur de l'âme, lampe du corps, quand elle se confond à l'éclat du divin? Il n'y a de dieu que Dieu... »

Au fur et à mesure qu'il parlait, la voix de Tiékoro s'enflait et bientôt elle couvrit tous les autres bruits : craquements secs des branches enflammées, bruissement des feuilles d'arbres dérangées par le vent, bêlement des moutons dans leur enclos. En entendant parler son frère, une boule se forma dans la gorge de Siga, remonta jusqu'à sa bouche où elle éclata, l'emplissant d'une saveur amère qui était celle de la haine. L'hypocrite! L'hypocrite! Nul n'ignorait que c'était sa cruauté et ses injustices qui avaient chassé Malobali de la concession, le précipitant dans ces aventures où il avait trouvé la mort. Et pourtant, insensible au remords, il pérorait, donnait des leçons, tirait des explications pour la plus grande gloire de Dieu. Quel était ce dieu qui demandait à une mère de se réjouir de la mort de ses fils? Siga, quant à lui, aurait souhaité prendre Nya dans ses bras :

« Pleure, mère aimée, il n'y a plus de lumière dans la case et les doux oiseaux du bonheur se sont envolés. Pleure, mais n'oublie pas que je suis auprès de toi. »

Pourtant, Siga avait l'honnêteté de s'avouer que ce n'était pas seulement les paroles de Tiékoro qui l'irritaient. Mais la manière dont tout le monde le regardait. Les femmes surtout. Et la sienne, en particulier, Fatima. Une admiration éperdue comme si les dieux eux-mêmes avaient décidé de visiter la terre et de la parcourir dans un éblouissant cortège.

Ne voyaient-elles donc pas l'affectation de ce cuistre?

A présent, Birame se levait et remettait symboliquement Olubunmi à Diémogo qui l'élevait au-dessus de sa tête. L'enfant était beau. Pourtant le sang yoruba mêlé au sang peul que son père possédait déjà contribuait à lui donner un air totalement étranger. Molara, qui l'avait nourri dix mois et à qui personne ne demandait son avis, pleurait doucement tandis que Birame la réprimandait à voix basse. Pourquoi se lamentait-elle alors que le voyage se terminait heureusement et que le petit orphelin retrouvait sa famille?

Sur un signe de Nya, les esclaves apportèrent des calebasses de dolo et jetèrent des bûches dans le feu. Puis les femmes se retirèrent, laissant les hommes deviser et boire entre eux. Bientôt Birame fut assailli de questions.

« Dahomey? Tu dis Dahomey?

– Tu dis qu'il y a beaucoup de Blancs là-bas?

– Et des Peuls? Est-ce qu'il y a des Peuls?

– Et des musulmans? Et des mosquées? »

La curiosité reprenait ses droits. Bientôt les aventures extraordinaires de Naba et de Malobali ne seraient plus que des éléments exotiques du patrimoine familial.

Siga ne disait rien. Il n'avait guère connu Malobali, ayant passé à Fès la majeure partie du temps où il était adolescent. A son retour à Ségou, il l'avait trouvé en pleine révolte contre son aîné, mais il n'était pas intervenu dans ces querelles. Comme il s'en repentait à présent! Peut-être aurait-il pu l'empêcher de s'embarquer dans ces aventures dont la fin tragique endeuillait la famille? Tous, ils étaient tous responsables! Et il n'était pas juste d'accabler Tiékoro. Celui-ci avait entrepris d'interroger Birame :

« Tu penses donc qu'au Dahomey le danger venait des Blancs? Comment cela? Est-ce à cause de leur religion? Ou avaient-ils des ambitions politiques? »

Birame, âme simple, était bien incapable de répondre à ces questions et Tiékoro jouissait manifestement de sa supériorité intellectuelle. Ecœuré, Siga détourna la tête.

Or, contrairement à ce que croyait Siga, Tiékoro souffrait le martyre. Après la mort de Nadié, il se sentait pleinement responsable de celle de Naba et de Malobali. Il aurait aimé se jeter par terre et hurler comme une femme lors de funérailles pour se délivrer de son angoisse et de son remords. Mais un autre personnage collait à lui, celui qu'il avait adopté depuis quelques années, celui du sage empli du souci de Dieu. Alors, il ne pouvait s'empêcher de prononcer les paroles, d'accomplir les gestes, d'adopter les attitudes de son double. Mais qui savait ce qui se passait en lui?

En réalité, toute sa vie n'était qu'un long dialogue avec Nadié. Tour à tour, il l'accusait d'avoir manqué de confiance en lui, de n'avoir pas su attendre que ces fumées d'orgueil, qui obscurcissaient son esprit, se dissipent. Puis il la suppliait de lui pardonner et de lui signifier son amour. Et voilà que deux autres défunts venaient s'ajouter à cette ombre et qu'ils l'assaillaient à leur tour. Dans son désarroi, il s'approcha de Diémogo et lui dit :

« Mais ne faudrait-il pas prévenir sa mère? »

Diémogo se troubla. Encore une fois, Tiékoro lui coupait l'herbe sous le pied. Car n'était-ce pas lui qui aurait dû y songer? Aussi, son irritation le rendit morose et il fit sans entrain :

« Est-ce qu'on sait où elle se trouve? »

Tiékoro haussa les épaules :

« Ce n'est pas difficile à trouver. On sait qu'elle habite dans le Macina et qu'elle est remariée à un certain Amadou Tassirou qui a eu maille à partir avec Cheikou Hamadou pour des questions de confréries... Car il appartient à la Tidjaniya et Cheikou Hamadou à la Qadriya... »

Même en donnant ces explications, Tiékoro ne pouvait s'empêcher d'être pédant et d'indiquer subtilement à Diémogo son ignorance de toutes ces questions, qui pourtant divisaient le monde autour de lui. Diémogo regarda par terre pour cacher l'expression de son regard :

« Et qui me conseilles-tu d'envoyer auprès d'elle ?

– C'est une mission dont je me chargerai moi-même. »

Diémogo le fixa avec stupeur :

« Tu abandonnerais ta zaouïa[1] ?

– Je ne serai absent que quelques semaines. De toute façon, je devais m'absenter car le Mansa m'a chargé d'aller m'entretenir avec Cheikou Hamadou à Hamdallay... »

Jusqu'au matin, Tiékoro avait songé à refuser cette mission. S'il changeait d'avis, c'est qu'il voyait là une occasion inespérée de donner un dérivatif à ses remords et à son sentiment d'impuissance. Approcher Sira, parler avec elle du défunt Malobali, jouer un rôle de consolateur. Diémogo interrogea :

« Quand penses-tu partir ?

– Mais demain matin... »

Là-dessus, il s'éloigna et Diémogo le regarda s'éloigner avec un sentiment bien voisin de la haine. Tiékoro était toujours entre Nya et lui. Il avait cru

1. Ecole d'enseignement coranique et de méditation.

un instant que Kosa, le fils qu'ils avaient eu, les rapprocherait. Hélas! il n'en était rien. Nya n'oubliait pas un instant qu'elle était la mère de Tiékoro et que seuls ses intérêts ou ses caprices comptaient. Elle avait insisté pour qu'on l'autorise à ouvrir cette zaouïa. Des murs avaient été abattus. Une partie des cours avaient été transformées pour les élèves étrangers qui ne cessaient d'affluer de tous les coins du royaume. A présent, on ne comptait pas moins d'une centaine d'enfants qui, dès le matin, braillaient des prières, noircissaient des planchettes et chantaient leur foi en l'islam. Passe encore s'ils avaient contribué aux dépenses de leur entretien! Non! Tiékoro estimait scandaleux que les parents paient pour assurer à leurs enfants la connaissance du vrai Dieu. Alors, en attendant que les champs qu'ils cultivaient rapportent, c'était aux Traoré de les nourrir! Nourrir ce tas d'hérétiques! Tiékoro oubliait-il que les musulmans étaient des ennemis? A chaque fois que Diémogo tentait d'aborder ce problème, Tiékoro l'arrêtait avec dédain :

« Dieu, qui pourvoit à la croissance des plantes et de toute la création, ne nous laissera jamais manquer de rien!... »

Nya ne sentait-elle pas que la présence de cette zaouïa était de nature à irriter les dieux et les ancêtres qui déchaîneraient sur la famille les pires cataclysmes? Peut-être le pauvre Malobali avait-il payé de sa vie le reniement de son aîné et la coupable indulgence du clan à son endroit! Une fois de plus, Diémogo s'exhorta à faire preuve d'autorité et à porter l'affaire de la zaouïa devant le conseil de famille.

Pendant ce temps, Tiékoro se dirigeait vers le palais du Mansa, pour l'informer qu'il se rendrait dès le lendemain à Hamdallay.

Depuis quelques années, les armées bambaras et

les armées peules ne s'étaient pas affrontées directement. Or voilà qu'on apprenait que les célèbres lanciers du Macina avaient à nouveau sauté sur leurs chevaux et conquis Tombouctou. Désormais, les Peuls obligeaient les Touaregs à se sédentariser et à cultiver la terre tandis qu'ils forçaient les autres habitants à payer de lourds tributs. On racontait des scènes révoltantes de commerçants, contraints de livrer leur or et leurs objets précieux, de femmes violées alors même qu'elles étaient musulmanes, et d'éleveurs rançonnés. Cela créait une situation nouvelle dans la région. Qu'advenait-il des relations commerciales de Ségou avec Tombouctou? A quelles nominations Cheikou Hamadou avait-il fait procéder? Qui étaient les nouveaux chefs militaire et civil? Voilà toutes les questions auxquelles Da Monzon entendait que Tiékoro trouve réponse.

Les gardes qui connaissaient Tiékoro abaissèrent leurs lances devant lui; il entra dans la première cour et, à sa vue, une petite foule de griots commença de le chanter. Tiékoro ne pénétrait jamais dans le palais sans se rappeler la façon humiliante dont son père Dousika avait été démis de ses fonctions de conseiller. En un sens, il l'avait vengé. Alors pourquoi cette amertume en son cœur? Il traversa l'enfilade des sept vestibules jusqu'à la pièce où Da Monzon recevait ses familiers.

Da Monzon avait beaucoup vieilli. Après près de vingt ans de règne, il semblait usé par trop d'exploits guerriers, trop de décisions touchant à de graves domaines : relations avec le Kaarta, attitude vis-à-vis de l'islam, vis-à-vis de la Traite et du commerce avec le Nord qui sous son prédécesseur n'avaient pas eu pareille importance. Les méchantes langues soufflaient qu'il était aussi usé par son excessif amour pour les femmes et les soins qu'il donnait à ses huit cents épouses et concubines. Il était assis sur une chaise recouverte de cuir rouge avec des pieds sculptés en forme de lion, qu'il avait achetée à un commerçant de la côte, et, autre objet de traite, il portait des pantoufles en velours noir brodées de fleurs d'or.

S'étant incliné et ayant exprimé ses respects, Tiékoro vint au vif du sujet :

« Maître des énergies, je vais partir demain pour exécuter tes décisions. »

Da Monzon s'étonna :

« Tu m'en vois heureux. Mais qu'est-ce qui t'a fait changer d'avis? Jusqu'à hier, tu étais indécis... »

Alors, en quelques mots, Tiékoro résuma l'histoire de Malobali, concluant :

« J'en profiterai donc pour informer sa mère, la Peule Sira... »

Il se fit un grand silence dans la salle. Même les musiciens déposèrent leurs flûtes et retinrent les baguettes de leur bala. Quoi de pis que de trouver la mort en terre étrangère? Quel terrible destin que celui de ces Traoré! Quels crimes avaient-ils donc commis? Ceux qui étaient présents, et qui à des degrés divers détestaient Tiékoro, n'étaient pas loin de penser que c'était sa conversion qui avait apporté la malédiction sur la famille. En même temps, puisqu'on avait besoin de ses compétences, cette haine ne pouvait s'exprimer au grand jour et il se créait autour de lui une atmosphère faite de pensées refoulées, exprimées à demi, qui le blessait profondément. Il aurait souhaité être aimé. Or il n'était qu'utilisé. Admiré, alors qu'il était craint. Da Monzon rompit le silence en déclarant :

« Demain, je ferai porter des présents à ta famille. Dis à Diémogo que nous partageons tous ce deuil. »

Reconnaissant Tiékoro, Siga fit brutalement :

« Qu'est-ce que tu veux? »

Tiékoro ne se laissa pas démonter par cet accueil :

« Je veux t'avertir que je pars demain pour le Macina et que je serai plusieurs semaines absent. »

Siga eut un haussement signifiant que cela lui était bien égal et Tiékoro le regarda d'un air narquois, comme si cette attitude l'amusait prodigieusement, avant de dire :

« Je pourrai t'être d'un grand secours...

– Comment cela? »

Les relations entre Tiékoro et Siga n'avaient jamais été bonnes. A présent elles étaient totalement détériorées. D'abord, la jalousie et la rancœur avaient atteint chez le second un degré extraordinaire. Car, si Tiékoro n'avait eu aucune difficulté à ouvrir cette zaouïa dans la concession commune, le projet de Siga de créer une tannerie avait été repoussé avec horreur. Quoi? Les Traoré, des nobles auxquels seul le travail de la terre convenait, allaient imiter les garankè, les artisans du cuir, les hommes de caste? Siga était-il fou? Non content de leur ramener cette étrangère qui regardait tout le monde avec mépris, il voulait déshonorer la famille? Puis il y avait eu cette douloureuse affaire après laquelle Siga avait cru bon de quitter la concession et de s'installer sur des terres de la famille à l'extrémité orientale de la ville. Comme il était parvenu à tenir secrètes les véritables raisons de ce départ, il passait à présent pour un fils ingrat et dénaturé que Nya ne manquait pas d'opposer à son aîné. Il s'efforça de chasser ces pensées de son esprit, cependant que Tiékoro se penchait vers lui :

« Ce qui compte, c'est d'en imposer aux autres, tu ne l'as pas compris. Il faut se faire respecter. Je dirai plus, se faire craindre. »

Perdant patience, Siga s'exclama :

« Garde tes prêches pour les élèves de ta zaouïa. Mais es-tu sûr de leur tenir le même discours? Avec eux, est-ce que tu ne parles pas seulement d'amour et de charité? »

Tiékoro étendit une main apaisante :

« Siga, je veux t'aider. Sincèrement. Cheikou Hamadou vient de défaire Tombouctou. Les notables marocains de la ville se sont enfuis. Le commerce est désorganisé. Plus de caravanes se dirigeant vers le Maghreb, puisqu'il n'y a plus ni or ni cauris... N'est-ce pas le moment pour un esprit ingénieux de s'imposer et de fournir ces objets dont tout musulman a besoin? »

Siga haussa les épaules :

« Ne parlons plus de cela, Tiékoro. Tu sais ce que la famille pense de mes projets! »

Tiékoro fit avec mépris :

« Alors continue de faire ce que tu hais, cultiver la terre. Après tout, tu n'es peut-être bon qu'à ça? »

Comme il se levait, Siga le retint :

« Comment pourrais-tu m'aider?

– Il suffit qu'à Hamdallay et ailleurs, utilisant mes relations, je parle de toi pour que les commandes affluent. Avec la fortune viendra le respect! »

La brutalité de ces mots choqua Siga. Pourtant Tiékoro ne disait que la vérité. Tant d'années d'apprentissage à Fès! Tant de projets! Le rêve de rivaliser avec les célèbres familles fassies! Au lieu de cela, il était redevenu cultivateur comme avant, peinant et suant dans le champ que lui avait alloué le conseil familial et trop pauvre pour employer des esclaves. Il regarda son frère fixement :

« Qu'as-tu à te faire pardonner? »

Tiékoro fit avec arrogance :

« Tu sais bien que je n'ai rien à me reprocher! »

C'était vrai! Sur un point du moins, il était entièrement innocent. Ce n'était pas sa faute si, dans ce « repaire de fétichistes et de barbares » qu'était Ségou à ses yeux, il avait semblé à Fatima le seul être civilisé. D'abord rapprochée de lui par la foi, elle avait insensiblement glissé vers d'autres sentiments, favorisée en cela par ce goût de l'intrigue amoureuse qu'elle tenait de ses origines. Siga se rappelait le billet qu'il avait reçu un matin à Fès : « Es-tu aveugle? Ne vois-tu pas que je t'aime? »

Eh bien, elle en avait adressé d'autres à Tiékoro! Peut-être ne songeait-elle pas à l'adultère. Simplement à ressusciter des jeux troubles et dangereux qui lui manquaient. Si elle avait été une femme bambara, Siga n'aurait pas hésité à la renvoyer dans sa famille. Mais, Fatima était une étrangère qui l'avait suivi par amour si loin de chez elle. N'était-ce pas sa faute si elle passait ses jours déçue et morose? Etait-ce là l'avenir qu'il avait fait miroiter à ses yeux? Depuis leur retour à Ségou, Siga voyait sa ville natale à travers les yeux de Fatima, et le regret le prenait de n'avoir pas assez joui des splendeurs de Fès. « C'est une ville à laquelle la colombe a prêté son collier et que le paon a revêtue de son plumage », chantait un vieillard à Bab-Guissa et la foule l'écoutait, suspendue à ses lèvres. Est-ce le destin de l'être humain que de soupirer après ce qui est loin de lui?

Il frappa dans ses mains pour appeler une esclave et lui ordonna de préparer du thé à la menthe. Comme elle se retirait, il se tourna vers son frère :

« Bon, si tu parles de moi à tes relations et si tu

obtiens des commandes de babouches, comment pourrai-je les honorer? »

Comme il avait honte de demander conseil à celui qui l'avait si souvent blessé! Tiékoro prit son air important :

« Tu as parfaitement le droit de demander à fa Diémogo ta part de bétail et d'or. Le bétail te permettra de te procurer des peaux. L'or de payer tes artisans. »

Siga eut à nouveau un geste de découragement :

« Tu sais bien ce qu'il me répondra... Un Traoré garankè! Un Traoré commerçant!

– Il acceptera, car, dès ce soir, je vais en parler à notre mère. »

Il n'y avait nulle fanfaronnade dans ces paroles. Une fois de plus, Siga fut ulcéré. Que l'amour maternel est aveugle et injuste! Tiékoro n'avait pris que la peine de naître le premier et voilà! Il avait beau semer le mal autour de lui, car il semait le mal en vérité, tout ce qu'il faisait trouvait grâce aux yeux de Nya. Lui, Siga, ne serait jamais que le fils-de-celle-qui-s'est-jetée-dans-le-puits!

L'esclave revint, portant sur un plateau de cuivre de petits verres décorés de fleurs. Un à un, les objets manufacturés en Europe ou au Maghreb s'insinuaient à Ségou. Il n'était pas rare de voir des fils de famille porter des bottes à revers achetées à quelque trafiquant. Bien des ménages rangaient des plats d'argent dans leurs cases et le Mansa faisait admirer à ses familiers un service de fine porcelaine de Chine dont il ne se servait jamais. Tiékoro avait raison. Il fallait profiter de la désorganisation commerciale qui suivait la prise de Tombouctou par ces fanatiques du Macina.

Alors, les vieux rêves renaquirent de leurs cendres. Siga se vit commandant à un peuple d'esclaves, torse nu, trempant, teignant, découpant les peaux. En outre, il posséderait une boutique où, à côté de ces objets de cuir, il vendrait des tissus de soie et de brocart. Oui, il avait manqué de persévérance. Sans protester, il s'était incliné devant le conservatisme familial. Un yèrèwolo se doit de cultiver la terre ou de la faire cultiver par ses esclaves et de vivre de son produit. Mais le monde autour des yèrèwolo changeait. Voici qu'au sein même de la famille, ces changements se manifestaient. Naba emmené au Brésil. Malobali suivant des caravanes jusqu'au pays ashanti et trouvant la mort à Abomey, à des journées et des nuits de chez lui. Tous deux laissant des fils qui n'appartenaient plus qu'à moitié au clan et portaient en eux, comme le signe des races étrangères dont ils étaient issus, d'autres désirs, d'autres aspirations.

Après tout, Tiékoro n'était-il pas simplement le plus intelligent d'entre eux? Prévoyant la victoire inéluctable de l'islam dans la région, non seulement il était un des premiers à s'y convertir, mais encore il devenait un des artisans de sa propagation. Beau calcul! A ce moment, Siga eut l'impression d'être partial à l'endroit de son frère et, le regardant à la dérobée, fut frappé par son expression de souffrance. La lampe au beurre de karité entourait son visage d'un halo et sculptait ses traits que le jeûne rendait ascétiques. Chaque jour davantage, Tiékoro ressemblait à ces dévots de Tombouctou qui ne sortaient jamais dans les rues sans égrener avec ostentation leur chapelet et qui faisaient leur prière là où ils se trouvaient pour prouver que Dieu n'attend pas pour être honoré. Néanmoins, ses yeux immenses, noirs, tantôt fixes, tantôt extrêmement mobiles, détruisaient l'harmonie de son visage. On ne pouvait soutenir leur regard qui donnait l'effrayante intuition de ce qui se passait en lui.

Quatrième partie

LE SANG FERTILE

1

Tiékoro fit paraître son fils Mohammed devant lui :

« Cheikou Hamadou nous fait un grand honneur. Il m'écrit pour demander que tu lui sois confié afin qu'il achève ton éducation religieuse. »

Mohammed occupait une place particulière dans son foyer et dans la concession tout entière. C'était le premier fils qu'il avait eu de Maryem, l'épouse que lui avait donnée le sultan de Sokoto, à son retour de La Mecque. Elle avait eu coup sur coup trois filles et Tiékoro désespérait d'avoir un héritier digne de lui. Car tout en les aimant à sa manière, il ne pouvait oublier le statut d'Ahmed Dousika et d'Ali Sunkalo, les fils de Nadié. Ils n'étaient après tout que les fils d'une esclave. Or Maryem était apparentée à un sultan, née et élevée dans l'or, l'opulence et le bien-manger. Aussi Mohammed était-il presque un enfant royal.

En butte depuis sa naissance à la jalousie et à la haine de tous ceux qui, ne pouvant exprimer leurs véritables sentiments à Tiékoro, se vengeaient sur lui, Mohammed était un garçon introverti, écorché vif et qui vivait attaché au pagne de sa mère. A la pensée d'en être séparé, son désespoir fut tel qu'il osa se rebeller et protester :

« Est-ce que les Peuls du Macina ne sont pas nos ennemis? »

Tiékoro le foudroya du regard :

« Ose répéter pareille chose que je t'écrase, vermine! Est-ce que ce ne sont pas nos coreligionnaires et nos frères en Allah, le seul vrai Dieu? »

L'enfant n'osa plus rien dire. Néanmoins, il savait la haine des Bambaras pour les « singes rouges », les « noircisseurs de planchettes », les « bimi[1] » qui, s'ils n'étaient pas parvenus à les soumettre, comme ceux de Djenné et de Tombouctou, les avaient si souvent humiliés. Il bégaya, retenant à grand-peine ses larmes :

« Quand dois-je partir?

– Quand je te l'ordonnerai... »

Comme il se détournait, serrant son boubou autour de lui et dessinant ainsi ses formes fluettes, le cœur de Tiékoro se serra. Il le rappela, tenté de rompre avec sa froideur habituelle et de le serrer contre lui, en murmurant : « C'est pour ton bien que j'accepte cette offre. L'islam vaincra. Il triomphe déjà. Bientôt, le monde n'appartiendra qu'à ceux qui possèdent l'écriture et la connaissance des livres. Notre peuple, malgré toutes ses qualités humaines, sera traité d'ignorant et de fruste... »

Pourtant, comme Mohammed revenait vers lui, il ne sut lui parler et se borna à dire :

« Quand tu seras à Hamdallay, va rendre visite à ta grand-mère Sira. »

Mohammed, peu au fait des complexités de la généalogie familiale, écarquilla les yeux :

« Nous avons des parents dans le Macina? »

Tiékoro inclina affirmativement la tête. Comme il se rasseyait sur sa natte, sa seconde femme, Adam, vint lui apporter sa bouillie du matin. Après la mort

1. « Je dis », en peul. Surnom donné par les Bambaras aux Peuls.

de Nadié, c'est avec joie et gratitude que Tiékoro avait accueilli la rupture de ses fiançailles par la princesse Sounou Saro. Car il n'avait plus qu'un désir : vivre seul, ne plus jamais prendre une femme dans ses bras. Il lui semblait qu'il n'aurait pas trop de toute son existence pour expier sa faute. Puis le sultan de Sokoto lui avait donné Maryem. Puis Cheikou Hamadou lui avait donné Adam, une fille de sa famille. Et il y avait déjà ce commerce commencé il ne savait comment avec Yankadi l'esclave qui élevait les fils de Nadié! Ainsi sans l'avoir voulu, il se trouvait maître de deux épouses et d'une concubine, père d'une quinzaine d'enfants! Mais chaque nouvelle naissance à son foyer, loin de le remplir de joie, l'emplissait de honte, lui faisant mesurer l'abîme entre ses aspirations et la robustesse de ses instincts. C'est pourquoi il regarda avec irritation le ventre proéminent d'Adam et déclara que la bouillie était trop liquide. Sans mot dire, elle reprit la calebasse et repartit vers les cuisines.

Tiékoro n'attendit pas son retour et se dirigea vers la zaouïa. Elle comptait à présent deux cents élèves appartenant aux familles les plus aristocratiques de Ségou, qui toutes faisaient le même calcul. N'était-il pas judicieux de donner à au moins un fils la connaissance de l'islam?

Chaque jour s'écoulait selon le même rythme. D'abord la révision du Coran. Puis les commentaires, traités sous l'angle du droit ou de la théologie. Après le repas de midi venait la récitation du Livre sacré, qui ne se terminait qu'à la prière de l'après-midi. Ensuite, les enfants allaient travailler les champs de mil ou les jardins potagers qu'ils entretenaient sur les terres de la famille Traoré. Tiékoro, qui s'était toujours refusé au travail de la terre, ne les suivait pas. Il commençait d'égrener son chapelet. Puis il rejoignait la mosquée pour la prière du couchant, y demeurait jusqu'à la prière de l'entrée de la nuit à discuter question de foi avec l'imam. On parlait de plus en plus de la voie Tidjani et de l'ouvrage de Cheik Ahmed Tidjani *Djawahira el-Maani*[2]. Ensuite, Tiékoro reprenait le chemin de la concession familiale, avant de rejoindre sa case, s'arrêtait chez Nya qui l'informait de tout et prenait son conseil sur tout. Fiançailles, mariages, noms à donner aux enfants, baptêmes, dots.

Tiékoro aimait ces heures avec Nya dans la paix nocturne. A présent qu'il avait perdu Nadié, Nya restait le seul être à éprouver pour lui un amour sans faille. Et, s'entretenant avec sa mère, Tiékoro s'entretenait aussi avec Nadié, car non seulement Tiékoro ne chérissait ni Maryem ni Adam, mais encore il avait l'impression qu'elles voyaient clair en lui et le méprisaient. Hypocrite! Il n'était qu'un hypocrite! Avide d'honneurs! Avide de gloire! Et qui avait trouvé en se parant du nom d'Allah le moyen d'attirer l'attention! Sa piété ne cachait rien que l'ambition de briller!

La conscience que Tiékoro avait de son indignité contrastait avec le respect que les souverains de pays aussi divers que le Macina, le sultanat de Sokoto, le Fouta Toro et le Fouta Djallon lui témoignaient, faisant de lui un être taciturne, violent, hésitant constamment entre l'exaltation et l'abattement. Comme il entrait dans l'enclos de la zaouïa, les plus jeunes élèves, qui malgré le régime de prières intensif auquel ils étaient soumis n'étaient que des gosses, chahutaient, se poursuivaient et roulaient dans le sable dans des parodies de bataille et des jeux violents. A sa vue, tout le monde s'immobilisa. Ceux qui étaient à terre se relevèrent et époussetèrent hâtivement leurs boubous. Des

2. « La Perle des significations. »

rangs se formèrent et des dizaines de paires d'yeux fixèrent le sol. Tiékoro haïssait l'effet qu'il produisait sur cette jeunesse et souvent, dans son exaspération, il talochait à tour de bras des joues, des fronts, des paupières qui n'avaient que le tort d'être trop dociles. Il entra dans la partie de l'enclos réservée aux élèves du deuxième degré et s'installa sur sa natte. Un à un, les enfants vinrent prendre place autour de lui.

Mohammed, les yeux boursouflés, vint s'installer parmi les derniers. Sans doute avait-il couru auprès de sa mère pour mêler ses larmes aux siennes. Ah! il était grand temps de le séparer de Maryem qui l'amollissait! Grand temps d'en faire un homme! Bien sûr, la famille s'irriterait de la préférence qu'il marquait ainsi à un de ses enfants. Il imaginait déjà les commentaires. L'aigreur d'Ahmed et d'Ali qu'il avait mariés à deux filles de bonne naissance, mais sans grande fortune et qui trimaient dans les champs familiaux. L'inquiétude d'Adam concernant ses fils à elle. Pourtant, Tiékoro se préoccupait surtout des conséquences politiques de son acte. Les tensions entre Peuls et Bambaras s'attisaient. Le Mansa parlait de lancer une offensive de grande envergure contre le Macina et à cet effet s'approvisionnait en fusils de traite et en poudre de guerre, pressant le souverain du Kaarta de faire alliance avec lui. Envoyer son fils dans le Macina serait mal vu. Pourtant, pouvait-il refuser l'honneur fait à sa famille? N'était-ce pas sa parenté, même lointaine avec le sultan de Sokoto qui était reconnue ainsi?

Revenant sur terre, Tiékoro regarda fixement les petits visages anxieux tournés vers lui :

« Combien d'entre vous ont suivi le conseil que j'ai donné hier? »

Il y eut un flottement dans la classe, personne ne

sachant manifestement à quoi il faisait allusion. Puis Alfa Mandé Diarra se leva :

« Moi, maître. Comme tu l'as recommandé, j'ai écrit le divin nom d'Allah sur le mur en face de ma couche afin qu'il soit à mon réveil la première image qui s'offre à mes yeux... »

Alfa Mandé appartenait à la famille royale, étant le fils d'un frère du défunt Mansa Da Monzon. A cause de cela, Tiékoro lui accordait un traitement de faveur, l'exemptant du travail de la terre et le libérant deux jours par semaine afin qu'il retourne chez son père qui résidait à Kirango. Il espérait qu'Alfa Mandé entraînerait à sa suite d'autres enfants royaux. Or il n'en était rien. Aucun des fils du Mansa Tiéfolo ne l'avait imité et Tiékoro, qui, après la mort de Da Monzon, avait sollicité une entrevue du nouveau souverain pour l'entretenir de questions relatives à l'islam, n'avait jamais eu satisfaction. Ah! le temps était loin où Da Monzon le consultait sur tout et l'envoyait en ambassade dans les cités musulmanes! Ceux qui entouraient Tiéfolo n'avaient que guerres en tête! Ne comprenaient-ils pas que même s'ils tuaient les Peuls du Macina jusqu'au dernier, l'islam était venu dans la région pour s'imposer? Pour prendre racines comme un arbre toujours vivace qui ignore les rigueurs de la saison sèche, qui verdit quand la broussaille autour de lui devient jaune? Ah! esprits obtus et bornés!

Tiékoro félicita Alfa Mandé qui était sans contredit un de ses élèves les plus brillants et entonna :

« Oui, écrivez ce divin nom sur vos murs. Au lever, prononcez-le avec ferveur du fond de l'âme afin qu'il soit le premier mot sortant de vos lèvres et frappant votre oreille. Au coucher... »

En parlant, il croisa le regard de Mohammed et il lui sembla que l'enfant le perçait à jour, décelant clairement son pharisaïsme et sa folle vanité. Alors, comme pour s'étourdir, il clama plus fort :

« Si vous persistez, à la longue la lumière contenue dans le secret de ses quatre lettres se répandra sur vous. Une étincelle de l'essence divine enflammera votre âme et l'irradiera... »

Pourtant le regard de Mohammed ne contenait rien qui puisse choquer Tiékoro, l'enfant étant trop jeune, trop respectueux pour envisager de juger son père. D'autres le faisaient à sa place et Tiéfolo, fils aîné de Diémogo, était de ceux-là.

Tiéfolo ne cessait de se souvenir qu'il avait lui-même été chercher Tiékoro à Djenné après la mort de Dousika. Et ne cessait pas de s'en repentir. Il croyait bien faire alors, satisfaire aux dernières volontés du défunt, réaliser l'unité de la famille... S'il avait pu savoir qu'il travaillait simplement à la ruine et à l'humiliation de son père!

Il ne supportait plus de voir Diémogo réduit au rôle d'exécutant des volontés de Tiékoro. Il ne supportait plus la proximité de la zaouïa. Il ne supportait plus d'entendre ces litanies à la gloire d'un Dieu auquel les siens ne croyaient pas. Ses jours n'étaient plus qu'une fiévreuse interrogation sur la manière de débarrasser la famille de Tiékoro. Quand sa première femme la bara muso Ténègbè s'approcha de lui pour lui confier ce qu'elle venait d'apprendre, il la regarda avec incrédulité :

« Qu'est-ce que tu racontes là? »

Ténègbè garda le silence. C'était une très jolie femme, originaire du Kaarta, apparentée par sa mère au défunt Mansa Fula-fo Bo, « Bo le tueur de Peuls, dont le souvenir était encore présent dans tous les esprits. Tiéfolo crut que la haine qu'elle portait à l'islam et à cause de lui à Tiékoro l'égarait, et il haussa les épaules :

« C'est impossible! Il n'a aucun respect pour notre famille et notre royaume. Pourtant il ne ferait pas cela... »

Ténègbè fit simplement :

« Eh bien, tu me croiras quand tu verras Mohammed enfourcher le cheval qui le conduira à Hamdallay... »

Là-dessus, elle se retira. Perplexe, Tiéfolo sortit dans la cour. La saison des pluies se terminait. Le feuillage des cailcédrats et des tamariniers était d'un vert éclatant. Les jardins potagers des femmes étaient en fleurs. Bientôt, il faudrait recrépir les murs des cases, refaire les toits abîmés par les averses. C'était le moment de l'année où tout homme actif sentait son sang inonder joyeusement son cœur et procurer une excitation agréable à ses membres. Dans quelques semaines, une fois ces travaux accomplis, Tiéfolo prendrait le chemin de la brousse à la poursuite de gibier. Et pourtant, loin de l'anticipation heureuse qu'il aurait dû éprouver, il ne ressentait qu'angoisse et exaspération. Il se dirigea à grands pas vers la case de son père, décidé cette fois à agir.

Diémogo s'entretenait avec le chef des esclaves et lui indiquait les tâches à entreprendre. C'était le seul domaine où Tiékoro, qui n'y entendait rien, lui laissait une certaine autonomie.

Tiéfolo s'approcha de son père, attendit respectueusement qu'il daigne se tourner vers lui, répondit à ses salutations, puis souffla :

« Est-ce que c'est vrai, ce que j'entends? Il va envoyer Mohammed chez nos ennemis du Macina? »

Diémogo eut un geste d'impuissance :

« C'est ce que Nya m'a appris. Il lui a tellement

obscurci l'esprit qu'elle considère cela comme un grand honneur pour notre famille...

– Un honneur? Mais nous passerons pour des traîtres et des espions! »

Des espions? Au moment où Tiéfolo prononçait ces mots, un plan germa dans son esprit. Espions? Avec une soudaineté qui le déconcerta, il prit congé de son père, retourna chez lui où il se changea, revêtant des habits plus élégants. Puis il sortit de la concession. A voir l'opulence de Ségou dans ces années-là, on comprenait pourquoi elle excitait à ce point les convoitises des Peuls de Cheikou Hamadou. Bien sûr, ces « singes rouges » ne parlaient que d'y implanter l'islam. Mais tout le monde savait qu'ils n'avaient d'autre désir que de faire main basse sur ses richesses et de contrôler ses marchés. Les Bambaras, chassés de Djenné par les persécutions religieuses, avaient rapporté de nouvelles techniques de maçonnerie et les maisons semblaient de véritables palais, avec, au-dessus des auvents des portes, de hauts panneaux décoratifs triangulaires et au faîte des murs des frises régulières. Chaque marché illustrait la diversité des échanges commerciaux du royaume : mil, riz, vin de miel d'abeille, coton, parfums, encens, peaux, poisson séché et fumé, et objets de traite que leur abondance rendait communs. Quelques années plus tôt, les femmes se jetaient sur cette pacotille. A présent, elles ne lui accordaient plus un regard. Seules la poudre de guerre, les armes, les eaux-de-vie continuaient d'exciter l'envie, mais leur vente était strictement contrôlée par le Mansa.

Tiéfolo traversa la grand-place entourant le palais royal. Il le savait, c'était jour de réception du souverain et personne ne saurait lui interdire de l'approcher. Des ouvriers s'affairaient autour des murs d'enceinte, les badigeonnant avec une peinture ocre faite d'un mélange de boue et de kaolin, bouchant les fissures, redessinant les frises. Les tisserands royaux avaient pris place dans la deuxième cour et les longs serpents blancs des bandes de coton mordaient les métiers. Plus loin, les esclaves faisaient cercle autour d'un bouffon qui frappait de ses doigts bagués sur des calebasses. Tiéfolo fronça les sourcils. N'était-ce pas un Peul? Ah! ces singes rouges étaient partout!

Le Mansa Tiéfolo avait succédé à son frère Da Monzon qui, même mort, continuait de le narguer. Car, il était moins beau, moins fort, moins admiré des femmes que lui et ne parvenait pas à être plus victorieux sur les champs de bataille. Allongé sur sa peau de bœuf, le coude enfoncé dans un oreiller de cuir orné d'arabesques, il écoutait avec ennui un griot qui lui exposait le problème de deux plaignants. Son œil vif s'arrêta sur Tiéfolo au moment où il entrait dans la salle et il eut une exclamation moqueuse :

« Hé! n'est-ce pas le frère de « Papa-mosquée », qui nous fait l'honneur d'être des nôtres? »

Car c'était là le surnom donné à Tiékoro.

Tiéfolo inclina sans mot dire son front dans la poussière, attendant d'être invité à parler. Cependant, au fur et à mesure que son tour approchait, il se mit à douter du bien-fondé de sa démarche. N'aurait-il pas dû d'abord s'ouvrir de ses intentions à son père et obtenir son accord? Allons donc! Diémogo l'aurait prié de demander la réunion du conseil de famille, qui, une fois de plus, sous l'impulsion de Nya, aurait donné raison à Tiékoro.

Etait-il bon de porter des querelles de famille devant le souverain? Mais, précisément, ce n'était pas des affaires de famille. La décision de Tiékoro concernant Mohammed dépassait le cadre du clan et mettait peut-être en danger les intérêts du royaume. Tiéfolo en était là de ses discussions avec lui-même quand Makan Diabaté, le premier griot, appela son nom. Pris de court, Tiéfolo commença par bégayer. Peu à peu cependant, il parvint à exposer son affaire.

Il n'ignorait nullement le respect qui est dû à un aîné. Il savait d'autre part que le monde n'était pas une pierre ruée dans sa surdité. Voilà pourquoi il avait accepté la conversion de son frère Tiékoro, l'afflux d'idées et de mœurs nouvelles qu'elle entraînait. Pourtant il lui avait été plus difficile d'accepter deux belles-sœurs, étrangères et Peules, l'une venant de Sokoto, l'autre du Macina. Plus difficile encore d'accepter la transformation d'une partie de la concession léguée par les ancêtres en un lieu de réunions et de prières impies. Voilà qu'à présent son frère entendait envoyer un de ses fils à Hamdallay dans la demeure de Cheikou Hamadou lui-même! Alors, il se le demandait, son frère n'était-il pas un espion à la solde d'une puissance étrangère? Comment expliquer des liens si étroits et si privilégiés avec l'ennemi principal du royaume? Le bien-être de Ségou passant avant tout, il était venu faire part de ses soucis et de ses soupçons au Maître des eaux et des énergies.

Pendant que Tiéfolo parlait, tous admiraient sa prestance, la noblesse de ses traits et étaient de cœur avec lui, car le comportement de Tiékoro était critiqué de tous. Néanmoins, les esprits étaient partagés. Le frère doit-il dénoncer le frère? Tout cela ne pouvait-il se régler sous l'arbre à palabres d'une concession familiale?

Quand Tiéfolo se tut, il se fit un grand silence. Par les ouvertures de la salle de réception pénétraient une brise tiède et les accents d'un orchestre quelque part dans une des cours du palais. Finalement, le Mansa déclara :

« Homonyme[3], c'est là une bien délicate affaire et je comprends qu'il t'en coûte d'en parler... »

En même temps, il scrutait Tiéfolo du regard, s'efforçant de deviner ses mobiles. Etait-ce vraiment le souci de Ségou qui l'animait? Ne disait-on pas que Tiékoro avait ôté toute autorité à Diémogo, et le fils ne défendait-il pas les intérêts de son père? Une fois Tiékoro convaincu d'espionnage et puni comme il le méritait, à qui profiterait son exclusion? Pourtant le visage de Tiéfolo respirait la sincérité. On pouvait se fier à cet homme. Il ne cherchait pas à nuire à son frère – du moins pas seulement. Dans sa réelle détresse et dans son impuissance, il faisait appel à son souverain comme au suprême recours. Même si le Mansa éprouvait une profonde antipathie pour Tiékoro, il n'était pas homme à agir impulsivement. Il dit :

« Ne t'oppose pas à son désir. Laisse partir l'enfant à Hamdallay. Fais taire ceux de ta famille qui seraient tentés de maugréer contre cette décision. Nous nous chargeons de le surveiller et nous saurons bien ce qu'il cache... »

Mandé Diarra, prince du sang et conseiller fort influent en cour, haussa les épaules :

« Je connais Tiékoro Traoré et ne l'ai pas plus en sympathie que vous autres. Pourtant, Fama, quel intérêt a-t-il à trahir Ségou? Que peut lui offrir le Peul que nous ne possédions pas ici? Des terres? Il y en a en abondance. Des... »

Tiéfolo l'interrompit, rendant un involontaire hommage à son frère :

« Si Tiékoro trahit, ce n'est sûrement pas pour des biens matériels. Ce n'est qu'affaire de religion. Il croit sincèrement que son Allah est le seul vrai Dieu et qu'il a pour mission de lui rendre gloire... »

3. Il l'appelle ainsi car ils ont le même prénom : Tiéfolo.

En quittant le palais, Tiéfolo fit un détour pour passer par la concession de Siga. Il avait été de ceux qui considéraient que Siga déshonorait le nom des Traoré en exerçant le métier d'un homme de caste et qui réclamaient son exclusion du clan comme un voleur ou un assassin. Puis, sans qu'il sache trop comment, l'affection pour son frère lui était venue, peut-être née de la pitié.

Pour retenir sa femme Fatima qui menaçait de retourner à Fès, Siga avait fait bâtir une maison que les curieux de Ségou ne cessaient de venir admirer, faisant pour cela un détour par le marché aux plantes médicinales. Elle était en briques de boue comme les autres demeures de la ville, mais adossée pour ainsi dire à la rue et entièrement tournée vers l'intérieur qu'occupait une cour circulaire creusée d'un bassin. Tout autour de ses deux étages couraient des galeries rehaussées d'arcs et de colonnades, sur lesquelles s'ouvraient les pièces principales. Le sol des cours, des galeries et de certaines pièces était recouvert de sable blanc et fin que Siga avait fait venir à grands frais d'une crique spéciale sur le Bani. Mais, le plus surprenant, c'était la tannerie, construite au flanc de la demeure. Pendant toute une saison sèche, on avait vu Siga, tête nue, pareil aux esclaves qu'il employait, creuser des bassins et des fosses entourés d'une bordure circulaire de pierre et prolongés par des rigoles d'écoulement. Deux ateliers attenants à ces bassins et ces fosses étaient destinés au séchage des peaux et à leur emmagasinage. Siga s'était entendu avec des bouchers qui lui vendaient des peaux. Comme elles étaient fraîches, il devait les saler lui-même avant de les tremper dans un premier bain tiède pour les faire légèrement gonfler, et de les soumettre à des lavages successifs. Hélas! de ce complexe fort impressionnant, il n'était rien sorti! Siga avait-il mal calculé l'inclinaison du terrain pour les bassins et les fosses? Sous-estimé la difficulté d'un approvisionnement régulier en peaux et l'opposition des garankè qui n'avaient pas voulu se soumettre à un homme qui héréditairement n'était pas de leur profession? Ni babouches, ni bottes, ni ceintures, ni harnais... n'avaient été produits. Une année même, le sel ayant si cruellement manqué à Ségou que les femmes bambaras salaient les aliments avec de la cendre de leur foyer, des stocks de peaux s'étaient irrémédiablement abîmés, répandant leur puanteur à travers les rues de la ville et jusqu'aux portes du palais du Mansa.

Désormais, Siga végétait du produit de la vente de quelques babouches qu'il expédiait à un commerçant de Djenné et de tissus brochés que lui envoyait parfois son ancien maître de Fès. A part cela, il cultivait un champ dont la famille sous la pression de Tiékoro lui avait cédé la jouissance.

Tiéfolo n'entrait jamais dans la belle maison de Siga sans avoir l'impression de pénétrer dans le temple d'un dieu capricieux qui s'était refusé en dernière minute à combler ses suppliants. Tout avait été préparé pour le satisfaire, les autels couverts de lait, de fruits et de sang, les paroles rituelles prononcées et les battements de tam-tam minutieusement exécutés. Mais le dieu n'était pas descendu. Pourquoi? Dans le patio, Fatima était entourée de deux esclaves qui étaient aussi les concubines de Siga, trop pauvre pour se payer de nouvelles épouses. Il sembla à Tiéfolo qu'elle avait encore grossi et bien qu'habitué à considérer l'embonpoint chez les femmes comme un signe de prospérité et de beauté, il pensa qu'elle devrait s'en tenir là. Elle posa sur lui son regard gris, demeuré très beau, dans la boursouflure des traits et fit d'un ton geignard :

« Il est couché. La fièvre l'a pris ce matin... »

Depuis près de dix ans, son bambara était atroce et c'était bien le signe de son refus de s'intégrer au pays de son mari. Puis elle se remit à dévorer des dattes fourrées que son frère lui expédiait régulièrement avec du henné et des fards comme s'il s'agissait de choses essentielles. Tiéfolo grimpa jusqu'à la chambre de son frère. Siga avait prématurément vieilli et on lui aurait bien donné dix ans de plus qu'à Tiékoro, comme si la vie de jeûnes et de prières de ce dernier lui conservait la jeunesse. Ses cheveux grisonnaient. Une barbe peu soignée et de même teinte couvrait ses joues et il avait les yeux veinés de rouge du buveur impénitent de dolo qu'il était. Siga s'étonna :

« Je te croyais parti à la chasse! Ne me dis pas que les antilopes et les phacochères ne t'ont pas encore appelé? »

Tiéfolo s'assit sur un escabeau :

« Il y a plus important que la chasse... Est-ce qu'il ne serait pas temps de rétablir l'ordre et l'autorité dans la famille? »

Puis il lui fit part de la décision de Tiékoro concernant Mohammed. Mais Siga haussa les épaules :

« N'est-ce pas son fils et n'a-t-il pas le droit d'en faire ce qui lui plaît? »

En réalité, Siga voyait bien où Tiéfolo voulait en venir. Or il était las. Sa vie lui faisait l'effet d'une pirogue de pêcheur somono, ancrée sur la berge du Joliba quand les eaux refluent, après la saison des pluies. Sous la faible impulsion du courant, elle parvient à se détacher de la glaise et en zigzags imperceptibles, elle descend, heurtant les îlots de roseaux et accrochant aux bancs d'huîtres. Quand il se rappelait les illusions et les rêves qui animaient ses jours et ses nuits à Tombouctou et à Fès, il se demandait ce qu'il était advenu du jeune homme qu'il avait été. Défait. Détruit. Mort. Aussi sûrement que Naba et Malobali. Oh! bien sûr, il pouvait toujours se chercher des excuses : personne ne l'avait compris et soutenu, sa femme n'avait pas été celle qu'il souhaitait. Pourtant il savait que tout le mal venait d'une tare secrète et mystérieuse que son sang charroyait. Il eut une quinte de toux, puis déclara :

« Ne compte pas sur moi pour t'aider à perdre Tiékoro. D'ailleurs, tu n'y parviendras pas. Les dieux sont avec lui. »

Tiéfolo eut un rire :

« Les dieux! Quels dieux? »

2

La ville de Hamdallay, dont le nom signifiait « Louange à Dieu », avait été fondée en 1819 et sa construction avait duré trois ans, grâce aux soins de maçons venus de Djenné. Elle était divisée en dix-huit quartiers, entourés d'un mur d'enceinte percé de quatre portes, au-dessus desquelles s'élevait comme un brouillard la respiration des fidèles célébrant Allah. On n'y comptait pas moins de six cents écoles coraniques où l'on apprenait le hadith, le tawhil[1], l'oussoul[2] et le tassawouf[3], tandis que les sciences auxiliaires comme la grammaire ou la syntaxe étaient enseignées dans des institutions spécialisées. Hamdallay était un lieu austère. La police y était assurée par sept marabouts. Toute personne rencontrée en ville une heure après la prière de l'entrée de la nuit était arrêtée aux fins de vérification d'identité. Elle devait réciter la généalogie de sa famille et indiquer la date depuis laquelle elle était convertie à l'islam. Ensuite elle devait indiquer les raisons de sa présence à Hamdallay. De même l'hygiène et la propreté étaient rigoureuses. Interdit d'uriner dans les rues. Ou d'y laisser couler

1. La théologie.
2. La récitation.
3. La voie spirituelle initiatique.

le sang des bêtes égorgées. Les vendeuses de lait devaient couvrir leur marchandise et tenir près d'elles une calebasse d'eau afin de se laver les mains.

Mohammed frissonna en passant près du grand tamarinier situé près de la porte nord, au pied duquel se faisaient les exécutions capitales, puis près de la prison centrale et de l'emplacement pour l'exécution des sentences. Cette ville ne lui inspirait que frayeur. Les hommes avec lesquels il avait fait le voyage lui avaient appris que les élèves de Cheikou Hamadou vivaient de charité publique et allaient de porte en porte mendier leur nourriture, qu'ils dormaient la nuit sur la terre nue et ne se lavaient jamais en signe d'humilité. L'enfant était terrifié, car il avait horreur des insectes, puces et punaises qu'il voyait déjà sortir de tous les replis de sa peau. Un disciple le conduisit jusqu'à la concession de Cheikou Hamadou et le remit à l'une de ses femmes, la belle Adya.

Sans le savoir, Mohammed traversait les mêmes affres que son père dans la cour d'El-Hadj Baba Abou à Tombouctou. Mais Cheikou Hamadou n'était pas El-Hadj Baba Abou. Mohammed fut introduit auprès d'un homme d'une cinquantaine d'années, de taille assez haute, le regard vif et bienveillant, vêtu avec une grande simplicité d'un boubou fait de sept bandes de coton, chaussé de sandales de peau tannée et la tête ceinte d'un turban bleu sombre de sept fois sa propre coudée. Il sourit à Mohammed :

« *As salam aleykum...* »

Mohammed baissa les yeux :

« *Wa aleyka salam. Bissimillahi*[4]... »

Cheikou Hamadou interrogea avec la même douceur :

4. « Au nom de Dieu! »

« Parles-tu arabe?

– Un peu, maître!

– *Maître?* Appelle-moi père, car c'est cela que je devrai être pour toi... »

Mohammed avait toujours associé la piété à l'arrogance, la connaissance au manque d'indulgence pour les faiblesses d'autrui. Comme cet homme était différent de son père! Etait-ce là le chef dont on redoutait les armées dans le Bambouk, le Kaarta, le Mandé, sans parler de Ségou? Il ne portait d'autre arme que son chapelet. Mohammed tomba à genoux :

« Père, qu'Allah fasse que je ne déçoive jamais ton affection... »

A ce moment, Abdoulaye, fils cadet de Cheikou Hamadou, entra dans la pièce et son père se tourna vers lui :

« Prends bien soin de ce garçon. Son père fait resplendir le nom d'Allah chez les infidèles de Ségou... Sans son œuvre, ce royaume serait, en vérité, celui des Ténèbres... »

Puis il signifia que l'entretien était terminé.

Il n'en fallait pas davantage pour que les larmes sèchent sur les joues de Mohammed et qu'il envisage l'avenir avec sérénité. Pour la première fois, il réalisait qu'il était le fils d'un homme important et il se reprochait de l'avoir beaucoup plus craint qu'aimé. Son père était un saint et il ne le savait pas.

Cependant, Abdoulaye le conduisait jusqu'à la partie ouest de la concession où logeaient les élèves. Une quarantaine de garçons de onze à quinze ans environ se tenaient dans une sorte de dortoir, tous affligés d'une extrême maigreur avec ce brillant de la peau, tendue à craquer, qui accompagne la mauvaise alimentation. Leurs boubous étaient haillonneux et sales, leurs pieds nus. Ce qui frappa encore Mohammed, c'étaient les égratignures et les cicatrices qui couturaient leurs jambes, leurs bras, leurs mains comme s'ils avaient enduré des épidémies de variole et de gale. D'un coup les propos des voyageurs lui revinrent en mémoire et son inquiétude renaquit. Abdoulaye le présenta brièvement :

« Voilà votre frère Mohammed Traoré. Il vient de Ségou... »

Puis il se retira. Quand il eut disparu et qu'on pouvait le supposer à bonne distance, ce fut un tollé général, l'imitation des cris d'animaux les plus divers, les danses et les pirouettes les plus effrénées. On ne se serait pas cru dans un lieu réservé à l'enseignement de la parole de Dieu. Un garçon vint cabrioler de façon obscène devant Mohammed répétant :

« Traoré de Ségou. C'est un Bambara, mangeur de chiens et de viandes impures, buveur et fornicateur... »

Que faire? Déclarer qu'il n'était pas entièrement bambara, mais à moitié peul et apparenté au sultan de Sokoto? Cela revenait à renier son père et il ne le pouvait. Se battre? Il était frêle, habitué à toujours avoir le dessous. Il fit dignement :

« Un Bambara? Allah connaît-il donc les races? Je suis un musulman, votre frère en Lui. »

Il y eut un silence qui indiquait qu'il avait marqué un point. Au bout d'un moment, un garçon de sa taille s'approcha de lui et se présenta :

« Je m'appelle Alfa Guidado... »

La finesse des traits d'Alfa était telle qu'on se demandait s'il n'était pas une fille qui, par quelque caprice s'étant coupé les cheveux, portait un habit masculin. Le teint aussi clair qu'un Maure, les cheveux bouclés, les yeux obliques et pleins de feu, les lèvres rouges et charnues, ornées au coin gauche d'un grain de beauté. Son père était l'un des sept marabouts chargés d'assurer la police de la ville, homme si pieux qu'il s'était affranchi du besoin de manger plusieurs fois par jour, se contentant d'un bol de lait caillé par semaine.

Alfa Guidado interrogea :

« Es-tu le fils de Modibo Oumar Traoré ? »

Mohammed fut ébloui. Ainsi, la renommée de son père était-elle si grande? Alfa poursuivit :

« Bori Hamsala n'est pas un mauvais bougre bien qu'il soit moqueur. Il est toujours prêt à partager la nourriture qu'on lui donne... »

La nourriture qu'on lui donne? Mohammed dressa l'oreille. Est-ce vrai ce qu'on racontait? Alfa le regarda avec une sorte de pitié :

« Ne sais-tu pas que tant que nous cherchons Dieu, nous devons vivre de mendicité quelle que soit la richesse de nos parents? Ah! mon cher, fini le temps où ta mère t'apportait un bol de dèguè, où tu couchais sur une natte bien propre, sous une épaisse couverture. Adieu douceurs, joies, délices! Notre calvaire commence. Mais quel calvaire! Et pour quelle cause! »

Cependant Hamdallay était en émoi pour la venue d'un visiteur qui n'était certes pas Mohammed Traoré. Il s'agissait d'El-Hadj Omar Saïdou Tall, Toucouleur du Toro. Totalement inconnu cinq ans plus tôt, il arrivait paré d'une extraordinaire réputation de sainteté et de connaissance du Coran. Il avait effectué plusieurs pèlerinages à La Mecque, séjourné à Sokoto, vécu quelques années au Caire, visité en Palestine les tombeaux des prophètes Abraham et Jésus, effectuant tout au long de ses voyages des guérisons miraculeuses. Que venait-il faire à Hamdallay? Sans doute la renommée de Cheikou Hamadou l'attirait-elle? Sans doute avait-il entendu vanter l'organisation administrative, fiscale et militaire du Macina et entendait-il rendre hommage à un frère en Allah? Néanmoins, l'entourage de Cheikou Hamadou n'était pas rassuré. On disait que de nombreux prophètes avaient prédit qu'El-Hadj Omar parviendrait à réaliser un empire qui engloberait Nioro, Médine, Ségou, Hamdallay et d'autres cités à présent libres et orgueilleuses. L'Almami[5] du Fouta n'avait-il pas déclaré à son sujet :

« Il construira à lui seul plus de mosquées que vos esprits ne peuvent imaginer...? »

Cheikou Hamadou lui-même était serein. Il pensait qu'El-Hadj Omar venait se recueillir sur la tombe du saint Abd el-Karim, mort l'année précédente au cours de sa visite à Hamdallay. D'ailleurs, un homme de Dieu tel que lui n'avait jamais l'esprit troublé.

Peu après l'arrivée d'El-Hadj Omar, Mohammed et Alfa mendiaient devant la clôture de tiges de mil de la concession de Bouréma Khalilou, membre du Grand Conseil, chargé de la direction du Macina et haute autorité en tous les domaines. Les servantes déversèrent dans leurs calebasses des reliefs copieux de tatiri masina[6] qui changeait du son de mil qu'ils recevaient généralement des maisons les plus pieuses! Mohammed allait se jeter avec voracité sur cette nourriture inespérée quand Alfa lui ordonna :

« Laisse! Ne sais-tu pas que tu dois porter cela au réfectoire et tout partager avec les autres? »

Depuis des semaines qu'il était à Hamdallay, Mohammed n'était plus qu'un ventre. Affamé. Perpétuellement vide. Gargouillant de vers. La faim

5. Chef religieux peul.
6. Plat préparé avec du riz, du poisson et du beurre frais.

l'empêchait de penser. La faim l'empêchait de prier. La faim l'empêchait de dormir. Quand il fermait les yeux, c'était pour rêver de ces plats savoureux et chauds que préparaient les femmes de la concession à Ségou. Ah! il ne savait pas son bonheur alors! Sa bouche s'emplissait d'une salive amère qui coulait sur son menton et se mêlait à ses larmes. Cent fois, il avait été tenté de fuir. De retourner à Ségou. De retrouver l'abri tiède des bras de Maryem et les jeux avec les jeunes frères! Pourquoi souffrait-il ainsi? Un midi, il était tombé, terrassé par le soleil et la faim, et il avait souhaité mourir là, comme un chien, loin des siens. Que dirait Tiékoro si on venait lui annoncer : « Ton fils aîné a passé? » Prendrait-il conscience de sa dureté et de son injustice?

Le malheur, pour Mohammed, c'était d'avoir Alfa Guidado pour ami. Il se serait lié de la même manière avec Bori Hamsala, Alkayda Sanfo ou Samba Boubakari, dont les journées n'étaient que réflexions sur les voies et moyens de se procurer à manger, que tout aurait été différent. Mais Alfa était aussi pur que beau. C'était comme un onguent de musc dont le parfum ne se dissipe pas. Un don de Dieu. Les maîtres devaient corriger sa tendance à l'exaltation et au mysticisme, mais Cheikou Hamadou l'aimait et, souvent, il le faisait paraître devant lui pour s'entretenir de sujets relatifs à la foi. Par son seul regard, Alfa faisait honte à Mohammed d'être empêtré dans la chair, d'avoir un estomac, un ventre, des viscères, d'être pareil à ces chiens auxquels on interdisait l'accès de la ville, leur assignant le soin des troupeaux. Parfois il tendait à Mohammed sa calebasse à moitié pleine en disant :

« Tiens, je n'en ai pas besoin... »

Mais, dans sa bouche, ces mots n'étaient

empreints d'aucune arrogance. Il faisait simplement un constat.

Un hangar avait été édifié derrière la concession de Cheikou Hamadou et faisait fonction de réfectoire. Une fois la quête terminée, les disciples s'y rendirent, en passant devant la mosquée.

La mosquée de Hamdallay ne comportait ni minaret ni ornement architectural. Les murs étaient hauts de sept coudées et délimitaient un espace couvert précédé d'une cour de belles dimensions où avaient lieu les ablutions rituelles. On comptait douze rangées de piliers délimitant des travées réservées aux lecteurs du Coran, aux copistes penchés sur les ouvrages rares et aux fabricants de linceuls, chargés de rappeler par cette tâche que la mort s'inscrit au centre de la vie.

A Ségou, il n'y avait pas de pareils monuments. Certes, les mosquées étaient de plus en plus nombreuses. Mais elles demeuraient discrètes comme si Allah acceptait de s'abaisser pour vaincre. Aussi, à chaque fois que Mohammed passait devant cet édifice orgueilleux, son cœur battait plus vite, empli de peur et de respect.

Les disciples se réunirent dans leur réfectoire et, une fois le partage fait, Mohammed considéra tristement ce qui lui restait à avaler. Une fois de plus, il se remplirait le ventre d'eau. Il portait tristement la dernière bouchée de riz à sa bouche quand Abdoulaye, qui était son mentor, parut et lui ordonna : « Dépêche-toi. El-Hadj Omar veut te voir... ». Il se fit un silence stupéfié. Comment un pareil visiteur prêtait-il attention à une vermine comme le petit Mohammed Traoré de Ségou? Sans le respect dû à Abdoulaye, on l'aurait cru devenu fou!

Mohammed se leva vivement, alla se laver les mains et suivit Abdoulaye. Il n'osait pas le questionner et le tam-tam de son sang l'assourdissait. Ils entrèrent dans la concession, traversèrent la salle où était rangée la fabuleuse collection de manuscrits de Cheikou Hamadou, puis pénétrèrent dans la salle du Grand Conseil que l'on appelait encore salle au Sept Portes parce qu'elle avait trois ouvertures au nord, trois au sud et une à l'ouest. Cette salle du Grand Conseil était magnifique. Elle était percée de très petites ouvertures de manière à laisser pénétrer peu de lumière et à assurer une ventilation parfaite. Sa voûte était réalisée au moyen d'arcs en bois prenant naissance au tiers de la pièce, selon une technique empruntée au pays haoussa.

Cheikou Hamadou était assis au milieu de plusieurs hommes. Mais on ne pouvait se tromper sur l'identité de celui qui était El-Hadj Omar, car il se signalait immédiatement à l'attention. C'était un fort bel homme d'une quarantaine d'années, vêtu avec une magnificence qui contrastait avec l'extrême simplicité de mise de son hôte et rappela à Mohammed les goûts vestimentaires de son père. Il portait une blouse blanche brodée, un burnous arabe de drap bleu ciel, garni de passementeries d'argent et un lourd turban noir qui soulignait la dignité hiératique de ses traits. Mohammed ne put détacher son regard du sabre à large fourreau de cuir repoussé accroché à sa taille. Il lui sembla que c'était le symbole même de cet homme pieux, mais conquérant, qui faisait la guerre au nom de Dieu. Cheikou Oumar sourit :

« Voici notre fils Mohammed Traoré... »

El-Hadj Omar sourit à son tour. Un sourire où entrait à la fois la courtoisie, voire l'affabilité, une légère raillerie et comme la supputation heureuse du carnassier. Il fit d'une voix bien timbrée :

« Approche, n'aie pas peur! »

Mohammed franchit l'espace interminable qui le

séparait du grand marabout, les yeux fixés sur les revers de ses bottes de peau souple comme un tissu. Puis il releva la tête et manqua défaillir sous le regard scrutateur qui se posait sur lui. Il eut l'impression que cet homme pouvait lire en lui, déchiffrer la géographie secrète de pensées et d'instincts qu'il ne se connaissait pas lui-même. El-Hadj Omar interrogea :

« Pourquoi me crains-tu? »

Mohammed parvint à articuler :

« Je ne te crains pas, maître... »

A peine eut-il prononcé cette phrase qu'il s'en repentit. Quelle audace! Quelle impudence! Oui, il devait craindre un esprit si considérable, lui poussière à la surface de la terre, et son éclat devrait l'éblouir! Il chercha désespérément à réparer cette gaffe mais El-Hadj Omar reprenait déjà :

« Je tiens à te dire que j'ai la plus grande estime pour ton père Modibo Oumar Traoré qui possède les pleines lumières de la religion et les répand autour de lui. En signe de mon amitié, c'est chez lui que je logerai à Ségou où je me rends en quittant Hamdallay. Aucune demeure ne saurait me convenir aussi bien que la sienne... »

Mohammed était naïf. Pourtant il n'ignorait pas la controverse qui faisait rage autour de son père, et il réalisa l'effet que la présence d'un tel hôte chez lui produirait dans Ségou. Sûrement on en parlerait jusqu'au palais du Mansa! Mais, quel honneur pour leur famille! Un homme qui avait été reçu par les souverains les plus illustres! Un saint! Un prophète! Dans sa confusion, il ne trouva rien à dire et se retira avec l'impression d'avoir été malgracieux et stupide pendant tout l'entretien.

Ce fut tout à fait par hasard que Mohammed fit la connaissance de sa famille du Macina. Tiékoro lui avait bien parlé de sa grand-mère Sira. Mais, depuis son arrivée, il avait été trop occupé à s'accommoder de cette ville glaciale où même le chant des griots était interdit, à s'accoutumer aux sonorités de la langue peule du Macina, si différente de celle de Sokoto que parlait sa mère, à approfondir sa connaissance de l'arabe et à lutter contre son corps, que cette histoire lui était complètement sortie de l'esprit.

Il mendiait avec Alfa devant une concession située non loin de la porte Damal Fakala. Depuis quelques jours, un vent sournois soufflait dans les rues de Hamdallay, déjà humide puisqu'elle était située dans une ancienne zone d'inondation. Aussi entre chaque litanie, une quinte de toux lui déchirait la poitrine. Brusquement une femme sortit d'un enclos, le saisit par le bras et dit d'un ton de révolte :

« Non, Dieu ne demande pas que les enfants des femmes meurent pour lui! »

Malgré ses protestations, elle l'entraîna à l'intérieur. Mohammed avait trop faim et trop froid pour refuser une calebasse de bouillie de mil bien chaude, puis du lait caillé aromatisé. Un peu honteux tout de même, il remercia la femme et elle l'interrogea :

« Tu n'es pas un Peul, toi? »

Il secoua la tête :

« Non, je suis un Bambara de Ségou. »

Le visage de la femme se décomposa tandis qu'elle soufflait :

« De Ségou? Alors tu as peut-être entendu parler de Malobali Traoré, le fils de Dousika?

– C'était mon père... »

La femme fondit en larmes. Quelques instants plus tard, Mohammed et Alfa se trouvaient devant la famille au grand complet.

Sira n'avait pas eu la vie facile. D'abord, elle n'avait jamais pu se consoler de Ségou qu'elle avait quitté pourtant de son plein gré. Ensuite, elle n'avait jamais aimé son mari Amadou Tassirou, même si elle l'avait servi fidèlement et lui avait fait quatre enfants. Quelque chose lui répugnait dans cet homme toujours occupé à rouler les grains d'un chapelet et la bouche pleine du nom de Dieu, qui la nuit venue se jetait avidement sur son corps et à qui il fallait des concubines toujours plus jeunes comme s'il entendait par elles rendre vigueur au sang de ses artères. A sa mort, elle avait refusé d'être donnée à son cadet et, pour éviter le scandale, elle était partie pour Hamdallay avec ses enfants et quelques vaches que la famille de son mari lui réclamait encore. C'est grâce à leur lait qu'elle avait élevé ses enfants, s'installant avant toutes les autres femmes sur le marché et y vendant le meilleur koddè. Les années qui passaient lui enlevaient sa beauté, mais non son courage et sa détermination. Il semblait que les dieux avaient fait la paix avec elle, quand Tiékoro était venu lui apprendre la mort de Malobali en pays lointain.

Mort au loin! Ah! mauvaise mort! Qu'est-ce que Malobali recherchait sur les chemins du monde? Sa mère.

Sa mère au sein plus aride que la gousse du baobab! Elle l'avait tué, aussi sûrement que si elle lui avait attaché trois pierres au cou avant de le jeter dans le puits.

Sira délira des jours et des nuits. Puis elle guérit, car on ne peut forcer la mort. Elle guérit, mais elle ne fut plus qu'une vieille femme silencieuse, absente, tâtonnant pour allumer le feu ou traire une vache, s'entaillant les mains en hachant les feuilles de baobab. Sa fille aînée, M'Pènè, la prit avec elle et, chose qu'on n'attendait pas, jamais grand-mère ne fut plus douce à apaiser un nourrisson ou à le baigner. Elle fixa Mohammed de ses yeux que la douleur avait blanchis et fit doucement :

« Olubunmi? C'est toi, Olubunmi? »

M'Pènè et tous ceux qui assistaient à la scène comprirent que tout se mélangeait dans sa vieille tête.

Quel baume sur le cœur de Mohammed que de retrouver des parents! Si Sira l'effrayait un peu, il regardait M'Pènè et revoyait les traits de son père. Qu'il est beau, le sang! C'est comme un fleuve qui irrigue des terres lointaines et qui pourtant n'oublie jamais sa source!

Mohammed accablait M'Pènè de reproches :

« Pourquoi n'es-tu jamais venue nous voir à Ségou?

– Notre mère ne l'aurait pas permis...

– Bon, à présent, c'est moi qui t'y conduirai et te présenterai à toute la famille... »

Les fils de Sira, Tidjani et Karim, regardaient cela avec amusement. Cette partie de la vie de leur mère ne les concernait pas. Ils étaient des Peuls, quant à eux, des Peuls du Macina. Néanmoins, ils se prirent de sympathie pour ce petit parent. Ma foi, on l'aurait pris pour un « bimi », comme disaient les Bambaras. La petite Ayisha, quant à elle, fille aînée de Tidjani, avait le cœur serré, car elle avait vu une plaie suppurante à la cheville de Mohammed, hâtivement couverte par un mauvais emplâtre de feuilles.

3

« FA, fa! Tu ne peux permettre qu'il reçoive ce marabout toucouleur chez nous. Tu n'ignores pas que Peuls et Toucouleurs sont parents et qu'il vient de Hamdallay. Qui sait s'il n'a pas comploté avec Cheikou Hamadou contre Ségou? Même s'il n'en a rien fait, c'est ce que tout le monde croira! »

Mais Diémogo n'était plus qu'un vieillard sans force. Il hocha la tête :

« Je n'y peux rien. Nya a persuadé tout le monde que c'est le suprême honneur pour notre famille! »

Tiéfolo se releva. Plus de temps à perdre auprès de la natte de ce vieillard! Il convenait d'agir. Aller trouver à nouveau le Mansa? Tiéfolo n'avait pas apprécié la manière tiède dont il avait été reçu quelques mois plus tôt et les paroles prudentes du souverain : « Laisse partir l'enfant. Nous ferons le reste... »

Qu'avaient-ils fait? Voilà que Tiékoro imposait à la famille la présence de ce marabout! Tous ceux qui avaient entendu parler de lui affirmaient qu'il était plus fanatique que Cheikou Hamadou, car il appartenait à une autre confrérie qui considérait comme un devoir de tuer les infidèles et de chasser du pouvoir les rois idolâtres. La famille ne comptait-elle que des aveugles? Personne ne voyait donc le danger?

Tiéfolo, revenu de la chasse pour apprendre de Ténègbè ce qui se préparait, n'avait même pas pensé à dépecer son gibier et à faire les parts rituelles.

Il fallait passer auprès de tous les hommes de la famille et susciter une réunion du conseil qui mettrait Nya et son fils en minorité. Si cela échouait? Eh bien, il faudrait retourner auprès du Mansa.

Tiéfolo commença par Siga qui était à sa tannerie. Elle semblait ce matin-là connaître un regain d'activité. Des esclaves, torse nu, les reins ceints d'un haillon couraient d'une fosse à l'autre tandis que des garankè écoutaient Siga qui, tout en parlant, traçait du doigt des modèles dans le sable. Tiéfolo s'étonna :

« Eh bien, il y a du nouveau! Qui t'a passé commande? »

Siga baissa les yeux et fit d'un ton embarrassé :

« Est-ce que je pouvais refuser? Je n'ai pas travaillé depuis des mois. »

Pendant un moment, Tiéfolo ne comprit pas. Puis il murmura avec incrédulité :

« Le marabout toucouleur! »

Siga inclina la tête :

« Quarante paires de babouches et quarante paires de bottes pour lui et ses compagnons. Autant pour ses fils et les fils de ses compagnons. Il a payé d'avance, la moitié en or, la moitié en cauris. Pouvais-je dire non? »

Tiéfolo se détourna. Il n'était pas un violent et pourtant, il sentait naître en lui une terrible colère qui, s'il ne la maîtrisait pas, le ferait se jeter sur son frère comme une de ces bêtes qu'il défiait dans la brousse. Qu'est-ce que l'homme s'il ne sait résister à l'attrait des biens matériels? Pour une poignée d'or et quelques cauris de plus, Siga s'était vendu. Il était prêt à rallier le camp de ceux qui se prosterneraient devant le marabout et applaudiraient aux initiatives de Tiékoro. Après la colère, le dégoût, la nausée emplirent Tiéfolo. Puis des larmes lui vinrent aux yeux. Siga murmura :

« Sois réaliste, Tiéfolo. Il s'agit d'un homme considérable devant lequel tous les souverains se sont inclinés...

– Cela lui donne-t-il mission de détrôner le Mansa? »

Siga haussa les épaules :

« Détrôner? Qui parle de détrôner? Le Mansa peut se convertir... »

C'en était trop! Tiéfolo préféra s'éloigner.

Comme il allait à grands pas à travers les rues de Ségou, il rencontra Soumaworo, le forgeron-féticheur dont il affectionnait les services à chaque départ pour la chasse et à tout moment important de sa vie. Soumaworo l'attira près d'un mur et souffla :

« J'allais te voir. Ce matin, je remerciais Sanéné[1] de t'avoir ramené sain et sauf de la brousse, quand il m'a révélé quelque chose... »

Soumaworo baissa encore la voix :

« La mort est sur votre famille... »

Tiéfolo se retint de hausser les épaules. Diémogo était au plus bas, cela tout Ségou le savait. Soumaworo fit doucement :

« Il ne s'agit pas de ce que tu penses, car la mort d'un vieillard n'est pas surprenante. Sanéné est formel : il s'agit de ton frère Tiékoro... »

Tiéfolo frissonna. N'étaient-ce pas les mauvaises pensées qu'il nourrissait qui se transformaient en poison contre son frère?

1. Génie protecteur des chasseurs.

« Soumaworo, qu'est-ce que tu me racontes là? »

L'autre le tint sous le feu de son regard rougeâtre où la cornée se distinguait à peine de la prunelle :

« J'ignore les circonstances de cette mort, Sanéné ne me les a pas révélées. Veux-tu que je l'interroge et que je tente de la détourner? »

Tiéfolo resta un long moment silencieux. Il semblait fixer les murs des cases. En réalité, il ne voyait rien et tout son sang bouillonnait à l'intérieur de son corps. Il lui semblait qu'il ne tenait pas seulement entre ses mains le sort du clan, mais l'avenir de Ségou dont la survie dépendait de sa réponse. Cette responsabilité l'effrayait, le paralysait littéralement. Tiékoro disparu, l'islam n'aurait plus de propagateur ni dans la concession ni même dans le royaume. Les frictions s'apaiseraient. L'unité serait retrouvée. Le respect dû à la foi des ancêtres serait restauré. Il regarda le fleuve, serpent étincelant au détour d'une ruelle, et murmura très bas :

« Laisse la volonté des dieux s'accomplir. »

Puis comme s'il avait honte de regarder Soumaworo dans les yeux, il lui tourna le dos et s'éloigna rapidement. Brusquement, une grande paix l'envahissait comme s'il était à présent délivré, rendu à la liberté de flâner. Il entra dans le marché aux bestiaux et admira des chevaux du Macina, qui piaffaient en broutant. Il adorait les chevaux, ces bêtes si différentes de celles qu'il traquait dans la brousse, qui savaient établir avec l'homme d'étranges rapports faits d'apparente soumission, de totale indépendance et de respect réciproque. Il interrogea le marchand, un jeune Sarakolé :

« Combien en veux-tu? »

Le garçon secoua la tête :

« Trop tard. Un envoyé du marabout toucouleur

m'a retenu tout le lot. Il aura besoin de chevaux supplémentaires en quittant Ségou et il s'y prend à l'avance... »

Tiéfolo étouffa la fureur qui renaissait en lui :

« Des chevaux supplémentaires?

– Est-ce que tu oublies tous ceux qui décident de partir avec lui et de devenir ses disciples? Il paraît qu'ils sont déjà plus de huit cents personnes à sa suite... »

Tiéfolo explosa :

« Tu sais, Ségou n'est pas le Macina. Tu verras l'accueil que nous lui réserverons à ton marabout! »

En quittant le marché aux bestiaux, il se heurta à un de ses esclaves qui se jeta par terre devant lui :

« Maître, nous sommes une demi-douzaine à te chercher. Le Mansa t'appelle de toute urgence au palais. Hâte-toi, car il est, semble-t-il, dans une grande colère... »

En effet, le Mansa était pareil à un lion qui entre en fureur dans la brousse. Ses esclaves, ses conseillers et même ses griots se tenaient à une distance respectueuse pendant qu'abandonnant tout souci de dignité, il invectivait Tiéfolo :

« Est-ce que je ne devrais pas te faire jeter aux fers? Ah! Traoré, vous êtes tous une race de fourbes et de traîtres. Ton frère s'apprête à recevoir dans votre concession le marabout toucouleur et tu ne te précipites pas pour m'en avertir? »

Tiéfolo, prosterné devant le Mansa, parvint à placer quelques mots :

« Maître du monde, je suis revenu hier seulement de la chasse. Tu vois, je n'ai même pas pris le temps de dépecer mes bêtes...

– Que le gibier que tu poursuis te rende impuissant, stérile ou te donne une hernie! Tu viens me parler de chasse quand mon trône est en jeu? »

La malédiction que venait de prononcer le souverain était telle que le silence déjà pesant s'alourdit encore. Makan Diabaté osa poser sur son maître un regard de reproche. Puis, le Mansa Tiéfolo se calma. Un esclave se précipita pour lui offrir sa tabatière, un autre pour l'éventer, un troisième pour éponger la sueur qui coulait de son front. Makan Diabaté fit signe à Tiéfolo qu'il pouvait s'expliquer et ce dernier se redressa légèrement :

« Maître du monde, il y a quelques mois quand je suis venu te trouver, que m'as-tu répondu : « Laisse partir l'enfant. Nous nous occuperons du reste! » Est-ce que je pouvais prévoir que tu ne ferais rien pour t'opposer aux projets de mon frère et de ses amis? »

Il y avait dans ces propos une critique implicite et les conseillers regardèrent avec inquiétude ce fou qui apparemment ne savait plus ce qu'il disait. Cependant la dignité de Tiéfolo était telle que le Mansa ne protesta pas. Il semblait au contraire prendre la mesure de l'homme agenouillé devant lui, encore vêtu de ses habits de chasse, le bonnet à pointes recouvert de gris-gris, la tunique bouffante resserrée à la taille par une haute ceinture incrustée de cauris au-dessus du pantalon court qui découvrait de beaux mollets griffés par les épineux de la brousse. Oui, Tiéfolo avait raison de lui en faire reproche. Il ne l'avait pas très bien accueilli lors de sa dernière visite, lui signifiant subtilement qu'il se méfiait des motifs de sa démarche. A présent, le Mansa était convaincu qu'El-Hadj Omar et Cheikou Hamadou s'étaient mis d'accord pour le détruire et s'appuyaient sur des complicités intérieures. On lui avait rapporté des propos d'El-Hadj Omar tenus à Hamdallay qui donnaient à croire qu'une opération était en préparation contre lui. Il fit :

« Mon père, le grand Monzon, disait toujours que le chemin de la ruse est plus sûr que celui de la force. Le marabout toucouleur entrera dans Ségou et ira loger chez ton frère. Je ne m'y opposerai pas. Je le recevrai dans mon palais. Mais une fois qu'il y sera entré, les dieux savent quand il en ressortira et comment. Rentre chez toi, Tiéfolo. Je veux que tu me rapportes chaque soir les moindres paroles que le Toucouleur aura échangées avec ton frère. »

Tiéfolo se retira.

En traversant les cours, il se faisait horreur. Le frère doit-il trahir le frère? Epier ses paroles? Les répéter? Lui, un noble, voilà qu'il se comportait comme un esclave, obligé d'user des armes les plus viles pour essayer de s'élever au-dessus de sa condition. Puis il se rappelait les propos de Soumaworo et alors qu'ils l'avaient apaisé quelques instants plus tôt, maintenant ils l'emplissaient d'angoisse. Les ancêtres fassent qu'il n'ait rien à voir à cette mort! Comme des griots se précipitaient vers lui, il les écarta avec une brutalité dont il était peu coutumier, car il aimait qu'on lui rappelle ses exploits dans la brousse et le lion qu'il avait tué à dix ans. Les hommes obéirent, mais il entendit derrière son dos leurs chants goguenards :

Chasseur, chasseur
Si tu es vantard, je ne vais pas te louer
N'est-ce pas toi qui extermines l'éléphant
Poursuis le buffle
Et fais disparaître la girafe
Au pelage couleur de soleil?
Chasseur, chasseur, si je ne te chante pas
Qui seras-tu?
N'est-ce pas la parole qui fait l'homme?

A la hauteur de la mosquée de la Pointe des Somonos, Tiéfolo se trouva devant Tiékoro et, dans son embarras, il faillit rebrousser chemin. Il scruta le visage de son frère pour déceler cette ombre dont avait parlé Soumaworo, mais il ne vit rien que les traits d'un homme en apparence orgueilleux et satisfait du cours de sa vie. Quant à Tiékoro, il avait toujours considéré Tiéfolo comme un rustre qui se couvrait le corps de gris-gris pour traquer des bêtes qui ne lui avaient rien fait. Sa réputation de bravoure équivalait presque pour lui à une réputation de stupidité. Mais c'était le fils aîné du frère cadet de son père. Il devait s'en accommoder et il lui sourit courtoisement :

« La bara muso t'a-t-elle dit que je te cherchais hier? »

Tiéfolo baissa les yeux et fixa la poussière de la rue :

« Je sais ce que tu avais à me dire... »

La froideur du ton était perceptible. Tiékoro fit avec douceur comme s'il s'adressait à un enfant obtus :

« Tiè, je sais ce que tu penses. Mais tu dois l'accepter, il n'y a de dieu que Dieu. Allah s'imposera comme un soleil aveuglant à toute cette région et notre famille sera bénie pour avoir favorisé cet avènement... »

Tiéfolo fit brutalement, désignant la mosquée toute proche :

« Si tu veux prêcher, entre là-dedans! »

Tiékoro demeura un instant immobile regardant s'éloigner son frère, puis avec un soupir il entra dans la cour de la mosquée.

Si les Bambaras de Ségou se refusaient de toutes leurs forces à l'islam, il n'en était pas de même des

Somonos de la ville, en relation étroite avec de grandes familles maraboutiques de Tombouctou, en particulier celle des Kounta. Tiékoro tenait donc à organiser l'accueil d'El-Hadj Omar en collaboration avec eux. Or au lieu de l'empressement qu'il escomptait, Alfa Kane, l'imam de la mosquée qui prenait du thé vert avec Ali Akbar, son assistant, lui opposa un visage maussade, puis interrogea :

« Sais-tu que cet El-Hadj Omar est un adepte de la Tidjaniya? »

Tiékoro haussa les épaules :

« Qu'importe Qadriya, Tidjaniya, Suhrawardiya, Shadiliya... Ne sommes-nous pas tous des musulmans?

– C'est toi qui le dis... »

Il y eut un silence. Comme l'heure de zohour, deuxième prière de la journée, approchait, un à un ou par petits groupes, les fidèles commençaient d'arriver, ôtant leurs babouches et les rangeant soigneusement contre le mur. Puis la voix du muezzin déchira l'air. Tiékoro n'entendait jamais cet appel sans un émoi de tout son être. Il se rappelait la première fois qu'il avait entendu ce cri retentir au-dessus des murs de Ségou et senti que Dieu lui parlait, à lui, misérable vermine, les yeux scellés par des écailles. Il eut un frisson et songea :

« Qu'il me tarde, ô Dieu, de te rejoindre! »

Mais Alfa Kane le ramena sur terre :

« Je ne veux rien avoir à faire avec l'arrivée de Toucouleur. Je te le dis, à cause de lui, le frère affrontera le frère, le musulman fera couler le sang du musulman. Vous redoutiez Cheikou Oumar? Vous aviez tort, c'est celui-là qu'il faut craindre. »

Là-dessus, resserrant autour de lui les plis de son boubou d'une blancheur immaculée, Alfa Kane entra dans la mosquée.

Que faire? Le suivre et le forcer à s'expliquer? Au

fond de lui-même Tiékoro n'était pas mécontent d'être seul à recevoir et à entourer le grand marabout. On verrait ainsi de quoi un Traoré était capable. Il ne manquait ni d'or, ni de cauris, ni de bêtes de selle. Les moutons, la volaille emplissaient les enclos. Le mil débordait des greniers. On ne savait plus où emmagasiner les tubercules de patates douces. Eh bien, l'arrivée d'El-Hadj Omar serait l'apothéose de sa vie de croyant!

A l'origine, tout séparait Maryem, la première épouse de Tiékoro, de Fatima, l'épouse de Siga. La première apparentée à un sultan, fondateur d'un empire, était née dans l'enceinte d'un palais, entourée d'esclaves attentives à ses désirs. La seconde était la fille d'une marieuse de Fès, profession rentable mais sans prestige réel. La première était énergique, habituée à commander et à être obéie. La seconde était indolente, un peu geignarde. La première était l'épouse d'un homme dont la réputation commençait de dépasser les limites de Ségou, l'autre d'un mauvais fils dont certains membres de la famille refusaient de prononcer le nom.

Et pourtant, elles étaient amies au point de ne pouvoir passer un jour sans se voir. Toute la journée, c'était entre elles un va-et-vient d'esclaves apportant de petits plats ou d'enfants chargés de messages et de présents.

Ce qui les soudait l'une à l'autre, c'était la haine de Ségou, le mépris des Bambaras, de leur religion et de leurs coutumes ainsi que le besoin de se le répéter constamment. Fatima était guérie de la folle inclination qu'elle avait eue pour Tiékoro en entendant sa femme décrire les moindres détails de son comportement avec une haine dont l'emportement ressemblait à celui de l'amour. Elle-même ne haïssait pas Siga, même si elle avait l'impression d'avoir été flouée. Totalement flouée. Comme un orpailleur découvrant que ses pépites ne sont que glaise. Elle se consolait en pensant à ses dix enfants plus beaux les uns que les autres, affectueux et tendres. La pauvreté de son mari l'empêchant d'avoir un grand nombre d'esclaves elle en prenait soin elle-même. Aussi sa vie n'était-elle que tétées, bouillies, rages de dents, accès de fièvre, diarrhées et premiers balbutiements. Comme Siga ne la reprenait sur rien, elle les avait élevés dans la croyance en Allah, les envoyant dès qu'ils en avaient eu l'âge à une école coranique pour enfants maures, de l'autre côté du fleuve.

L'annonce de la visite d'El-Hadj Omar réconcilia ces deux femmes avec Ségou. Elles commencèrent de harceler des couturières pour se faire confectionner des boubous. Le frère de Fatima lui avait envoyé de Fès des coupons de soie mêlée de fils d'or dont jusqu'alors elle n'avait pas fait usage. Maryem possédait des bijoux richement ciselés qui d'habitude dormaient dans des calebasses dans sa case. Un seul point la chagrinait : Tiékoro ferait-il venir Mohammed dans la suite du Toucouleur et aurait-elle son fils auprès d'elle? Fatima tenta de la raisonner :

« Il n'est pas bon que pendant son service il revienne à la maison...

– Service? Tu parles comme s'il s'agissait d'un soldat... »

Fatima fit doucement :

« N'est-ce pas un soldat de Dieu? »

Maryem avait honte de se faire réprimander ainsi. Pourtant la foi est une chose, l'amour maternel une autre. Mohammed était son seul garçon. La pensée qu'il mendiait dans cette ville où, lui avait-on dit, les femmes allaient voilées, où les veuves devaient rester enfermées pour ne pas éveiller la concupiscence des vieillards la torturait. Elle refusa d'un geste des dattes fourrées que lui proposait Fatima. Elle n'avait aucun goût pour ces sucreries, la seule douceur à Sokoto étant le miel qu'on mélangeait au lait caillé. Fatima mordit dans la pâte brun et vert, puis déclara :

« Il paraît que tout va mal entre Cheikou Hamadou et le marabout toucouleur. Ce dernier avait l'intention de rester à Hamdallay jusqu'à la fin de la saison sèche. En fait, il a dû écourter son séjour... »

Maryem écarquilla les yeux :

« Qui t'a dit cela?

– Les Maures de l'école coranique de mes garçons. Ils ont reçu l'ordre des Kounta de Tombouctou de ne pas aller l'accueillir à son arrivée à Ségou.

– Mais pourquoi? »

Fatima haussa les épaules :

« Est-ce que je sais, moi! Querelles de confréries, querelles de pouvoir, de prestige, querelles d'hommes, quoi! »

Maryem se promit d'interroger Tiékoro à ce sujet. Pourtant, affairé qu'il était à préparer la réception du marabout, à faire recrépir les cases qui devaient l'abriter avec sa suite, à couvrir les sols de tapis marocains, à faire brûler des essences odorantes destinées à parfumer l'air, à amasser des présents qui ne semblent pas dérisoires après ceux qu'El-Hadj Omar avait reçus de souverains, à vérifier les provisions de mil et de riz, à compter la volaille, bien chanceuse si elle pourrait avoir un moment d'intimité avec lui. Cela encore crucifiait Maryem –

comme d'ailleurs les autres épouses de Tiékoro! Pour cette réception, il ne prenait conseil que de sa mère! Tous deux s'entretenaient des heures durant dans la case de Nya qui ensuite donnait des ordres, contrôlait, chicanait, grondait! Après tout, Maryem, qui avait grandi dans le palais d'un sultan qui recevait la moitié de l'univers, aurait pu être de bon conseil! Cette vieille Bambara qui n'avait jamais franchi le Joliba, saurait-elle traiter un moqaddem?

Le vent rabattit vers elles la puanteur de la tannerie de Siga. Fatima leva les yeux vers sa compagne :

« Au moins tout cela aura servi à lui donner du travail! »

Elle avait une expression de mépris et Maryem hocha la tête :

« Si je te dis que tout fétichiste qu'il est, j'ai beaucoup d'estime pour Siga? C'est un incompris, voilà tout. Trop honnête, incapable de ruser, de calculer, de faire le geste qui sera payé en retour. »

De toute évidence, elle pensait par comparaison à Tiékoro. Fatima protesta :

« Tu es injuste. Je crois que Tiékoro aime sincèrement Dieu et travaille à sa plus grande gloire. T'a-t-il raconté comment il s'est converti, tout seul, grâce à sa propre intuition? Comment il a imposé sa vocation à la famille? »

Maryem prit un air excédé :

« Je n'entends que cela depuis des années. »

Elle accepta le thé qu'apportait une esclave.

Tout va mal, entre le marabout toucouleur et Cheikou Hamadou, avait dit Fatima. Ne devrait-elle pas avertir Tiékoro et lui demander d'être prudent? Leur fils était à Hamdallay. Il ne fallait pas qu'il soit victime de conflits dont ils étaient peu informés à Ségou. Mais Tiékoro l'écouterait-elle ? Il était décidé à œuvrer à la plus grande gloire de Dieu, du marabout toucouleur. Et accessoirement à la sienne !

4

FETICHISTE ou pas, le bon peuple de Ségou se massa sur le bord des rues pour regarder le cortège d'El-Hadj Omar. Il lui apparaissait comme un magicien qui avait réalisé des prodiges extraordinaires. Ne disait-on pas qu'il avait fait revenir l'eau dans un puits à sec? Pleuvoir sur une ville assiégée qui manquait d'eau et ainsi risquait de se rendre? De même, n'avait-il pas guéri des malades, ramené à la vie des mourants par simple imposition des mains et énoncé de quelques paroles? On comparait ces miracles à ceux des forgerons-féticheurs de Ségou, et les esprits les plus rétifs devaient reconnaître qu'ils les surpassaient. Les femmes stériles, croyant que ses regards leur permettraient d'enfanter, jouaient des coudes avec les estropiés, les scrofuleux et les incurables pour se placer au premier rang. Les aveugles se glissaient sous les pieds de la foule en psalmodiant des complaintes destinées à s'assurer l'indulgence, tandis que des petits malins proposaient des calebasses d'eau à un cauri, car la chaleur était intense. Les tondyons quadrillaient les artères, mais le Mansa leur avait demandé de ne pas intervenir, de laisser agir les innombrables espions disséminés çà et là.

Tiékoro, ayant informé le Mansa de la venue de cet hôte illustre, était parti l'accueillir à Sansanding avec une petite cohorte d'esclaves et de coreligionnaires soninkés puisqu'il n'avait pu fléchir la réserve des Somonos. Ces derniers avaient même reçu une lettre du cheikh El-Bekkay de Tombouctou, qui disait :

« Sous couleur de rénover l'islam, cet homme sera cause de la mort de beaucoup d'innocents. » Soudain, le Joliba se noircit de pirogues, de chevaux crinière au vent, de radeaux chargés de vaches, de moutons, de paniers de volailles, d'hommes et de femmes. La foule massée à l'extérieur des murs de la ville poussa un grand cri :

« Ils arrivent ! »

Du coup, tous ceux qui étaient restés à l'intérieur se précipitèrent pour voir les arrivants et les tondyons eurent bien du mal à les contenir.

Le cortège d'El-Hadj Omar comptait un millier de personnes, élèves, partisans, serviteurs, femmes, enfants. Il était précédé par un détachement de lanciers du Macina que Cheikou Hamadou lui avait donné pour l'escorter, protégés par des cottes de mailles, chaussés de hautes bottes souples et la tête entourée d'énormes turbans de soie noire. Mais les tondyons s'opposèrent à ce que ces ennemis entrent dans Ségou Sikoro, et ils descendirent de leurs chevaux pour camper sur les bords du fleuve. Il était pratiquement impossible d'apercevoir El-Hadj Omar lui-même. D'abord parce que ceux qui l'entouraient étaient trop nombreux et aussi parce qu'ils lui faisaient volontairement écran. Dans cette ville impie, dans ce repaire d'idolâtres, qui savait d'où viendrait le danger ? Une flèche était vite partie du faîte d'un toit. Une balle d'un fusil à deux coups qu'on retrouverait abandonné dans la poussière. Aussi les habitants de Ségou en étaient-ils réduits à se tordre le cou et, à la vue du moindre visage altier sous un turban volumineux, et du moindre burnous à passementerie, à s'interroger : « Est-ce que c'est lui? Est-ce que c'est lui? »

L'élégance et la beauté des femmes, dont on disait que certaines étaient des princesses de la Syrie, de l'Egypte et de l'Arabie coupait le souffle. On admirait leurs longs cheveux noirs, véritables coulées de soie sous les voiles, la couleur de leur peau, moins blafarde et plus chaude que celle des Maures. Les femmes toucouleurs ne se distinguaient des peules dont elles avaient l'élégance gracile que par la parure, colliers à boules oblongues enfilées sur un cordonnet de coton, bijoux de tempe apparaissant sous des mouchoirs de tête et, tout le long des bras, bracelets d'or fin allié à du cuivre, ajourés et filigranés. C'était indéniable! Ce cortège avait bien plus d'allure que celui du Mansa Tiéfolo quand il sortait du palais. Les vieilles gens en profitaient pour radoter que, depuis Monzon, fils de Makoro, il n'y avait plus de beaux hommes à Ségou. Tous des gringalets, comme ces bimi que l'on ne parvenait pas à vaincre entièrement.

Tiékoro galopait à côté du grand marabout. Sous la pression des sentiments qui l'habitaient, il lui semblait que son cœur allait éclater. Bonheur, fierté, reconnaissance à Dieu qui lui avait permis de vivre un tel jour. Comme il quittait le Macina, Amirou Mangal, le chef de guerre de la région de Djenné, octogénaire respecté à travers le royaume, avait demandé à El-Hadj Omar de lui accorder une faveur : dire sur lui la prière des morts. Alors il s'était enveloppé d'un linceul, s'était fait rouler dans une natte comme un cadavre, afin que le marabout puisse accomplir ce geste suprême. Ah! comme Tiékoro aurait souhaité l'imiter! Ne plus voir le soleil se lever après ce jour, qu'aucun autre n'égalerait en félicité. Il ne lui manquait qu'une chose : la présence de Nadié! Comme elle aurait été heureuse, elle aussi! Quel chemin parcouru depuis la cour puante où il l'avait chevauchée comme une bête! Depuis le triste bouge de Djenné! Il espérait bien que le séjour d'El-Hadj Omar sous son toit ne s'achèverait pas sans que ce dernier le pare d'un titre qui consacrerait sa réputation. Il était déjà El-Hadj[1]. Alors, alim[2]? Halifa[3] Il est vrai qu'il n'était pas adepte de la voie tidjani. Comme tous ceux qui avaient fait leurs études à Tombouctou, il appartenait à la Qadriya Kounta. Devait-il s'initier à la Tidjaniya? Oui, mais, s'il le faisait, ne risquait-il pas de déplaire à Cheikou Hamadou? Il soupira, enfonça son éperon dans les flancs de son cheval qui se laissait distancer.

Brusquement, des éclairs traversèrent le ciel, bleu vif comme celui de toute matinée de saison sèche, suivis de grondements de tonnerre, si violents que les murs de plusieurs concessions s'écroulèrent tandis qu'une brèche s'ouvrait dans la face nord du palais du Mansa. Un cri de stupeur fusa de la foule. Mille visages se levèrent pour scruter la voûte impassible d'où tombait à présent, brûlante et précipitée, une pluie rouge comme le sang d'un blessé. Cela dura quelques minutes et les habitants de Ségou auraient pu croire qu'ils avaient rêvé, s'ils ne portaient sur leurs corps et leurs vêtements des traces bien visibles. Point n'était besoin d'être un forgeron-féticheur, familier de l'occulte, pour interpréter ces signes. Le marabout toucouleur ferait couler le sang à Ségou. Quand? Comment? En désordre, la foule refluait devant les chevaux, dont les sabots résonnaient comme des tam-tams de victoire. L'admiration faisait place à la terreur et on

1. Titre donné à celui qui a été à La Mecque.
2. Savant.
3. Représentant officiel de l'islam.

n'était pas loin de blâmer le Mansa d'avoir permis l'entrée d'El-Hadj Omar dans la ville. Tiékoro regarda avec détresse son burnous taché de rouge. Il avait beau s'être détaché des superstitions de son peuple, il sentait bien que c'étaient les ancêtres qui s'étaient manifestés. Soudain, il avait peur, regardant les rues désertées. A ce moment, El-Hadj Omar se détourna pour lui sourire et, pour la première fois, il remarqua la cruauté de ce beau visage, tout en angles aigus et en obliques. Cet homme était certainement une lumière que Dieu destinait à jouer un grand rôle dans l'islam. Mais à quel prix? Combien de cadavres? Combien de lamentations funèbres?

On arrivait devant la concession des Traoré. Des esclaves se précipitèrent pour se saisir des chevaux, prendre le bagage des arrivants et soulager les femmes des enfants qu'elles portaient au dos ou sur la hanche. Pendant ce temps, d'autres mettaient la dernière main aux grands plats de couscous qui allaient être servis avec des friandises et des boissons aux fruits puisque l'islam interdisait toute fermentation. Les jarres d'eau étaient parfumées de feuilles de menthe ou d'écorce de gingembre. Les noix de kola blanches ou rouges s'offraient dans de petits paniers. Rien ne manquait à la perfection de cet accueil, et pourtant Tiékoro se sentait angoissé, mécontent comme l'épouse du conte que son compagnon terrifie soudain. Il se rappela la conversation que Maryem avait entrepris d'avoir avec lui. Elle tentait de le mettre en garde. Mais voilà, il n'écoutait jamais cette femme, trop belle et trop bien née qui, s'il lui en avait laissé le loisir, aurait tout dominé, y compris lui-même. Il faudrait qu'il l'interroge sans tarder. Pourtant, la compagnie du marabout lui en laisserait-elle le temps?

« Modibo Oumar Traoré, il y a deux sortes d'infidèles : ceux qui adorent les idoles et les divinités païennes à la place du vrai Dieu, mais aussi ceux qui mélangent les pratiques infidèles avec celles de l'islam. Es-tu sûr de ne pas être non des premiers, mais des seconds? »

Tiékoro suffoqua et le marabout toucouleur poursuivit avec une bienveillance qui contrastait avec la gravité de ses paroles :

« Pas directement, bien sûr! Mais en permettant à ceux qui vivent sous ton toit de faire ainsi? Tu connais la parole : « L'islam, s'il est mêlé au poly- « théisme, ne peut être pris en considération. » Peux-tu me jurer que tes frères, leurs femmes, leurs fils et leurs filles n'adorent pas d'idoles? Et même les jeunes gens que tu instruis dans ta zaouïa? »

Tiékoro baissa la tête. Que répondre? Il savait bien que l'islam dans sa famille, chez ses disciples mêmes, était superficiel. Mais il pensait qu'il irait s'approfondissant, prenant insidieusement racines et modifiant radicalement les cœurs. Le marabout martela :

« Quiconque pratique la muwalat[4] avec les infidèles devient à son tour un infidèle! »

Tiékoro tomba à genoux :

« Maître, que dois-je faire? »

El-Hadj Omar ne répondit pas directement à sa question :

« Est-ce que tu sais que Cheikou Hamadou n'est pas ce qu'il t'en semble? Dans le Macina, il a pris les biens des tidjanistes par un acte d'injustice et d'agression. Le royaume n'est rempli que de querelles de clans et d'intrigues de toutes sortes... C'est la dégénérescence de l'islam. »

4. Liens de solidarité et d'amitié.

Il y eut un silence. Le sol d'une grande case au toit de feuillage était recouvert d'un tapis marocain, les murs de tentures brochées, faites de plusieurs lés de cinquante centimètres de largeur, figurant des arcades alternativement rouges et vertes, chargés d'inscriptions en caractères cursifs. Des bougies de stéarine mêlaient leur lueur à celle des lampes au beurre de karité, posées sur des escabeaux, décorés de pièces brodées monochromes. L'odeur de l'encens et des aromates dominait celle du thé à la menthe que des esclaves, vêtus pour la circonstance de boubous de soie blanche, servaient sur des plateaux en cuivre ciselé. El-Hadj Omar reprit :

« Oumar Traoré, as-tu lu le *Djawahira el-Maani*? »

Tiékoro dut avouer que non.

« Lis-le avec attention. Pénètre-toi de son enseignement. Ensuite viens me trouver.

– Où cela, maître?

– Je te le ferai savoir en temps utile. »

Tiékoro était effondré. Ces instants qu'il avait attendus avec tant d'excitation tournaient à sa déconfiture. Le marabout toucouleur ne rendait pas hommage à ce qu'il avait accompli tout seul parmi un peuple païen. Au contraire, il lui reprochait son laxisme et sa tolérance. Que voulait-il? Qu'au nom du jihad, il assassinât ses frères, ses sœurs, son père, sa mère? Ah! la chose était entendue. Non seulement, il ne lui conférerait aucun titre, mais encore il le traitait comme un élève à l'école! Tiékoro aurait pu se défendre, énumérer tout ce qu'il avait réalisé, mais il se sentait las, amer, déçu une fois de plus. Pourquoi la vie n'est-elle qu'une passerelle menant de désillusion en désillusion? Pour lui-même, il murmura avec ferveur :

« Rappelle-moi à toi, ô Dieu! Que je sois enveloppé de sept pièces de vêtements, d'un linceul, roulé dans une natte et enterré, couché sur le côté droit. Pourquoi me refuses-tu cela? »

C'était l'heure de la prière de l'entrée de la nuit, et tout le monde sortit pour se prosterner en direction de La Mecque. Dans la cour, Tiékoro remarqua la silhouette de Tiéfolo, debout, les bras croisés, entouré de ses fils et de ses jeunes frères. Il comprit que ce n'était pas là un hasard et qu'ils venaient manifester publiquement leur opposition à la présence du marabout toucouleur sous leur toit. El-Hadj Omar se tourna vers Tiékoro, murmurant avec son sourire inimitable :

« Je te l'ai dit, Oumar, celui qui pratique le muwalat avec les infidèles devient à son tour un infidèle... »

Comme Tiékoro mettait un genou en terre, un esclave lui toucha le bras. Dans son exaspération, son malaise et sa douleur, il allait apostropher le malheureux et certainement le battre, quand celui-ci s'exclama :

« Pardonne-moi, maître, mais il y a là des envoyés du Mansa! »

Du Mansa?

Une véritable délégation attendait dans la première cour. Des griots royaux en tuniques de velours vert doublées de soie rouge ou d'indigo bleu foncé. Des membres du Conseil, vêtus de blanc, une canne d'apparat à la main. Des esclaves, torse nu, les bras chargés de présents. Ce qui frappa Tiékoro, ce fut la profusion de gris-gris et d'amulettes qu'ils portaient aux bras, aux jambes, au cou, à la taille, comme s'ils entendaient afficher à quel camp ils appartenaient et pour qu'aucune équivoque ne soit possible. Ségou refusait l'islam. Ce fut le conseiller Mandé Diarra qui prit la parole :

« Voici des présents que le Mansa envoie à ton

hôte. Il désire le recevoir demain au palais. En ta compagnie, bien sûr. »

Tiékoro fut encore plus troublé. Etant donné l'humeur intransigeante qui semblait la sienne, le marabout toucouleur accepterait-il de rencontrer un souverain idolâtre et surtout de lui manifester le respect qu'on lui croyait dû? Il balbutia :

« El-Hadj Omar est en prière, je ne puis l'interrompre. Je te ferai parvenir sa réponse demain matin. »

Mandé Diarra regarda ceux qui l'accompagnaient comme pour les prendre à témoin :

« Traoré, as-tu perdu l'esprit? Ton souverain t'appelle et tu rechignes à obéir? »

Trop d'événements s'étaient enchaînés depuis le matin. Tiékoro était hors de lui, incapable de diplomatie. Il répondit brutalement :

« Je n'ai d'autre souverain qu'Allah! »

Il se fit un silence terrifié. Tiékoro aurait profané un culte, rompu un interdit ou un serment que cela n'aurait pas été aussi grave qu'affirmer publiquement qu'il n'était point soumis à son Mansa. Mandé Diarra, qui avait toujours considéré l'adhésion à l'islam comme une manifestation de folie, eut pitié de lui et souffla :

« Demande pardon de tes paroles, Tiékoro Traoré! J'ai assez d'estime pour ta famille pour me persuader que je ne les ai pas entendues... »

Mais Tiéfolo, ses fils, les frères et les fils des frères s'étaient approchés. Cela devenait une affaire d'honneur. Sans mot dire, Tiékoro, après avoir promené un regard orgueilleux sur l'assistance, rejoignit ses coreligionnaires en prière.

Appuyant son front sur le sable fin et soigneusement balayé, une fois de plus, il souhaita mourir. Quelle vie que la sienne! Réussie peut-être au-dehors, tissée de regrets et de frustrations en réalité! Que signifient des femmes, des fils, des filles, des greniers pleins, des animaux domestiques si l'esprit est amer comme l'écorce du cailcédrat? Et peut-il en être autrement tant qu'il traîne avec lui son enveloppe charnelle? Tiékoro se répéta :

« Libère-moi, mon Dieu! Qu'enfin je te rejoigne et connaisse la béatitude! »

Il avait cru que l'islam serait la terre de refuge qui le délivrerait de toutes ces pratiques qui lui faisaient horreur dans la religion de ses pères. Or voilà que les hommes s'apprêtaient à le gâter à son tour, tels les enfants malfaisants qui détruisent tout ce qu'ils touchent! Qadriya, Suhrawardiya, Shadiliya, Tidjaniya, Mewlewi... Allah n'avait-il pas dit : « Laisse les hommes à leurs jeux vains? »

Cependant les compagnons du marabout avaient fini de réciter un ensemble d'oraisons propres au wird[5] tidjaniste. Comme Tiékoro demeurait prostré par terre, El-Hadj Omar crut qu'il méditait sur la conversation qu'ils venaient d'avoir et, sans le déranger, rejoignit sa case. Relevant la tête, Tiékoro distingua une forme dans l'ombre d'un des arbres de la concession. Etait-ce la mort? Enfin! Mais l'ombre se déplaça : ce n'était que Siga. Toute la mauvaise humeur de Tiékoro revint et il fit sèchement :

« Est-ce maintenant que tu arrives? Tu es donc un apostat? »

Siga dit d'un ton pressant :

« Tiékoro, prends garde. Un complot se prépare contre toi. Demain, si tu te rends au palais avec le marabout, le Mansa va vous faire arrêter. Vous avez encore le temps de vous enfuir. Si vous quittez Ségou immédiatement, à l'aube, vous pouvez être à l'abri dans le Macina. »

5. Le wird : oraisons composées d'extraits du Coran.

En parlant ainsi, Siga savait qu'il perdait son temps. Tiékoro était trop orgueilleux pour fuir le danger. Cela l'exalterait au contraire. Tiékoro passa le bras sous celui de son frère et ce geste, tout d'amicale simplicité, surprit Siga :

« Marche avec moi, veux-tu? »

La nuit avait verrouillé Ségou, mais laissait fuser tous les bruits. Derrière chaque mur des voix chuchotaient le récit des événements extraordinaires de cette journée. On attendait le pire. Un prodige extraordinaire du marabout réduisant la ville en cendres, gonflant les eaux du Joliba qui emporteraient au fil du courant les cases, les habitants et les bêtes. Siga sentit la détresse de son frère et, ne sachant que dire, proposa :

« Viens boire avec moi chez Yankadi! Musulman ou pas, parfois un homme a besoin de prendre un coup... »

Tiékoro, s'appuyant plus lourdement sur le bras de Siga, murmura :

« Si quelque chose m'arrive, épouse Maryem, puisqu'elle s'entend si bien avec Fatima et surtout veille sur Mohammed. Je sens qu'il est comme moi : il ne sera jamais heureux. »

Siga chercha en vain des mots de réconfort. Il le savait, son frère courait les pires dangers. Ils arrivèrent devant le Joliba, ruban noirâtre entre les barques endormies des pêcheurs somonos. On apercevait, sur l'autre rive du fleuve, la lueur des feux de camp des lanciers du Macina transformant la brousse en un décor irréel. Siga soupira :

« Crois-tu que ton Allah en vaille la peine? »

Tiékoro répondit sans colère :

« Ne blasphème pas!

– Ce n'est pas un blasphème. Est-ce qu'il ne t'arrive jamais de douter? »

Dans l'ombre, Tiékoro secoua négativement la

tête. Siga crut qu'une fois de plus il cédait à l'orgueil. Or, Tiékoro ne mentait pas. Si quelque chose existait en lui, c'était la foi. Evidemment, elle ne l'avait jamais empêché d'être un misérable pécheur, mais elle l'inondait, comme son sang ses artères. C'est elle qui faisait battre son cœur, mouvoir ses jambes et ses bras. Depuis le jour où il avait entendu, au détour d'une rue, l'appel du muezzin des Maures et où, intrigué, il était entré dans la mosquée pour se trouver face à un vieillard traçant sur une planchette des versets du Coran, il avait su qu'Allah est le seul vrai Dieu. Tiékoro s'assit sur une barque et reprit avec calme et détachement :

« Oui, épouse Maryem. Pour Adam et Yankadi, laisse la famille décider, mais insiste et prends celle-là. Je partirai en paix si je sais qu'elle est avec toi... »

Siga fut ému aux larmes de cette marque d'estime, pourtant bien tardive. Il regarda son frère. Au moment où celui-ci approchait peut-être de la fin de sa vie, il réalisait qu'autrefois Koumaré avait dit vrai. Le destin de Tiékoro était inséparable du sien, comme le jour l'est de la nuit. Comme le soleil de la lune, puisque ces astres contribuent à baigner de lumière les contours de la terre et à entretenir la vie. Tiékoro avait été comblé d'honneurs mais aussi victime de grands chagrins. Il avait été, quant à lui, le tâcheron patient de la quotidienneté, amassant petits déboires et petites joies. Mais, à présent, ils se retrouvaient tous deux les mains vides. Vaincus.

Vaincus? Tiékoro était-il vaincu? Siga regarda les feux des lanciers du Macina de l'autre côté du Joliba et cela lui sembla un symbole. Le feu de l'islam propagé par les Peuls, et par les Toucouleurs, finirait par embraser Ségou. Cette conviction donnait à Tiékoro son assurance et son orgueil. Avant les autres, il avait vu juste.

Les deux frères rentrèrent dans Ségou. Des cabarets sortaient les buveurs de dolo, amplifiant dans les fumées de l'ivresse les événements du jour. Ils multipliaient par quatre le chiffre de l'escorte du marabout, par dix celui de ses talibés et de sa suite, par cent celui de ses femmes. A les en croire, c'était toute une aile du palais royal qui s'était effondrée et des caillots de sang qui étaient tombés du ciel. Leur imagination, leur besoin de rêver, d'être surpris, d'être effrayés trouvaient les aliments les plus appropriés dans cette journée particulière.

5

La ville et le royaume apprirent l'arrestation d'El-Hadj Omar, de quelques musulmans de sa suite et de Tiékoro Traoré par le Mansa Tiéfolo. Du coup, ce dernier, qui n'avait jamais été aimé, connut un regain de popularité. Cela rappelait les grands jours des règnes précédents, quand les tondyons accumulaient les victoires et rentraient chargés de butin, des files de captifs titubant derrière leurs chevaux. D'un même élan, la foule se porta sur la place du palais. Mais rien ne filtrait à l'extérieur des murailles. Tout semblait comme à l'accoutumée. Déjà les maçons réparaient la brèche faite la veille par le tonnerre. Les esclaves portaient l'eau ou les victuailles, les marchands, les artisans allaient et venaient sous les voûtes des portes.

Personne ne savait exactement ce qui s'était passé. Les uns disaient que le Mansa avait invité le marabout toucouleur et son hôte à se présenter au palais. Ceux-ci ayant refusé de s'exécuter, il les avait fait venir de force et les avait fait jeter aux fers. Les autres affirmaient qu'ils s'étaient rendus au palais de leur plein gré, mais que, une fois là, le souverain avait donné l'ordre de les emprisonner. Quel crime avaient-ils commis? Ils complotaient le renversement du Mansa, bien sûr. A un moment jugé favorable, l'escadron de lanciers du Macina devait faire appel à d'autres soldats dissimulés au-delà du fleuve. Ensuite, un à un, tous les habitants de Ségou devraient faire l'horrible profession de foi :

« Il n'est de dieu que Dieu! » Sinon, clac, on leur coupait la tête!

Lorsque la nouvelle fut connue, Nya, laissant les femmes hurler et se rouler dans la poussière, entra dans sa case. Elle se vêtit avec le plus grand soin de pagnes d'indigo rigides et sombres, enroula autour de son cou des colliers d'ambre et de perles, fixa un diadème dans ses cheveux grisonnants. Quand elle ressortit dans la cour, chacun se rappela qu'elle avait été la plus belle femme de sa génération, la plus majestueuse aussi. La vieillesse avait beau l'attaquer et la cerner, elle ne parvenait qu'à creuser des rides dérisoires ici et là, à ramollir ses chairs, à distendre la peau de son cou autrefois pur comme celui de l'impala[1]. Ses plus jeunes fils tentèrent de l'arrêter. Elle les écarta avec douceur.

Nya se dirigea vers le palais royal. Au fur et à mesure qu'elle avançait, les gens sortaient des concessions et, paradoxalement, même ceux qui haïssaient Tiékoro avaient les larmes aux yeux en voyant passer sa mère. Bientôt, le bruit se répandit que Nya Coulibali, fille de Falè Coulibali, épouse de feu Dousika Traoré, allait demander des comptes au Mansa. Aussitôt des griots qui connaissaient la généalogie des deux familles, chantant les exploits de leurs ancêtres, formèrent un cortège que grossit une foule de femmes, d'hommes, d'enfants hésitant entre la curiosité et le chagrin.

On vint prévenir le Mansa que la mère de Tiékoro Traoré avançait vers le palais. Que faire? Refuser de la recevoir? C'était impossible, elle était d'âge à être sa mère! La laisser entrer? Elle allait se mettre à

1. Gazelle.

pleurer ou à le supplier et comment résister à ces larmes?

Après mille conciliabules, le griot Makan Diabaté eut une idée :

« Maître, fais-lui dire que tu es souffrant et demande à tes femmes de l'entretenir. »

En réalité, Nya ne venait ni pleurer ni supplier. Elle venait demander à voir son fils. La nuit précédente, Dousika l'avait prévenue en songe que Tiékoro allait bientôt le rejoindre. Alors, elle voulait le serrer une dernière fois contre elle. Malheureuse mère qui enterre ses fils! C'est lui qui aurait dû l'enrouler dans la natte funéraire, mais voilà, les ancêtres en avaient décidé autrement. En remontant les rues, au milieu d'un vacarme de musique, de récitations, d'exclamations de sympathie et de paroles de réconfort, Nya n'entendait rien. Elle repassait dans sa tête toute la vie de Tiékoro. Depuis sa naissance. Qu'il est doux le premier vagissement du premier enfant! Encore labourée du souvenir de sa douleur, elle regardait la matrone laver le petit être sanguinolent et malgracieux qui devait faire son orgueil. Ensuite, celle-ci le lui avait remis et ils avaient échangé leur premier regard qui scellait aussi un pacte :

« Tu prendras bien des femmes dans tes bras. Tu serreras la main de bien des hommes. Tu feras du chemin avec les uns et les autres. Tu t'éloigneras de moi et, pourtant, rien ne comptera. Que moi. Ta mère... »

Après le nourrisson, le petit garçon, précoce, qui la pressait de questions :

« Ba, qu'est-ce qui tient la lune fixée dans le ciel?

– Ba, pourquoi ceux-ci sont-ils des esclaves, et nous des nobles?

– Ba, pourquoi les dieux aiment-ils le sang des poulets? »

Déroutée, effrayée par ces interrogations, Nya cachait son ignorance sous un air serein :

« Tiékoro, les ancêtres ont dit... »

Elle commençait toutes ses phrases ainsi pour s'abriter derrière une autorité plus haute que la sienne. Et, à force de questionner, de mettre en doute, de s'essayer à des explications personnelles, il s'était engagé dans une voie dangereuse. Pourtant, Nya ne songeait pas à blâmer Tiékoro. Elle n'était point là pour le juger, mais pour l'aimer.

Comme elle atteignait le premier vestibule, la bara muso, suivie de trois ou quatre coépouses et de griots, s'avança vers elle et s'inclina :

« Mère de fils, tu es fatiguée, viens te reposer... »

Nya les suivit jusqu'aux appartements des femmes. A part les soldats chargés de les protéger et les griots de les chanter, les hommes n'étaient pas admis dans cette partie du palais. Elle était protégée par un mur hérissé de piquets de bois dur, percé d'une unique porte en bois de cailcédrat que fermait un énorme châssis. Dans une première cour s'élevaient des cases au toit de paille. A côté d'elles, des arbres étendaient leur ombre sur des nattes, des tapis, des coussins posés à même le sol et des lits de bambou recouverts d'épaisses couvertures de coton. La bara muso désigna une de ces couches à Nya et à peine celle-ci fut-elle assise que des esclaves s'affairèrent autour d'elle, lui offrant des calebasses d'eau fraîche, lui massant les pieds et les chevilles ou lui éventant le front. Nya se laissa faire courtoisement. Au bout d'un moment, elle interrogea :

« Dis-moi, pourquoi ton époux ne me reçoit-il pas?

La bara muso baissa les yeux :

« Il est malade, notre mère! Après son repas, il a été pris de nausées et de vomissements. »

Nya se rendit compte qu'elle mentait, mais ne voulut pas la désobliger et murmura :

« Que les ancêtres lui assurent une prompte guérison! Lui a-t-on donné de la bouillie de farine de pain de singe? »

La bara muso assura que six médecins étaient auprès de lui. Nya tourna la tête vers elle :

« Ma fille, as-tu des fils? »

Or, la bara muso redoutait de s'engager dans une conversation de ce genre et cherchait à faire diversion quand Nya reprit :

« Quel terrible rôle que le nôtre! Si nos filles ne nous apportent que richesses, joies et petits-enfants, nos fils ne sont qu'angoisse, tortures et afflictions. Ils cherchent la mort dans des guerres. Quand ils ne la trouvent pas de cette manière, ils courent les routes du monde à sa poursuite, et, un matin, un étranger vient nous annoncer qu'ils ne sont plus. Ou bien, ils se mêlent de défaire ce que nos pères ont fait et irritent les ancêtres. Parfois, je me demande s'ils pensent à nous. Qu'en dis-tu? »

La bara muso retint ses larmes :

« Mère, je te promets que si c'est en mon pouvoir, on ne touchera pas à ton fils... »

Nya eut un rire de dérision, indulgent cependant :

« Si c'est en ton pouvoir? Nous n'avons aucun pouvoir, ma fille! »

Pendant ce temps, le Mansa, ses conseillers et ses griots siégeaient en conclave. Les féticheurs royaux étaient formels, il ne fallait pas porter la main sur le marabout toucouleur. Mais le libérer au plus vite. Ils conseillaient de le reconduire sous bonne escorte jusqu'aux frontières du royaume. Là, on lui signifierait de ne plus y remettre les pieds. Le Mansa, lui, aurait au contraire aimé donner une leçon éclatante à ces musulmans en faisant exécuter ce faux prophète. Qu'avait-il à craindre en agissant ainsi?

Ses espions lui avaient appris que rien n'allait plus entre El-Hadj Omar et Cheikou Hamadou, même s'ils ignoraient les raisons de cette brouille. Ainsi donc, le Macina ne bougerait pas si l'on assassinait le Toucouleur. Alors pourquoi le retenait-on d'agir? On voulait donner à El-Hadj Omar le temps d'amasser des forces et de revenir attaquer Ségou? C'était cela?

Le conseiller Mandé Diarra s'arma de courage :

« Maître, il suffit de détruire les ennemis de l'intérieur, tous ceux qui dans Ségou travaillent à l'avènement de l'islam et à ton renversement. Ce Tiékoro, par exemple, sois sans pitié avec lui. Pour les ennemis de l'extérieur, est-ce que Ségou n'a pas toujours su se défendre?! Si le Toucouleur revient, eh bien, il connaîtra le sort du vacher de Fittouga... »

A l'aube donc, alors que les habitants de Ségou dormaient encore, des détachements de tondyons escortèrent le marabout toucouleur et sa suite aux frontières, en direction de Kankan. Les lanciers du Macina, qui avaient reçu de leur commandement l'ordre exprès de ne pas s'affronter aux Bambaras, remontèrent sur leurs chevaux et refluèrent vers leur base. Quelques heures plus tard, pour faire bonne mesure, des tondyons entrèrent dans les maisons de Bambaras convertis à l'islam et les entraînèrent vers les prisons du palais. Ils ne touchèrent ni aux Soninkés ni aux Somonos musulmans, d'abord parce qu'ils ne s'étaient pas associés à l'accueil d'El-Hadj Omar et surtout parce qu'ils payaient des taxes importantes au Mansa par le biais du commerce.

Cependant, l'opération la plus spectaculaire fut la destruction de la zaouïa de Tiékoro. Des soldats émiettèrent ses murs, renversèrent ses cases-dortoirs, sa case-réfectoire, ainsi que les auvents sous lesquels avaient lieu les cours et les méditations. Puis ils empilèrent du bois sec et y mirent le feu. Ils jetèrent également dans les flammes la collection de manuscrits de Tiékoro, non sans en avoir déchiré des pages qu'ils glissaient dans leurs habits pour servir de gris-gris.

Tiékoro suivait tous ces événements grâce aux récits de ses gardes avec lesquels il s'était lié d'amitié. Généralement, la prison libère la bête qui est en l'homme. Il marche en rond, vocifère, hurle, injurie ou cherche à mettre fin à ses jours de la manière la plus sommaire. Tiékoro n'en fit rien. Il passait son temps en prière, roulant les grains de son chapelet et portant sur le visage une telle expression que les soldats étaient convaincus qu'il était en communication avec des génies. Ils en profitèrent pour lui demander, qui un avancement dans sa carrière, qui le retour de sa femme réfugiée dans sa famille depuis la dernière raclée, qui enfin la naissance d'un fils. Tiékoro riait :

« Frères, je ne peux que prier pour vous. Je ne pratique pas la magie! »

Il était parfaitement apaisé depuis la visite de Nya. Il avait posé la tête sur ses genoux. Elle avait caressé son crâne rasé comme elle le faisait quand il était enfant. Baignant dans son odeur et retrouvant la béatitude du temps où il était dans son ventre, il avait murmuré :

« Veille à ce que Maryem soit donnée à Siga. Pour le reste, fais au mieux. »

Nya avait soupiré :

« Crois-tu que Maryem acceptera cela? Ah! Tiékoro, je prévois de grands troubles dans la famille! »

Ce fut là son seul reproche tacite et il le blessa cruellement.

A présent, Tiékoro attendait la mort comme on attend la promise dont on n'a jamais vu les traits, mais dont la réputation de beauté est grande. Il s'efforçait d'oublier les reproches d'El-Hadj Omar pour n'avoir à l'esprit que les paroles de Moustapha al-Rammasi dans sa *Hasiya*[2] :

« Dieu – qu'il soit loué et exalté! – a voulu que la foi s'accompagne toujours d'une conséquence immuable, et cette conséquence, c'est la félicité éternelle. »

Bientôt, il serait face à face avec son Dieu. Les gardes qui défendaient l'accès de sa cellule s'appelaient Séba et Bo. C'était le premier qui lui avait demandé le retour de sa femme, et le second la naissance d'un fils. Or il se trouva que, rentrant chez lui, Séba trouva assise dans la cour, apparemment soumise et repentante, l'épouse en fuite. Quant à Bo, on vint lui annoncer qu'enfin après dix filles, pour la première fois, un enfant mâle lui était né. Il n'en fallut pas plus pour que les deux hommes crient au miracle, et voient là l'effet du commerce privilégié de Tiékoro avec les esprits. Bientôt, tout Ségou sut que Tiékoro Traoré était un magicien qui dépassait en puissance les plus grands féticheurs. Siga et Bo ne tarissaient pas de descriptions sur ces étranges séances :

« Il travaille avec sa tête seulement. Il ne te donne rien à boire ou à frotter sur ton corps. Sa tête seulement... »

2. Un des livres les plus importants de l'islam.

Les deux hommes se laissèrent convaincre – moyennant quelques cauris ou quelques mesures de mil – de transmettre des requêtes à Tiékoro, tant et si bien que cela vint aux oreilles des espions du Mansa.

Depuis la visite de Nya, à la suite des pressions de la bara muso, le Mansa hésitait à condamner Tiékoro à mort. Parfois, il songeait à le laisser moisir quelques années dans son cachot avant de le rendre, assagi, à sa famille. Parfois, il songeait à lui demander de renoncer publiquement à l'islam, mais cet orgueilleux accepterait-il? Parfois il songeait à l'assigner à résidence dans la lointaine région de Bagoé. Quand il apprit que, même enfermé, Tiékoro continuait à propager l'islam – et de la façon la plus spectaculaire et propre à frapper les imaginations populaires –, il se rendit aux avis de ses conseillers.

La date de son exécution fut décidée.

Une force tenait Nya debout, une seule : son amour pour Tiékoro. Quand elle sut qu'il allait mourir, ce fut comme si sa vie devenait inutile. A quoi bon admirer un soleil qu'il ne verrait plus, s'asseoir devant un feu qui ne le réchaufferait plus, porter à sa bouche des aliments qu'il ne savourerait plus? Si Dousika avait été vivant, peut-être aurait-elle pu s'accrocher à la compagnie de son vieil époux. Mais Dousika n'était plus. A ses côtés, il n'y avait que Diémogo, presque sénile et dont on se demandait quand la mort voudrait bien le prendre.

Alors Nya tomba de tout son haut. Comme un arbre rongé intérieurement par les termites et les poux de bois. Les féticheurs consultés en hâte savaient qu'il n'y avait rien à faire, mais ils allaient et venaient dans tous les sens pour donner à la famille l'illusion qu'ils pouvaient encore ramener vers le corps les forces spirituelles qui étaient en train de le déserter. Elle était étendue sur sa natte, immobile, le souffle court, la tête légèrement tournée vers la porte de sa case comme si elle écoutait les alliés de la famille qui s'y étaient réunis dès l'annonce de son mal et qui répétaient pour l'encourager à vivre :

« Nya, fille de Falè, tes ancêtres ont courbé le monde comme une faucille. Ils l'ont redressé comme un chemin net. Nya, ressaisis-toi. »

A un moment, elle sortit de sa torpeur et souffla :

« Je veux voir Kosa... »

Kosa était son dernier fils, né de son remariage avec Diémogo. Un bel enfant turbulent et robuste, comme ceux qui naissent de parents trop vieux. Kosa s'avança, effrayé, vaguement rebuté par l'odeur des fumigations qui ne masquait pas celle de la mort toute proche. Que lui voulait-on? Il s'assit à contrecœur sur la natte de sa mère.

« Quand tu ne me verras plus, je serai là, partout avec toi. Encore plus proche que si tu me voyais... »

Comme tout le monde pleurait, Kosa éclata en sanglots.

Ensuite Nya fit appeler Tiéfolo.

Elle n'avait pas la preuve qu'il avait trempé dans le complot contre Tiékoro. Néanmoins, elle savait que, plusieurs soirs de suite, il s'était rendu au palais royal pour s'entretenir avec le Mansa.

Tiéfolo entra, aussi réticent que le petit Kosa, mais pour d'autres raisons. Ce n'était pas l'appareil funèbre de la mort qui le terrifiait, mais le sentiment de sa responsabilité. Il avait cru agir pour le bien de la famille, écarter Tiékoro comme on écarte une force dangereuse, un principe de désordre. Et voilà qu'il allait avoir du sang sur ses mains.

Il murmura :

« Mère, tu m'as demandé?

– Comment va ton père Diémogo?

– Il ne passera pas la nuit... »

Nya soupira :

« Eh bien, c'est ensemble que nos esprits partiront...

– Mère, ne parle pas de cela... »

Nya ne sembla pas prêter attention à cette interruption. Toute la lucidité était revenue dans ses yeux, à peine obscurcis par le chagrin :

« Ecoute, il faut penser à la direction de la famille. Quand le conseil se réunira, veille à ce qu'il choisisse Siga comme fa... »

Tiéfolo s'exclama :

« Siga! Siga! Mais c'est le fils d'une esclave... »

Nya lui prit la main :

« Qui avait subi un grand préjudice! Est-ce que tu ne sais pas comment elle est morte? Et puis, Siga n'a pas été bien heureux dans sa vie. Donnons-lui ce bonheur... »

Tiéfolo regarda le vieux visage. Quelle ruse préparait-elle encore? N'était-elle pas simplement en train de venger son fils favori? Tiéfolo n'était pas ambitieux. Il n'était pas orgueilleux. Mais il tenait à ce que les règles soient respectées. Fils aîné du dernier frère survivant, le titre et la responsabilité de fa lui revenaient. En même temps, il était envahi d'un tel sentiment de culpabilité vis-à-vis de Nya qu'il était prêt à tout pour lui plaire. Il s'inclina :

« Pars en paix, mère. Je proposerai Siga au conseil de famille. Il est en effet plus digne que moi... »

En prononçant ces derniers mots, il ne pouvait

empêcher sa voix d'exprimer une certaine amertume.

Puis il sortit.

A bien réfléchir, la proposition de Nya lui convenait. Ainsi, on ne pourrait pas dire qu'il avait écarté Tiékoro pour assouvir des visées personnelles. Il appuya son front contre le dubale de la cour, se blessant aux aspérités du tronc et éprouvant une volupté dans cette légère douleur. Les ancêtres et les dieux le savaient, il n'avait pas souhaité la mort de son frère. Il espérait seulement que le Mansa le bannirait dans quelque province ou l'obligerait à rompre tout contact avec les musulmans du Macina et d'ailleurs. Quand Tiékoro atteindrait l'au-delà, il saurait bien qu'il était innocent et il ne pourrait pas le poursuivre de sa vengeance. Il n'avait rien fait. Rien fait. Il avait vu la famille divisée par l'islam, les fils élevés chez les ennemis du royaume, les allégeances rompues, les valeurs ancestrales foulées au pied. Il s'entendit pleurer et la violence de ses sanglots le surprit. Depuis des jours, il avait les yeux secs et maintenant le flot de ses larmes était tel qu'il pourrait bien alimenter le Joliba. Il n'avait pas pleuré ainsi depuis la disparition de Naba. Naba dont, à sa manière, il avait aussi causé la mort, l'entraînant dans cette chasse d'où il n'était pas revenu. Il avait les mains sales. Sales. Sales.

Il ploya les genoux, s'enfonçant dans la terre meuble entre les énormes racines. Au-dessus de sa tête, il entendait les cris aigus des chauves-souris qui semblaient railler sa douleur et son remords. Pourquoi la vie est-elle ce marécage dans lequel on est entraîné malgré soi et dont on sort souillé, les mains gluantes? S'il n'avait tenu qu'à lui, il n'aurait été qu'un chasseur, un karamoko, défiant les bêtes dans des combats loyaux faits d'estime et de respect mutuels. Ah! que les hommes n'ont-ils la pureté des animaux de proie!

Tiéfolo pleura longtemps.

Puis il sortit de la concession et se dirigea chez Siga. Comme il approchait de la maison de son frère, il se demanda si cet honneur tardif n'était pas le dernier piège qui se refermait autour de Siga. La défaite en forme de victoire. Car il devrait quitter sa maison, réintégrer la concession avec Fatima et les enfants, renoncer à ce métier de tanneur qui irritait si fort la famille et semblait tout à fait indigne d'un fa. C'est-à-dire mettre le point final à son échec.

Tiékoro allait mourir, et Siga vivant semblait prendre sa revanche sur celui qui l'avait toujours éclipsé. Mais quelle triste revanche au goût de cendres.

6

MOHAMMED revenait vers le réfectoire, quand on vint lui annoncer que sa mère l'attendait chez Cheikou Hamadou. Quelques jours auparavant, il avait appris l'exécution publique de son père. Mais il n'avait pas versé une larme. Au contraire, son cœur s'était enflé d'orgueil. Son père était mort en croyant, en martyr de la vraie foi. Cheikou Hamadou s'étant engagé à faire connaître ses hauts faits, bientôt sa tombe deviendrait un lieu de pèlerinage pour les musulmans. Mêlant sa voix légère à celle des adultes qui l'entouraient, il avait récité :

« Dieu le bénisse et lui accorde le salut parfait et durable jusqu'au jour du Jugement, ainsi qu'à ses successeurs dans sa communauté tout entière! »

En apprenant que Maryem était là, il redevint un enfant, impatient et spontané et se mit à courir. Alfa le rattrapa et le retint par le bras, murmurant :

« Rappelle-toi qu'elle n'est que la mère de ton corps. »

Alors, en traversant les cours, il retrouva l'allure qui convenait.

Quand Maryem vit son fils bien-aimé, elle pleura. L'enfant avait beaucoup grandi, atteignant presque une taille d'adulte. Il était d'une maigreur indescriptible, la peau sur les os, les bras et les jambes pareils à des baguettes sèches de fromager. En même temps, comme il était beau! Une spiritualité nouvelle affinait ses traits, emplissait d'un éclat presque insoutenable ses yeux marron clair entre des cils très sombres, épais et fournis. Ses cheveux, qu'il ne rasait pas à la manière de certains disciples de Cheikou Hamadou qui se réclamait de l'obédience au Prophète, bouclaient serrés et la grâce de ses gestes rappelait celle d'un berger peul. Mohammed aurait bien voulu courir, se jeter dans les bras de sa mère, et essuyer ces larmes qui inondaient ses joues, mais il n'osait pas. Il savait que cette conduite était indigne d'un homme.

Cheikou Hamadou, qui était assis sur une natte au centre de la salle du Grand Conseil, dit doucement :

« Ta mère nous entretient des derniers instants de ton père. Il est bon que tu sois présent pour apprendre, après lui, comment on doit mourir. »

Maryem parvint à réprimer ses sanglots :

« Alors lui, un noble, ils lui ont attaché les coudes derrière le dos et ils l'ont flagellé. Le sang coulait de son dos. Je criais « Assez! Assez! » Mais personne ne m'entendait. Puis, ils l'ont fait monter sur une estrade qu'ils avaient édifiée devant le palais. Il regardait de tous côtés avec un grand calme, un sourire aux lèvres. Le bourreau, une de ces brutes comme n'en produisent que les Bambaras, avec une figure bestiale et un œil féroce, s'est avancé par-derrière et d'un seul coup de sabre lui a fait voler la tête. Son corps est tombé en avant. Deux longs jets de sang se sont élancés de son col... »

Il y eut un silence.

« Ensuite, sur la prière de Nya, sa mère, ils nous ont rendu son cadavre. Mais, est-ce que ce n'est pas là le pire? La famille a voulu lui faire une cérémonie fétichiste. Ils ont, ils ont... »

Comme les sanglots l'étouffaient, Cheikou Hamadou intervint :

« Rappelle-toi, notre fille, qu'il ne s'agissait plus que de son corps dépouillé de son âme! Alors, qu'importe! »

Puis, se levant, il improvisa une de ces élégies dont il avait le secret. Mohammed se demandait quand on lui permettrait d'aller embrasser sa mère. Hélas! personne ne semblait y songer. Maryem, qui était prostrée, se releva au bout d'un instant et se tourna à nouveau vers Cheikou Hamadou :

« Si tu me vois devant toi, père, ce n'est pas seulement pour te parler de cette mort. Le conseil de famille s'est réuni et a décidé que je sois donnée à Siga, le frère de mon défunt compagnon. Je ne m'élève pas contre cette coutume, je sais qu'elle est bonne et excellente. Mais Siga est un fétichiste, pis, un apostat puisque, durant ses années d'apprentissage à Fès, il avait embrassé l'islam. Peut-on me contraindre à vivre avec un fétichiste et un apostat? »

En s'exprimant ainsi, son visage fier s'illuminait du feu de la colère. Son voile blanc retombait en arrière et entourait son cou annelé entre les lourds colliers d'argent. Mohammed aurait voulu crier son admiration, qu'il croyait partagée par l'assistance tout entière. Mais il rencontra le regard de Cheikou Hamadou et comprit que celui-ci était embarrassé. Il fixait les membres du Grand Conseil comme s'il attendait leurs propositions. Finalement, ce fut Bouréma Khalilou qui prit la parole :

« Il est certain que tu nous poses un sérieux problème, Maryem! Tu l'as dit, il est bon et juste qu'une femme revienne au frère cadet de son mari. Mais un apostat! Que suggères-tu toi-même?

– Donnez-moi une escorte que je retourne chez mon père! »

Les membres du Grand Conseil se consultèrent du regard. Après tout, c'était une chose faisable. Une excellente manière, même, d'obliger le sultan de Sokoto qui ne supporterait pas de savoir sa fille entre les bras d'un apostat. Maryem eut le tort d'ajouter :

« J'ai emmené mes filles avec moi. Il ne me manque que mon fils! »

Malgré la réserve que l'islam imposait au comportement et aux paroles, ce fut un tollé. Depuis quand un fils appartenait-il à sa mère? Oui, mais le père était mort et la famille paternelle était fétichiste! Alors à qui le confier? Les droits de la famille et ceux de l'islam pour la première fois peut-être étaient en contradiction. Et on avait beau passer en revue les ouvrages des savants éminents, depuis le *Sahîh* d'Al-Buhari, jusqu'au *Alfiyyat al-Siyar*[1] d'Al-Ughari, aucune indication n'était donnée concernant ce cas précis. Cheikou Hamadou se leva et frappa dans ses mains :

« Laisse-nous, Maryem! Nous allons réfléchir et te faire part de notre décision. »

Maryem se retirait déjà, n'osant protester, quand il parut se ressouvenir de la présence de Mohammed. Alors il lui signifia gentiment de la suivre!

Quel enfant séparé de sa mère pendant près d'une année n'est pas transporté de bonheur en la retrouvant? Mohammed couvrait de baisers sa peau fine et douce, fleurant le parfum haoussa. Il se roulait sur ses genoux, froissant ses voiles et ses pagnes. Maryem riait, oubliant presque les terribles heures qu'elle venait de traverser :

« Allons, tiens-toi tranquille! Tu n'es plus un bébé... »

Puis Mohammed se précipitait sur ses sœurs.

1. Livres de saints musulmans.

Comme la petite Aïda, un nourrisson quand il avait quitté Ségou, était adorable! Elle marchait, parlait un peu et, effrayée par ce frère inconnu, s'accrochait au pagne de ses sœurs.

Entre deux baisers, Mohammed s'informait des nouvelles de la famille :

« Et ma mère Adam?

– Et ma mère Fatima?

– Et mon père Siga?

– Et mon père Tiéfolo? »

Là, le visage de Maryem devint terrible.

« Ne prononce plus jamais ce nom, il a pactisé avec les ennemis de ton père! »

La mort de Tiékoro avait provoqué un véritable revirement chez Maryem. Elle qui avait toujours mis en doute la profondeur de sa foi et qui avait cru flairer dans chacun de ses actes un fort relent de narcissisme comprenait qu'elle avait méconnu un saint et se mettait tardivement à vénérer un esprit hors du commun.

Après le déjeuner, toute la famille partit chez M'Pènè saluer la grand-mère Sira. Celle-ci ne prêtait plus attention à grand-chose. Mais Maryem et M'Pènè se jetèrent dans les bras l'une de l'autre. Elles en vinrent très vite à parler de leurs vies. M'Pènè regrettait Tenenkou où elle avait grandi. Hamdallay était si austère que le cheikh El-Bekkay de Tombouctou était venu faire des remontrances à Cheikou Hamadou. Mais Maryem hochait la tête. Tout valait mieux que Ségou.

« Des fétichistes! Toujours occupés à se nuire les uns les autres ou bien à chercher celui qui leur a nui... »

Puis elles en vinrent à parler de la mystérieuse brouille entre El-Hadj Omar et Cheikou Hamadou. Entre deux musulmans! Etait-ce possible? Que s'était-il passé exactement? M'Pènè n'était guère informée. Querelle de confréries, disait-on. Tidjaniya contre Quadriya. Mais était-ce seulement cela? On chuchotait qu'El-Hadj Omar avait des visées commerciales et politiques sur la région.

M'Pènè offrit des galettes de riz cuites au beurre de karité et de petits pains de haricots mélangés de miel.

Quand Maryem et les enfants reprirent le chemin du retour, il commençait de faire sombre. Maryem frissonnait dans cette ville glaciale où chaque rue contenait une école coranique, pleine d'enfants souffreteux. A chaque carrefour, des illuminés clamaient le nom d'Allah. Sur une place on flagellait un condamné. Devant pareils spectacles, elle en venait presque à regretter Ségou. Elle s'engouffra dans la concession de Cheikou Hamadou.

Apparemment, le Grand Conseil avait eu de la peine à prendre une décision puisqu'il avait siégé toute la matinée, et s'était à nouveau réuni une partie de l'après-midi. Enfin il avait rendu son verdict. Une escorte et des présents seraient donnés à Maryem afin qu'elle retourne à Sokoto de la manière qui convenait à son rang. Quant à Mohammed, il devrait rester à Hamdallay. C'était son père lui-même qui l'avait confié à Cheikou Hamadou et ne pouvait-on pas considérer cela comme la dernière volonté d'un mourant?

En entendant ce verdict, Mohammed manqua défaillir. Son corps fut parcouru d'ondes tour à tour glacées et brûlantes. Un voile passa devant ses yeux au travers duquel il apercevait sa mère et ses sœurs comme des îles féeriques dont il était à jamais séparé. Pourquoi, pourquoi? Au nom de quel dieu? Il était tenté de hurler et de blasphémer. Pourtant, son comportement extérieur ne trahit rien de ce tumulte et chacun s'accorda à reconnaître qu'il était le digne fils de son père.

A la fin de l'hivernage, Mohammed tomba malade. Sans doute avait-il intériorisé trop d'événements douloureux : la mort de son père, la séparation d'avec Maryem. Toujours est-il qu'un matin, alors que les disciples enfilaient leurs boubous, se précipitaient au-dehors pour les ablutions et couraient vers la mosquée, son corps lui refusa tout service. Il pria Alfa de lui apporter une calebasse d'eau, mais, après l'avoir bue, il la vomit en entier. Puis il lui sembla qu'une main le plongeait dans un puits d'où elle le tirait pour l'affronter à une lumière aveuglante et blafarde. Comme cela durait depuis plusieurs jours, M'Pènè, alertée par Alfa, envoya Karim, son mari, et Tidjani, l'aîné de ses frères, demander à Cheikou Hamadou de leur confier l'enfant. Cheikou Hamadou accepta. Le fait était exceptionnel. Généralement, quand un disciple était souffrant, personne n'intervenait dans ce combat entre vie et mort. Des deux, la plus forte gagnait. Karim et Tidjani placèrent Mohammed dans un hamac dont ils attachèrent les extrémités à une perche qu'ils placèrent sur leurs épaules. Chacun de leurs pas lui imprimait un balancement qui arrachait à Mohammed des râles de douleur.

Pendant plusieurs jours, Mohammed sembla inconscient. En réalité, derrière ses paupières closes, il revivait l'exécution de son père, dont, tout à la joie de retrouver sa mère, le récit ne l'avait pas, croyait-il, impressionné.

« Ils l'ont fait monter sur une sorte d'estrade qu'ils avaient édifiée devant le palais du Mansa. Il regardait de tous côtés avec un grand calme, le sourire aux lèvres. Le bourreau s'est avancé par-derrière et, d'un seul coup de sabre, lui a fait voler la tête. Son corps est tombé en avant. Deux longs jets de sang se sont élancés de son col... »

Ah! ce sang, ce sang! Il fallait le venger. Et comment? En faisant triompher l'islam dans cette terre du fétichisme. En même temps et paradoxalement Mohammed en venait à revendiquer Ségou, que l'éducation de sa mère lui avait fait mépriser. Ségou lui appartenait. Il était un Bambara. C'étaient ses mains qui accrocheraient le croissant au faîte des minarets de ses mosquées. Dans son agitation, il se tournait et se retournait sur sa couche.

Inquiète, M'Pènè alla consulter un guérisseur qui, avec quelques autres, se dissimulait dans l'enceinte sacrée d'Hamdallay. L'homme aux cornes de bouc prescrivit des décoctions de racines et des bains de feuillage et assura que le corps du jeune patient se remettrait.

Personne n'aidait M'Pènè à soigner Mohammed avec plus de dévotion que la petite Ayisha, fille aînée de Tidjani. On n'aurait pu rêver fillette plus exquise! Quand elle courait porter le repas à ses frères qui gardaient les vaches à l'extérieur de la ville, les gens hochaient la tête à son passage et souriaient :

« Une vraie Peule! »

Aussi claire qu'une Mauresque, les cheveux longs et lisses, entremêlés de fils de couleurs, les pieds ravissants dans des sandales de cuir de chèvre et faisant dans leur vélocité tinter des bracelets d'argent finement travaillé. Quand Mohammed ouvrit les yeux, l'esprit encore embrumé, il la vit à son chevet et murmura :

« Qui es-tu?

– Eh bien, tu ne me reconnais plus? Je suis ta sœur Ayisha... »

La mémoire lui revenant, Mohammed secoua vivement la tête :

« Tu n'es pas ma sœur. Tu es la fille de Tidjani... »

Fondant en larmes, Ayisha s'enfuit au-dehors. Mohammed n'avait nullement voulu être blessant. D'instinct, sans comprendre pourquoi, il se défendait contre une parenté qui devrait imprimer une direction à leurs rapports. Tidjani était certes le fils de sa grand-mère Sira, mais avec Amadou Tassirou, non avec son grand-père Dousika. Pas une goutte de sang entre eux! Se levant pour la première fois depuis longtemps, il poursuivit Ayisha dans la cour. Elle était appuyée à la margelle du puits et sanglotait à fendre l'âme. Dans son vêtement blanc, elle se détachait contre le vert des claies de clôture et un vent léger agitait le voile de sa tête. Pour la première fois, Mohammed découvrit la beauté féminine. Jusqu'à présent, la seule belle femme à ses yeux était sa mère. Brusquement, elle avait une rivale.

Son regard émerveillé prenait la mesure de l'extraordinaire perfection d'un corps de femme. L'arrondi des épaules, la courbe du dos et le méandre des fesses. Le surplomb des seins. Le délicat modelé du ventre.

Il marcha jusqu'à Ayisha, la prit dans ses bras et la couvrit de baisers. Mais elle le repoussait, protestant :

« Laisse-moi, tu m'as fait trop de peine! »

Au bout d'un moment, elle le laissa faire. Puis comme il n'arrêtait pas de l'embrasser, elle eut l'intuition d'un danger et se dégagea. Ensuite, ils restèrent là à se regarder. Mohammed n'était pas entièrement innocent. Il savait ce qui se passait la nuit entre un homme et ses épouses et pourquoi le ventre de ces dernières enflait de si belle façon. Pourtant il ne s'était jamais imaginé lui-même en pareille situation. Un jour viendrait, bien sûr, où il aurait des épouses. Mais ce jour était loin. Distant.

L'autre rive d'un fleuve qu'il n'avait cure de traverser. L'impatience et l'exaltation le saisirent soudain, fauchant ses jambes encore faibles, et il tomba, assis au milieu de la cour, effrayant les poules qui s'éparpillèrent en piaillant. Ayisha pouffa de rire :

« Tu as l'air bien malin, à présent! »

Elle l'aida à se relever et, s'appuyant contre elle, il revint à l'intérieur de la maison. Il s'allongea sur sa natte. Comme elle le recouvrait d'un pagne de coton, il saisit sa main et la pressa contre sa bouche :

« Ne dis jamais que tu es ma sœur. Jamais, tu m'entends? Jamais. »

Désormais, sa guérison fit des progrès rapides. En même temps, cependant, son caractère se modifiait. Lui qui avait été le plus accommodant des garçons, tout occupé à plaire et à servir Dieu, devint secret, tourmenté, en proie à des colères inexplicables. Seule la compagnie d'Ayisha semblait lui plaire. Il passait des heures la tête sur ses genoux tandis qu'elle lui racontait des contes, malgré les remontrances de M'Pènè qui répétait que les contes ne doivent se dire que le soir à la veillée. Quand il repartit pour la concession de Cheikou Hamadou, il lui donna un étroit bracelet d'argent qu'il portait au poignet.

Peu après, une lettre de Siga parvint à Cheikou Hamadou dont il donna lecture à Mohammed. L'écriture en était parfaite ainsi que la syntaxe et il était évident qu'il avait fait appel à quelque scribe, bien au fait des complexités de la langue arabe :

« Très honorable et vénéré Cheikou Hamadou.

« Je pourrais te tenir rigueur d'avoir recueilli l'épouse fugitive de mon défunt frère qui selon des lois en vigueur dans ton peuple comme dans le mien me revenait pour le plus grand bien de notre famille. Je pourrais te blâmer de lui avoir offert une escorte et des présents pour regagner le toit de son père, qui m'a écrit pour m'annoncer qu'elle ne reviendrait jamais à Ségou.

« En agissant ainsi, tu obéis à ta vérité puisque tu nous crois les ennemis de Dieu. As-tu parfois songé que chaque peuple possède ses dieux, comme il possède sa langue et ses ancêtres?

« Cependant, essayer de te convaincre du droit que nous avons à refuser l'islam, qui n'est pas la religion de nos pères, n'est pas le but de ma lettre. Je viens te parler de notre fils Mohammed que tu retiens à Hamdallay. Notre famille a connu la tristesse de voir ses fils dispersés à travers le monde. L'un d'entre eux a été emmené en esclavage au Brésil. Un autre a trouvé la mort au royaume du Dahomey. Chacun d'eux a laissé des fils dans ces terres étrangères. Devenu le chef de la famille, je n'aurai de cesse que je ne réunisse sous le même toit tous ces enfants épars afin que nos ancêtres éprouvent satisfaction et réconfort. Je te le dis, où qu'ils soient à présent, nos enfants reprendront la route qui mène à Ségou. Avant de prendre contre toi les mesures que j'estimerai nécessaires, je viens te demander de nous rendre de bon gré notre enfant. Il nous appartient. Son diamou est traoré. Son totem est " la grue couronnée ".

« Je t'envoie mon salut de paix et de respect. »

Cheikou Hamadou regarda Mohammed et fit d'un ton circonspect :

« Qu'en dis-tu? »

Mohammed se rappela son père Siga, un homme affable, qui avait toujours un bon mot pour chacun. Ainsi donc la famille ne l'avait pas oublié. Elle tenait à lui. Elle entendait le réintégrer dans son sein et une onde de bonheur le parcourut cependant qu'il se répétait : « D'où qu'ils soient à présent, nos enfants reprendront le chemin de Ségou! » Quelle belle phrase! Et comme elle était signifiante! Oui, il reprendrait la route qui mène à Ségou, terre aride peut-être mais que le sang de son père avait fertilisée! Il y ferait pousser l'islam, plante vivace qui ne connaît ni hivernage ni saison sèche, dont les racines vont chercher l'eau et tout ce qui est nécessaire à la vie au plus profond des sols. Il sourit à Cheikou Hamadou :

« Mon père, que vas-tu lui répondre? »

Cheikou Hamadou lui posa une question que nombre de gens n'auraient pas manqué de trouver choquante, car on ne consulte jamais les enfants :

« Que veux-tu que je lui réponde?

– Que je l'aime, que je le respecte et que je reviendrai... »

L'enfant et le vieillard échangèrent un regard de totale confiance, de totale compréhension. Puis Cheikou Hamadou renvoya Mohammed et se remit à rouler les grains de son chapelet. Mohammed revint vers la salle d'enseignement et de méditation. Il prit place à côté d'Alfa, qui lui glissa, car tout bavardage était interdit entre les récitations des sourates :

« Qu'est-ce que le maître t'a dit? »

Mohammed ne l'entendit même pas. A ses oreilles lancinait la phrase de Siga : « Je n'aurai de cesse que je ne réunisse sous le même toit tous nos enfants épars! »

7

« EUCARISTUS da Cunha! Comment un nègre peut-il porter un nom pareil? »

Le révérend Williams haussa les épaules :

« C'est le descendant d'un esclave affranchi du Brésil. Son père avait pris le nom de son maître...

– Mais c'est illégal! »

Williams leva les yeux au ciel :

« Illégal? Pourquoi? Ces pauvres diables perdaient toute identité en traversant l'Atlantique. Il fallait bien leur en donner une. »

Le révérend Jenkins continuait de fixer le jeune homme à distance :

« Quel âge a-t-il? »

Williams rit. Ces questions trahissaient l'ignorance de son interlocuteur en toute matière relative à l'Afrique :

« Vous savez, l'état civil et les nègres! D'après un passeport établi pour sa mère et dont j'ai vu la copie, il est né vers 1810. Jenkins, ce garçon est un trésor. Il a fait des études au collège de Fourah Bay en Sierra Leone et le révérend Kissling assure que, avec Samuel Ajayi Crowther, il est un de nos plus grands espoirs en cette terre de barbarie... »

Jenkins ne pouvait vaincre ou raisonner son antipathie. Il demanda :

« Pourquoi Crowther lui a-t-il été préféré pour l'expédition sur le fleuve?

– Est-ce que je sais, moi? Je ne suis pas dans les secrets de la Société pour la Civilisation de l'Afrique. Crowther est plus robuste et parle parfaitement yoruba... »

Jenkins coupa :

« Je crois surtout qu'il est moins arrogant. »

Puis il jeta une dernière question :

« Pourquoi n'est-il pas marié? »

Il fit un rapide calcul, ajoutant :

« Il en a largement l'âge. Près de trente ans... »

Le révérend Williams choisit de rire :

« Posez-lui la question... »

Le révérend Williams était le premier missionnaire anglican à mettre le pied à Lagos, où, à cause du climat malsain, on ne lui donnait pas une année à vivre. Or il était là depuis trois ans, et sans aucune aide il avait bâti la première case où s'était célébrée la messe. La première année, il n'avait pas dix fidèles. Mais depuis peu, il se produisait un afflux de familles de « Brésiliens[1] » et de « Saros » immigrants en provenance de Sierra Leone, tous impatients d'envoyer leurs enfants à l'école. Ils s'ajoutaient aux Européens qui malgré l'interdiction de la Traite continuaient de faire le commerce des esclaves et, comme en Côte-de-l'Or, celui fort lucratif de l'huile de palme. Aussi, depuis quelques semaines, la société des missions à Londres lui avait envoyé un compagnon en la personne de Jenkins. Hélas! Cet Anglais qui n'avait jamais été plus loin que le village de Chelsea s'offusquait de tout. Des manières relâchées des Européens. De la nudité des Noirs païens. Du grand nombre de métis nés d'illicites

1. Les « Brésiliens » sont, comme les Agoudas, d'anciens esclaves revenus du Brésil ou de Cuba.

rencontres entre Blancs et femmes noires. Pour couronner le tout, voilà qu'il avait pris Eucaristus en grippe!

Or Eucaristus était un véritable trésor. A Abéokuta où il résidait avec son oncle maternel, son intelligence avait frappé les missionnaires anglicans qui avaient obtenu une bourse de leur maison mère et l'avaient envoyé à Fourah Bay College dont il avait été un des premiers élèves.

C'est vrai qu'Eucaristus n'était pas toujours facile! Mais le révérend Williams, qui lisait en lui comme dans un livre, savait qu'il n'était pas arrogant, mais timide et angoissé. Il ne parvenait pas à se remettre de la mort de ses parents et il était hanté par un désir totalement irrationnel : retrouver le berceau de sa famille paternelle, quelque part au Soudan, à Ségou.

Le révérend Williams n'avait qu'un désir : voir Eucaristus embrasser le sacerdoce. Or, il ne savait pas pourquoi celui-ci s'y refusait. Sans doute était-il là encore victime de son perfectionnisme. Mais l'homme est une créature toute pétrie de faiblesse que seule la miséricorde divine conduit au salut éternel.

D'où il était, Eucaristus sentait peser sur lui le regard des deux prêtres et savait qu'ils parlaient de lui. L'inimitié du révérend Jenkins ne le gênait en rien. Au contraire, il s'émerveillait de cette capacité du nouveau venu à déceler ce qu'il s'efforçait de cacher à tous. Son goût pour les femmes. L'alcool. Même le jeu. N'avait-il pas un soir perdu dans un bouge le salaire d'une livre par mois que lui payait la mission? Et surtout son orgueil! Son incommensurable orgueil. C'est ainsi qu'au lieu d'habiter avec les autres « Brésiliens » le quartier de Popo Agouda, encore dénommé « Portuguese Town », il avait choisi de demeurer à la Marina, parmi les commerçants européens et métis. C'est qu'il se croyait d'une espèce supérieure et plus fine. Et pourquoi, en vérité?

Il ferma son livre de cantiques et frappa dans ses mains pour signifier aux enfants que la leçon était terminée. Ceux-ci s'égaillèrent en riant. Sitôt franchie l'enceinte de la mission, ils ne disaient plus un mot d'anglais et n'utilisaient plus que le portugais ou le yoruba. Eucaristus lui-même parlait le portugais et le yoruba, langues de sa mère, l'anglais, langue de l'enseignement à Fourah Bay College, un peu de français et tout cela mêlé pour former le pidgin qui était la *lingua franca* de la côte. Cette confusion de langues, qui faisait penser à celle de la tour de Babel, lui semblait à l'image de sa propre identité. Qu'était-il lui-même? Un animal composite, incapable de se définir.

Il donna un tour de clef à son pupitre, puis remonta vers la maison. Les deux prêtres assis sur la véranda s'éventaient avec de larges feuilles de pandanus, car la chaleur était torride. Le révérend Williams supportait assez bien la chaleur. Mais son compagnon, perpétuellement en nage, avait les traits tirés et les yeux bordés de rouge. Une fois de plus, Eucaristus se demanda ce que ces hommes faisaient si loin de chez eux.

Quand il les eut salués, le révérend Williams lui tendit un pli :

« Tiens, c'est pour toi... »

Ce pli venait de son unique ami, Samuel Ajayi Crowther, qu'il avait laissé à Freetown.

Si la vie d'Eucaristus contenait nombre d'éléments de nature à frapper l'imagination, celle de Samuel Ajayi Crowther était un véritable roman. A treize ans, il avait été capturé par des marchands d'esclaves dans son village natal en pays yoruba, emmené à Lagos et, là, embarqué sur un navire qui faisait voile vers le Brésil. L'escadre britannique de surveillance des côtes l'avait libéré en mer et débarqué à Freetown où il avait été baptisé. Quand Eucaristus l'avait connu à Fourah Bay, il revenait de faire ses classes à Islington, en Angleterre, où il avait ébloui ses maîtres par son intelligence. C'était un esprit aussi serein que celui d'Eucaristus était tourmenté et qui croyait fermement à sa mission de civiliser l'Afrique.

« Mon bien cher ami,

« Il faut d'abord que je vous dise que ma femme Susan et moi sommes en bonne santé et guéris de ces fièvres par un médicament miraculeux qui vient d'Angleterre. Nos enfants, Samuel, Abigail et Susan, se portent généralement très bien et si Dieu le veut nous aurons bientôt un quatrième petit chrétien sous notre toit.

« Je dois ensuite vous faire part du bonheur qui m'a été fait. J'ai été choisi pour accompagner l'expédition britannique qui, d'ici douze ou quatorze mois, ira explorer le fleuve Niger dans l'espoir d'établir une ferme modèle à Lokoja à la confluence de la Bénoué. Elle a pour but le commerce, mais aussi l'évangélisation de nos frères noirs. Ces deux objectifs n'en font qu'un. " La charrue et la Bible ", voilà la nouvelle ligne politique qui inspire les missions. Ah! cher ami, quelle tâche exaltante que la nôtre! C'est grâce à nos efforts que notre chère patrie connaîtra le vrai Dieu. Non, ce ne sera pas l'œuvre d'étrangers... »

Eucaristus replia la missive et l'enfouit dans son vêtement. Etait-il jaloux de voir son ami choisi pour cette mission? Oui. Pourtant, ce n'était pas le plus important. Il était jaloux du calme et de l'ordre de sa vie. De sa foi. Sa foi tranquille. Civiliser l'Afrique en la christianisant. Qu'est-ce que cela signifiait? Tout peuple ne possède-t-il pas sa propre civilisation que sous-tend la croyance en ses dieux? Et en christianisant l'Afrique, que faisait-on sinon lui imposer une civilisation étrangère?

Eucaristus suivit ses compagnons à l'intérieur de la maison et récita avec eux le bénédicité. Comme il enfonçait sa cuiller dans de la purée d'igname, le révérend Williams dit d'un ton moqueur :

« Sais-tu quelle question le révérend Jenkins m'a posée à ton sujet? Il m'a demandé pourquoi tu n'étais pas marié. »

Eucaristus sursauta. Le révérend Jenkins savait-il quelque chose? Mais il eut beau le dévisager, il ne discerna sur ses traits que la malveillance commune à certains Européens, prêtres ou pas, qui haïssaient les Noirs. Il baissa les yeux sur son assiette, murmurant :

« Simplement, je n'ai pas encore trouvé la compagne chrétienne qui me conviendrait. »

Eugenia de Carvalho était certainement la plus jolie métisse de Lagos. Son père était un riche commerçant portugais qui vendait de tout, des esclaves, de l'huile de palme, des épices, de l'ivoire, du bois. On disait qu'il avait tué un homme dans son pays et ne pouvait plus y retourner, mais on disait cela de tous les Européens dont la fortune était considérable et qui aimaient l'Afrique au point de souhaiter y être enterrés. La mère d'Eugenia était une Yoruba qui appartenait à la famille royale du Bénin et souvent, quand elle était lasse de l'ivrognerie et du sadisme de son compagnon, elle retournait dans le palais de l'Oba.

Ce monde habitait un sobrado[2] bâti par des maçons « brésiliens ». C'était une énorme bâtisse

2. Maison de ville brésilienne, par opposition à la fazenda.

de forme rectangulaire, haute d'un étage et surmontée d'une mansarde. Sur trois façades, elle était percée de cinq fenêtres en ogive et de deux portes dont la partie supérieure était décorée de petits vitraux bleus, rouges et verts qui diffusaient dans la galerie circulaire une lumière doucement confuse qui respectait les coins d'ombre. Derrière s'étendait une grande cour plantée de papayers, d'orangers et de goyaviers, où babillait un peuple d'esclaves logé dans des communs dissimulés par une haie vive. Le soir venu, on suspendait des lanternes sur cette énorme façade afin que les habitants et les visiteurs de la maison puissent éviter les détritus de toute sorte qui en jonchaient les alentours, mêlés à des flaques d'eau usée et malodorante.

Eucaristus était entré dans cette famille pour donner des leçons d'anglais à Jaime de Carvalho junior, l'héritier, un garçon d'une douzaine d'années au teint sale, déjà occupé à culbuter les esclaves de sa famille. Car Jaime senior, tout débauché qu'il était, était un homme d'éducation, qui éprouvait une admiration éperdue pour les Anglais :

« Ce sont des seigneurs. Comparez-les à ces bâtards de Latins, Portugais, Espagnols, Français. Bientôt, ils gouverneront toute cette côte et cet énorme arrière-pays. Pour l'instant, ils hésitent, ils se contentent de faire du commerce, de remonter les fleuves, de placer leurs pions. Mais bientôt leur pavillon flottera sur les palais des Obas, des Alafins et des sultans... Parler anglais est pour un homme le privilège suprême! »

En se rendant chez les de Carvalho pour sa leçon quotidienne, Eucaristus se rappelait les paroles de Malobali, comparant Ouidah à Ségou :

« Tu n'as jamais vu de villes pareilles à celles-là. Les villes par ici sont des créations des Blancs. Elles sont nées du trafic de la chair des hommes. Elles ne sont que de vastes entrepôts... »

Ah! comme il haïssait Lagos et son odeur de vice et de boue! Comme il serait heureux de la quitter! Mais pour aller où? Cela il l'ignorait et n'arrivait pas à prendre de décision. En vérité, depuis qu'il avait fait la connaissance d'Eugenia de Carvalho, il était moins impatient de s'en aller. Car il s'était pris pour la jeune fille d'un amour d'autant plus violent qu'il le savait impossible. S'il arrivait à impressionner des Africains qui n'avaient jamais vu un livre de près et allaient demi-nus, il n'était que bénin, dérisoire devant une créature alliée d'une part à une famille royale autochtone et d'autre part à un Blanc. Pour certains, les Blancs n'étaient-ils pas les nouveaux seigneurs? Ils parlaient d'égal à égal avec le plus puissants souverains noirs. Ils les réprimandaient, voulant à tout prix leur prouver la fausseté de leurs croyances et, peu à peu, leur loi s'imposait. Une fois de plus, la haine envahit le cœur d'Eucaristus, haine fort illogique, car n'était-il pas lui-même une créature des Blancs, un de « leurs plus sûrs espoirs dans cette terre de barbarie », comme le répétait le révérend Williams? Comme il avait l'esprit ailleurs, Eucaristus mit le pied dans une flaque d'eau et considéra avec rage son soulier et le bas de son pantalon de drap noir tout crottés. C'est donc en proie à un malaise plus violent encore qu'à l'accoutumée qu'il entra dans la maison. Eugenia était assise sur un escabeau et se faisait coiffer. Sa chevelure plus crépue que véritablement bouclée couvrait tout son dos atteignant le haut de ses fesses et il s'en dégageait une odeur acide comme celle du pelage de certaines bêtes, agréable cependant. Comme elle se penchait en avant pour permettre à ses esclaves de la peigner, sa robe de chambre de soie fleurie s'écartait et on voyait ses seins petits, ronds, presque blancs, décorés de mamelons couleur aubergine. Eucaristus frémit. Elle releva la tête vers lui et sourit :

« Ah! bonjour! Monsieur Eucaristus da Cunha... »

Elle ne prononçait jamais son nom sans une intonation de profonde raillerie. Comme pour lui souligner l'incongruité qu'il y avait pour un Africain à s'appeler ainsi. Il fit, d'un ton rogue :

« Je vous ai déjà dit que vous pouviez m'appeler Babatundé si vous vouliez. C'est mon prénom yoruba. »

Elle se mit à rire :

« Babatundé da Cunha? »

Les esclaves se mirent à rire à leur tour comme si elles comprenaient quelque chose à cet échange. En fait, Eucaristus connaissait également son patronyme paternel, puisque Malobali le lui avait révélé. Mais, à chaque fois qu'il voulait le prononcer, quelque chose l'arrêtait, lui révélant toute la réalité de son aliénation, Babatundé Traoré, non, jamais! Il choisit de fuir et interrogea :

« Où est Jaime junior?

– Je crois qu'il a fini de faire l'amour avec Bolanlé. Vous pouvez l'avoir tout à vous... »

Profondément choqué, presque terrifié, Eucaristus se tourna vers l'extrémité de la galerie comme s'il s'attendait à voir surgir le père de la jeune fille et protesta :

« Mademoiselle de Carvalho? »

Elle rit à nouveau de son joli rire de gorge :

« Et vous, monsieur da Cunha, faites-vous l'amour? »

C'en était trop pour Eucaristus! Battant en retraite, il entra dans le salon où trônait un énorme billard, ce jeu étant la passion de Jaime senior, et courut presque vers le bureau où, chose inhabituelle, Jaime junior l'attendait déjà.

« Et vous, monsieur da Cunha, faites-vous l'amour? »

Cette diabolique fille avait mis le doigt sur la plaie.

Eucaristus était un élève des missions. Il avait appris à leur contact que l'acte d'amour hors des liens sacrés du mariage est le plus grave des péchés et que la pureté est la principale vertu. Sans doute Malobali lui avait-il tenu un tout autre discours. Mais il n'était alors qu'un enfant et Malobali était mort. Alors à présent comment accepter son corps? Ces désirs violents qui le secouaient? Cette ondée blanche qui souillait ses cuisses? Cette main, la sienne, qui cherchait son sexe et les cris de bête qu'il poussait alors? Et, surtout depuis quelque temps, ces rencontres dans le plus horrible des bouges avec une catin que Portugais et Anglais avaient chevauchée tour à tour?

Jaime junior ânonnait :

« – L'Éternel répondit à Moïse : « Passe devant « le peuple et amène avec toi quelques anciens « d'Israël. Prends dans ta main le bâton dont tu as « frappé le fleuve et marche. Je vais me tenir « devant toi... »

Le silence de son maître, d'habitude pointilleux et tatillon, toujours à le reprendre et à lui faire répéter des phrases entières, le surprenait et il l'épiait à la dérobée. Eucaristus était beau avec son front haut, ses yeux brillants et le délicat modelé de ses joues. Mais pour Jaime junior, habitué à valoriser la seule couleur de la peau, il était affreux avec son teint très noir et ses cheveux en grains de poivre. Derrière son dos, il se tordait de rire avec Eugenia, imitant ses manières pompeuses et guindées. Ah! qu'un Noir est laid quand il singe un Blanc! Eucaristus regarda son élève et lui dit avec une gentillesse surprenante :

« Très bien, Jaime! Vous faites des progrès surprenants... »

La voix, les yeux trahissaient un trouble extraordinaire. Jaime décida de porter un grand coup :

« Est-ce que vous savez qu'Eugenia se marie? Mon père a finalement accepté Jeronimo Medeiros. Vous savez que c'est un quarteron? Son père est un Portugais, et sa mère une mulâtresse... »

Eucaristus resta d'abord pétrifié. Il savait bien qu'Eugenia ne serait jamais à lui. Pourtant, d'apprendre ainsi qu'elle allait appartenir à un autre! Puis il se précipita sur Jaime et le saisit aux épaules, le secouant comme un arbre fruitier :

« Ce n'est pas vrai! Vous mentez, vous mentez! »

L'enfant parvint à se dégager et fit le tour du bureau, cherchant refuge derrière de lourds fauteuils. Quand il fut à l'abri de toute attaque, il se mit à crier :

« C'est vrai, c'est vrai, elle va se marier! Est-ce que vous croyez que nous n'avons pas vu comment vous la reluquiez? Mais elle n'est pas pour vous! Sale nègre, cannibale, tu pues, tu manges de la chair humaine. Sale nègre! Fous le camp... Retourne à ta brousse... »

« Et dire que ces gens-là sortent du ventre d'une femme noire! Est-ce qu'ils l'oublient? »

Eucaristus avait beau se répéter cette phrase, elle ne l'apaisait pas. La douleur, la colère, l'humiliation se mêlaient en lui au désir éperdu d'être consolé comme un enfant. Ah! Romana! Pourquoi avait-elle abandonné ses enfants pour suivre Malobali même dans la mort? Où trouver un sein qui ait pareille douceur? Eucaristus ne pensait jamais à sa mère sans qu'un sentiment de rancune se mêle à sa piété filiale. Doit-on mourir quand on a quatre fils, dès lors désarmés dans ce combat de la vie? Bénies soient celles qui sont plus mères qu'épouses! N'est-ce pas le cas de la Très Sainte Vierge Marie?

A défaut d'un sein de femme, Eucaristus se rabattit sur ce qui y ressemblait le plus : un verre d'alcool. Mais, quand il en eut ingurgité un grand nombre, son désir charnel ne fit que s'exacerber et il se retrouva, soûl et titubant, sur le chemin d'Ebute-Metta.

Une honte, ce quartier d'Ebute-Metta! Un amas de cases où les marins descendus des négriers venaient se défouler auprès de femmes, métisses pour la plupart. L'année précédente, une épidémie de variole et une épidémie d'influenza décuplées par une saison des pluies torrentielles avaient fait leur plein de cadavres. Néanmoins, les catins étaient déjà nombreuses, comme si elles se reproduisaient aussi rapidement que les insectes et les rats qui infestaient la région. On pataugeait dans la boue, au milieu de laquelle, imperturbables, des femmes vendaient des acaraje[3] et des tranches de plantain frites dans l'huile de palme.

Eucaristus poussa la porte du Flor do Porto, un bordel où les catins étaient les moins chères de Lagos. Souvent elles se faisaient payer d'un mouchoir rouge et d'un collier de verroterie. C'est dire qu'elles n'étaient ni de première beauté ni de première fraîcheur. Pourtant Filisberta était jolie. Elle avait certainement du sang européen, car elle était très claire, toujours vêtue à la brésilienne de larges jupes d'indienne rouge, de chemises de coton blanc, et la tête couverte d'un turban à carreaux. Les marins des négriers ne la recherchaient pas parce qu'elle avait la triste habitude de pleurer après

3. Beignets de haricots.

l'amour et qu'avaient-ils à faire de ses larmes? Mais Eucaristus, lui, la préférait à toute autre. Avec stupeur, elle dévisagea le jeune homme, qui s'il buvait sec comme tous ceux qui pénétraient au Flor do Porto se soûlait rarement, et s'enquit :

« Mais qu'est-ce qui t'est arrivé?

– Je viens de me faire traiter de sale nègre par un fumier de métis... »

Filisberta haussa les épaules pour signifier que ces choses-là arrivaient tous les jours. Les métis étaient bien plus arrogants que les Blancs car ils voulaient faire oublier leur moitié de sang noir. Quant aux « Saros » et aux « Brésiliens », les premiers calquaient leur comportement sur celui des Anglais et méprisaient les seconds à cause de leur ancien état servile. Mais les deux groupes abominaient les autochtones de la même manière et avaient partie liée avec les métis et les Blancs. Voilà le monde tel qu'il était! Saleté d'époque!

Eucaristus suivit Filisberta. Une passerelle de planches zigzaguait à travers la gadoue et menait à un baraquement divisé en cellules, où les filles recevaient leurs clients. Aussi, à travers les cloisons, chacun avait les oreilles remplies du tumulte obscène de l'autre.

Il y a des moments où un homme a sa vie en horreur. Elle est debout là à le regarder dans les yeux, avec sa face grêlée et ses dents avariées dans la lie violette des gencives. Alors, il se dit : « Non, je n'en peux plus. Il faut que cela change! » Telles furent les pensées d'Eucaristus dans la pièce à odeur aigre au moment précis où Filisberta faisait glisser sa blouse par-dessus sa tête.

Il se vit instituteur d'une école de mission, sans statut défini, incapable de s'imposer à la société qui l'impressionnait, obligé de partager le lit d'une catin. Il fallait en sortir. Et quelle était l'issue? La seule issue possible? Partir à Londres pour étudier la théologie et devenir prêtre. Les prêtres n'étaient-ils pas les hérauts de la nouvelle civilisation qui s'avançait conquérante?

Oui, mais son corps? Eh bien, il le vaincrait. Il ferait de sa triste enveloppe charnelle un temple digne de son créateur. Quelle tâche exaltante! Se vaincre soi-même! Jésus n'avait-il pas dit : « Efforcez-vous d'entrer par la porte étroite? »

Pendant ce temps, Filisberta, nue, allongée sur la couche, s'impatientait :

« Mais qu'est-ce que tu attends? »

Eucaristus ramassa ses vêtements qu'il avait à moitié enlevés, puis la fixa dans les yeux, martelant :

« Tu ne me reverras plus. Je ne reviendrai jamais plus ici, tu m'entends? »

8

La réception battait son plein.

La mariée dansait avec plus d'emportement peut-être qu'il ne sied à une jeune fille de bonne famille. Elle portait une robe de soie blanche souple, ornée de fleurs d'oranger avec une traîne de cour en velours de soie blanc, et posait ses mains gantées sur les épaules d'un grand garçon un peu massif, très clair, les cheveux ramenés en boucles lustrées de pommade sur les tempes, les favoris longs tombant sur un col rabattu, vêtu d'un habit de drap gris clair sur un pantalon noir. Autour du couple, les autres danseurs se tenaient à distance comme pour respecter ce bonheur naissant et c'était une débauche de garnitures de dentelles, de broches, de bracelets à médaillon, de couronnes de fleurs presque inconnues sous ces climats. Des enfants se faufilaient entre les jupes bouffantes des cavalières et se précipitaient vers la table décorée de feuillage sur laquelle traînaient les reliefs du repas de noces parmi les candélabres et les cristaux à facettes. Ils trempaient les doigts dans les verres de vins d'Espagne, de rhum, d'eau-de-vie et déchiquetaient les dernières tranches de viande froide enrobées d'une gélatine couleur d'ambre.

L'air de valse s'arrêta et dans le silence qui suivit, vite troublé par les rires suraigus des femmes, ceux plus graves des hommes et le cliquetis des plateaux d'argent que portaient des domestiques en habit rouge, Jaime de Carvalho senior frappa dans ses mains pour annoncer qu'il allait prendre la parole.

Eucaristus se haïssait d'être là, parmi cette foule de curieux éperdus d'admiration et d'envie devant ce beau monde. Et qu'avaient-ils fait, tous ceux-là, pour s'enrichir? Ils avaient vendu leurs semblables! Ce n'était que des marchands de chair humaine! Pourtant, ils paradaient! Pourtant, ils prétendaient former une aristocratie! Et, plus grave encore, tout le monde, acceptant ces prétentions, pliait l'échine devant eux. D'où il était, Eucaristus ne pouvait entendre Jaime. Il voyait seulement un pantin au teint olivâtre, aux cheveux graisseux et aux yeux pénétrants, aiguisés par la pratique de toutes les roueries du monde. Eucaristus devait s'avouer qu'il souffrait. Dans son orgueil. Dans sa chair. Dans son cœur aussi, car il désirait et aimait Eugenia. Qu'avait-il de plus que lui, ce Jeronimo Medeiros? Il était aux trois quarts blanc, voilà tout. Derrière son dos, les badauds chuchotaient que Jaime de Carvalho avait commandé pour le mariage de sa fille six coffrets d'argenterie, valant chacun sept cents livres sterling, de la vaisselle d'argent et des centaines de cigares fins de La Havane. Ce murmure d'adulation, entrecoupé d'exclamations, lui donna la nausée et il trouva la force de s'éloigner.

Il pleuvait. Il pleuvait toujours à Lagos. Une pluie lourde, qui favorisait la pousse de toutes sortes d'arbres et d'arbustes dans le moindre espace de terre. Aussi, on avait l'impression d'avancer à travers une forêt sournoise, comme un reptile qui cherche à vous enserrer dans ses anneaux. Quand il ne pleuvait pas, il suintait de l'air une brume nauséabonde, litière de mauvaises fièvres. Tout le long de la côte, les marins chantaient :

Méfie-toi et prends bien garde
Dans le golfe de Bénin,
Car pour un seul qui en sort
Il en est entré quarante[1].

La Marina, où habitait Eucaristus, était composée d'un mélange de factoreries fortifiées, pour décourager toute attaque, et de maisons de briques de terre. Le jour, le spectacle de la lagune avec ses eaux claires et ses bateaux de pêche était assez agréable. La nuit, on ne distinguait que des formes sinistres. Eucaristus monta rapidement les marches menant à la galerie entourant les deux pièces de sa maison, puis s'arrêta surpris. Une lumière brillait à l'intérieur et le révérend Williams lisait sa Bible, les jambes croisées en tailleur sur une natte. Eucaristus qui était loin d'avoir la conscience tranquille tressaillit, mais le prêtre leva un regard bienveillant vers lui :

« Eh bien, est-ce que c'était une belle noce?

– Je suppose... Il y avait là tout ce que Lagos compte de Blancs, de quarterons et de mulâtres... »

Il y avait dans sa voix une amertume qui n'échappa pas au révérend Williams, mais qu'il choisit de ne pas remarquer :

« Je ne suis pas venu te parler de ces trafiquants de sang! Nous avons reçu une réponse de Londres. La Société des missions demande que tu te rendes à Freetown où le révérend Schonn s'entretiendra avec toi. Ensuite tu pourrais partir pour l'Angleterre... »

1. Chanson anglaise de l'époque : *Beware of the Bight of Benin.*

Il y avait trop de précautions et de réticences dans cette réponse à un moment où la Société des missions traquait et même suscitait des vocations chez les Africains, car elle était convaincue que la parole de Dieu ne pouvait être mieux propagée à travers le continent noir que par des Africains eux-mêmes. Eucaristus regarda le révérend Williams avec surprise, et celui-ci expliqua avec un peu d'embarras :

« Dans ma demande, j'ai dû tenir compte des réserves du révérend Jenkins à ton sujet. Il ne croit pas à ta vocation. Il te trouve orgueilleux, têtu, sans chaleur de l'âme.

– Ne me reproche-t-il pas tout simplement d'être noir ? »

Le révérend Williams ne voulait pas se laisser entraîner à discuter de la nature des rapports de certains Blancs avec les Noirs. Les commerçants, puis les colons blancs avaient dégradé des Noirs en les vendant comme des bêtes et en les faisant travailler dans leurs plantations. Alors ils avaient fait naître en eux des comportements qui étaient inconnus de l'ensemble de leurs peuples. Williams en était convaincu. Il n'y avait rien de commun entre les nègres de la côte, dégénérés par le trafic de leurs semblables, ivrognes, prêts à tout pour acquérir les objets des Européens, et les Noirs de l'intérieur, purs, chaleureux, pleins de sagesse qu'il suffisait seulement d'amener au vrai Dieu. Et cette tâche, c'était à des esprits comme celui d'Eucaristus qu'elle revenait. A ceux d'Africains supérieurs. Les Blancs qui comme Jenkins généralisaient, disant : « Les Noirs sont comme ceci, les Noirs sont comme cela » l'exaspéraient. Il se dirigea vers la porte :

« Dès demain, nous irons au port. Le brigantin *Thistle* lève l'ancre bientôt... »

Eucaristus gagna sa chambre et se dévêtit, posant

avec soin ses habits sur un escabeau à côté de sa natte. Tous les événements de la journée repassaient dans sa tête. Ah! Eugenia qui ne serait jamais à lui! Qui enfanterait des octorons en se réjouissant de la couleur de leur peau! Ce n'était certes pas l'épouse modeste et vertueuse qu'un chrétien doit rechercher, mais comme ses baisers devaient être savoureux! Son corps, plein de délices!

A ce moment, on frappa à la porte et Eucaristus, pensant que ce devait être le révérend Williams revenant réparer quelque oubli, se précipita pour ouvrir. C'était Filisberta.

Il ne l'avait pas revue depuis sa crise de conscience au Flor do Porto et Satan en personne aurait surgi devant lui qu'il n'aurait pas été plus effrayé. Elle se glissa vivement à l'intérieur et il faillit se jeter sur elle pour la faire sortir :

« Qu'est-ce que tu viens chercher ici? »

Elle rit :

« Il paraît que tu veux partir pour l'Angleterre?... »

Mon Dieu, avec quelle rapidité les nouvelles circulaient à Lagos, à croire que chacun vivait l'oreille collée au trou de la serrure de l'autre!

« Pour devenir prêtre? »

Il y avait une terrible ironie dans sa voix. Elle entra dans la deuxième pièce comme si elle y avait été invitée et son assurance confondait Eucaristus. Elle commença à ôter ses vêtements. D'abord sa jupe rouge à la brésilienne. Puis, son court pagne yoruba. Eucaristus tonna :

« Qu'est-ce que tu fais? »

Elle continua à se dévêtir, puis elle s'allongea sur la natte, se croisant les mains derrière la nuque :

« Je vais quitter Lagos, je n'en peux plus. Tu vois, mon père est un fumier de Blanc, Portugais, Anglais, Hollandais, je ne l'ai jamais su. Et ma mère non plus, peut-être. Le salaud qui l'a violée n'a pas décliné son identité. Mais elle vient de Dada où se trouve toute notre famille. Je vais retourner là-bas... »

Eucaristus ne croyait pas un mot de toute cette histoire. Il fit sauvagement :

« Eh bien, retournes-y. Qu'est-ce que tu veux que cela me foute?

– Je n'ai besoin que de deux livres... »

Il s'assit près d'elle, apeuré, sentant se dessiner un chantage et balbutia :

« Où veux-tu que je trouve deux livres? Tu me prends pour un marchand d'esclaves? »

Elle rit :

« C'est ton problème, *darling*, pas le mien! »

En même temps, elle promenait sa main dont il connaissait l'habileté le long de sa cuisse, tout près de son sexe, déjà lourd et rigide comme un sac de pierres, à sa propre surprise.

« Crois-tu que tes révérends seraient heureux d'apprendre que l'enfant que je porte est de toi? »

Il bégaya :

« Dieu soit loué, les putains comme toi sont stériles... »

Elle rit tandis que ses caresses se faisaient plus précises :

« C'est toi qui le dis... Deux livres, ce n'est pas payer bien cher le royaume de Dieu, n'est-ce pas? »

Elle l'attira contre elle et il ne songea même pas à protester. Comme il se perdait en elle, une sorte de rage contre Dieu le prenait, surprenante chez un homme qui envisageait de se destiner à la prêtrise. Pourquoi avait-il créé le sexe pour en restreindre l'usage au triste lit conjugal? Pourquoi lui donner ce relent d'ordure, ce goût de péché? L'acte de chair n'était-il pas le plus naturel et peut-être le plus beau? Puisqu'il était à l'origine de la vie.

« Ce qui peut arriver de mieux à notre malheureux continent, c'est que les nations européennes, en particulier l'Angleterre et la France, se chargent de son gouvernement et détrônent nos rois ignorants et fétichistes! »

Eucaristus ne put en entendre davantage :

« Samuel, ne parlez pas ainsi! Vous croyez que les Anglais, car je ne connais rien aux Français, sont de généreux idéalistes. Moi, je vous dis qu'ils n'ont en tête que le commerce. Nous inonder de leur alcool, de leur pacotille. Nous forcer à cultiver pour eux le cacao, le coton, à produire de l'huile de palme pour leurs machines... »

Cependant, tout en parlant, Eucaristus se reprochait de céder à la colère et d'entreprendre une discussion dont il connaissait l'inanité. A cause des circonstances particulières de sa vie, Samuel Crowther avait une dévotion éperdue pour l'Angleterre. C'était tout à la fois son père et sa mère, la grande nation qui l'avait arraché à l'esclavage. Samuel reprit :

« N'ont-ils pas les premiers aboli la Traite? Et à présent ne viennent-ils pas d'abolir l'esclavage dans leurs possessions des Antilles? »

Eucaristus éclata de rire.

« Mon ami, je viens de Lagos. Savez-vous combien de vaisseaux négriers se pressaient dans le port?

– Bien sûr, les patrouilles britanniques ne peuvent pas tout faire contre les nations esclavagistes d'Europe, la France, l'Espagne... »

Avec un soupir, Eucaristus prit la main de son ami :

« Parlons d'autre chose, voulez-vous?... »

Samuel alla chercher une carafe de vin de Porto et deux verres et les posa sur la table :

« Parlons de votre vocation peut-être. Tout cela n'est-il pas bien rapide? Moi que le révérend Schonn presse de devenir prêtre, je ne m'y suis pas encore décidé... »

Embarrassé, Eucaristus emplit son verre et le vida très vite, fixant un beau portrait à l'huile de Samuel, accroché au mur :

« J'ai peur de perdre mon âme si je ne bâtis pas autour d'elle les garde-fous les plus infranchissables... »

Samuel le regarda avec bonté :

« Vous aimez trop les femmes, c'est tout! C'est là la bête qui est en vous. Aussi ai-je décidé de vous aider... »

Il prit un air mystérieux :

« Je vais vous présenter à une jeune fille qui est la perfection même... »

Eucaristus éprouva un désir absurde de le choquer et l'interrompit railleusement :

« De quelle perfection parlez-vous? Celle des seins, des fesses, des cuisses? Savez-vous si elle sera chaude au lit? »

Samuel ne sembla pas du tout irrité. Se levant, il prit son chapeau sur un siège et fit signe à Eucaristus de le suivre.

Le site de Freetown, que l'on appelait également le Liverpool de l'Afrique à cause de sa grande activité commerciale, était grandiose. Eucaristus, qui avait vécu deux ans dans la touffeur de Lagos, retrouvait avec ivresse ces collines couvertes de fourrés verdoyants, cet enchaînement de criques plantées de cocotiers gracieusement alignés sur le sable, cette profusion de fleurs et d'arbustes : frangipaniers, magnolias, lauriers-roses. Le territoire de

Freetown étant colonie de la Couronne britannique depuis 1808, la ville ne manquait pas d'édifices imposants. En particulier la cathédrale Saint-Georges.

Tout en parlant, les deux amis cheminèrent lentement. Ainsi que la plupart des villes africaines dont elle avait respecté le schéma, Freetown se divisait en quartiers où la population se regroupait selon l'origine ethnique. Celui des Akus, c'est-à-dire des affranchis d'origine yoruba, des Peuls reconnaissables à leur grand boubou musulman, celui des Ibos, celui des Marrons. Les Marrons étaient les descendants des célèbres esclaves révoltés, amenés de la Jamaïque après avoir longtemps mis à genoux les armées britanniques les mieux entraînées. Ces dernières n'étaient parvenues à les vaincre qu'en s'aidant de dogues de Cuba, dressés à dévorer des Nègres. Eucaristus interrogea :

« Où allons-nous? »

Samuel sourit :

« Pas de question... »

Le charme le plus grand de Freetown était, de l'avis de tous, l'extrême occidentalisation de sa population. Les esclaves libérés en mer par les patrouilles anglaises, les affranchis venus des îles britanniques des Antilles, les « poor Blacks » rapatriés de Londres avaient souvent perdu jusqu'au souvenir de leur langue maternelle, de leur religion, de leurs traditions et adoptaient avec enthousiasme les mœurs des Blancs. Seule exception, les Marrons, murés dans une haine et une méfiance des Anglais qui résistaient au temps. C'est pourquoi Eucaristus manifesta un vif étonnement quand ils prirent la direction de leur quartier :

« Vous fréquentez des Marrons à présent?

– Les filles ne sont pas toujours pareilles à leur père. Je vous répète qu'Emma est la perfection même. Si vous l'entendiez chanter à la cathédrale!... »

A présent, des hommes et des femmes aux visages assez farouches sortaient des maisons de bois à véranda pour les examiner. Brusquement, Samuel s'exclama :

« Ah! j'allais oublier! Vous vous rappelez cette histoire dont vous m'avez rebattu les oreilles, celle d'un Blanc qui se trouvait aux portes de Ségou le jour de la naissance de votre père? Eh bien, je sais qui c'est... »

Eucaristus demeura interdit :

« Vous savez qui c'est? »

Samuel prit son air de prêcheur :

« Oui et c'est bien là la preuve du caractère maladif de l'imagination de nos peuples, tout encombrée de superstitions. Ce n'était pas un mauvais génie, un albinos, que sais-je encore? C'était un Ecossais du nom de Mungo Park... »

Eucaristus lui prit le bras. Cette histoire que Malobali lui avait contée tant de fois et qui lui paraissait aussi fantaisiste que celle de Souroukou et Badéni était donc vraie.

« Comment l'avez-vous découvert?

– Tout simplement parce qu'il a écrit un livre sur lequel je suis tombé par hasard... Vous feriez bien de le lire! »

Ils étaient arrivés devant une vaste bâtisse assez mal entretenue, une peinture jaune couvrant les murs et contrastant avec le vert épinard des volets des fenêtres. La véranda était encombrée d'instruments aratoires qui ne devaient pas être utilisés souvent, car le jardin potager était envahi de mauvaises herbes qui étouffaient les patates douces, les ignames, le manioc... Un homme très noir et très farouche, un vrai Marron, fendait des noix de coco à grands coups de machette et sans répondre au salut de Samuel il lui fit signe d'entrer dans la maison. Eucaristus aurait voulu presser son ami de questions et maudissait cette visite intempestive. Un livre relatant cette visite à Ségou! Alors ce n'était pas un conte tout entremêlé de magie?

A l'intérieur de la maison, un piano occupait une place de choix près d'une fenêtre et deux garçons crasseux jouaient à quatre mains en ponctuant chaque accord de grands éclats de rire. A la vue des deux hommes, ils s'interrompirent avec un bel ensemble et hurlèrent :

« Maman... »

Une petite femme boulotte apparut en bondissant et s'excusa avec volubilité de l'état de sa maison. Avec tous ces enfants, les siens, ceux du premier mariage de son mari, ceux du frère de son mari qui venait de trépasser, comment garder des lieux propres et ordonnés? Etait-ce l'ami dont M. Crowther avait annoncé l'arrivée? Il venait de Lagos? Elle avait de la famille à Abéokuta. Non, elle n'était pas yoruba. Cent pour cent jamaïquaine. Eucaristus se demandait comment il allait supporter plus longtemps cet assommant bavardage quand il vit entrer une petite personne, remarquablement bien proportionnée, les extrémités parfaites. Elle portait un corsage de dentelle étroitement ajusté et une large jupe à carreaux bleus et blancs. En entrant, elle baissa légèrement la tête et, quand elle la releva, Eucaristus reçut en plein visage l'extraordinaire regard de deux yeux gris, tellement inattendus dans ce visage noir qu'il manqua crier de surprise. Ils accompagnaient un nez délicat et une belle bouche charnue, un peu mauve, ouvertement sensuelle. Tant de beauté et de distinction chez une fille de Marron! Abasourdi, Eucaristus se tourna vers son ami et lut sur ses traits une expression de triomphe qui signifiait : « Voici la perle que je vous ai trouvée! Chrétienne et vertueuse. En même temps, jolie à ravir! C'est là l'épouse qu'il faut à un être tel que vous. Elle vous empêchera de reluquer d'autres femmes tout en vous donnant de beaux enfants que vous élèverez dans le respect de la parole de Dieu... »

Cependant la mère bavardait à nouveau. Comme elle avait remarqué la surprise d'Eucaristus, elle expliquait que ces yeux gris étaient fréquents chez les Trelawny. Ils venaient de l'aïeule Nanny qui avait dirigé la guérilla contre les Anglais dans les Blue Mountains de la Jamaïque. Ah! Nanny! Elle avait obligé les Anglais à signer un traité qui divisait l'île et garantissait la liberté des Marrons. Par la suite, bien sûr, il s'était trouvé des traîtres pour conduire les Anglais jusqu'à leurs places fortes... Et tout cela s'était terminé par l'exil. D'abord en Nouvelle-Ecosse. Puis à Freetown.

Eucaristus l'écoutait à peine. Il regardait la jeune Emma qui à présent servait le thé dans de fines tasses de porcelaine de Wedgewood. Quelles mains délicates et quels mouvements gracieux!

Comme pour rappeler à ceux qui seraient tentés de l'oublier de qui elle était la fille, le père Trelawny, qui avait fini de sabrer ses noix de coco, entra, traversa la pièce, laissant les empreintes de ses gros pieds en ligne régulière, et vint prendre un banjo posé sur une chaise. Puis il refit, toujours sans un mot, le chemin inverse. Tout en fixant d'un air de martyr les traces de boue laissées par son mari, Mme Trelawny expliqua que la famille était très musicienne. Tous les enfants jouaient du piano. En outre, Emmeline jouait de la harpe. Samuel, de la flûte. Jérémie, du violon alto. Quant à Emma, elle chantait! Sa voix était aussi mélodieuse que celle du keskedee, le rossignol de la Jamaïque.

Au moment où elle se penchait vers lui pour

remplir à nouveau sa tasse, Emma regarda Eucaristus dans les yeux. Il reçut en pleine face, en plein cœur, l'impact de ses prunelles lumineuses, mystérieuses, lourdes de secrets comme les flots de la mer. Il eut aussitôt l'intuition qu'Emma jouait un jeu, s'entourait d'une gangue protectrice. Mais pourquoi? Ce corps charmant renfermait une personnalité hors pair qu'elle avait choisi, pour des raisons connues d'elle seule, de dissimuler. Elle n'était pas seulement jolie, bien faite, vertueuse, bonne chanteuse, capable de ravir les fidèles à la cathédrale le dimanche. Elle était tout autre chose. Mais quoi? Eucaristus sentait, confusément qu'il devrait se lever, s'enfuir, signifier à ce pauvre Samuel qui croyait bien faire, qu'il se trompait du tout au tout sur la nature de la marchandise. Hélas! il ne le pouvait pas! Il était déjà fasciné...

L'entretien avec le révérend Schonn se passa assez mal, car il était visiblement prévenu contre Eucaristus. Certaines de ses réponses le mirent en rage.

« Da Cunha? Cela veut dire que vous êtes descendant de Brésiliens. Comment n'êtes-vous pas catholique?

– Quand le frère de ma mère m'a emmené avec lui à Abéokuta, la seule école était celle de missionnaires anglicans... J'y suis allé! »

Devenant ouvertement agressif, le prêtre poursuivit :

« Vous avez près de trente ans. Vous n'êtes pas marié. Ne savez-vous pas qu'il n'est pas bon que l'homme soit seul? »

C'était le point sensible d'Eucaristus qui craignait toujours qu'on ne découvre les désordres de sa vie.

Il remercia sa peau noire qui lui interdisait de changer de couleur et bégaya :

« J'espère parvenir à convaincre une jeune chrétienne de devenir ma femme... C'est Samuel Crowther qui me l'a présentée. »

Eucaristus employait le nom de Samuel comme un talisman car il savait l'estime que Schonn lui portait et il produisit l'effet escompté. Schonn se radoucit :

« Samuel vous aime et dit le plus grand bien de vous. Je crains seulement que vos qualités d'intelligence ne l'emportent sur vos qualités de cœur. »

Eucaristus bouillait de colère : de quel droit le jugeait-il? Que savait-il de son cœur et de son intelligence? Néanmoins, il se contint et l'entrevue arriva à ses fins.

Quand ils avaient créé le collège de Fourah Bay, les Anglais ne songeaient guère à y former que des artisans bien au fait des techniques européennes de menuiserie, de maçonnerie ou de métallurgie et des assistants pour les tâches d'administration de la colonie. Mais, très vite, la soif d'apprendre de leurs élèves les avait submergés comme une lame de fond et ils s'étaient mis à former des prêtres et des enseignants qu'ils envoyaient dans leurs missions en Côte-de-l'Or et depuis peu à Lagos, Abéokuta, Badagry, Calabar dans le golfe du Bénin. Fourah Bay était devenu une pépinière de talents, l'usine à fabriquer les « nègres en pantalons[2] » qui allaient propager avec la parole de Dieu, la civilisation occidentale. Le collège abritait ses locaux dans une jolie bâtisse, entourée de grandes pelouses bien ratissées et les étudiants tout de noir vêtus, sous le soleil, arpentaient les allées, le nez plongé dans leurs livres de classe. Quelques années auparavant,

2. L'expression est de Mary Kingsley, voyageuse anglaise.

Eucaristus avait fait partie de ces groupes studieux. Pourtant, il retrouvait le lieu sans plaisir, même avec un certain malaise. Etait-ce le nouvau visage de l'Afrique qui se dessinait là? Ah! qu'il était peu plaisant! Trahison et mépris des valeurs des ancêtres!

Il se retrouva dans la rue principale.

Le père Trelawny possédait une menuiserie-ébénisterie à l'angle de la rue Wilberforce et de l'avis de tous c'étaient de véritables œuvres d'art qui sortaient de ses mains. Cet homme farouche, taciturne, qui avait fait dix enfants à ses deux femmes sans leur dire un mot, était amoureux du bois et celui-ci, sensible à ces sentiments, se pliait à sa volonté, donnant le meilleur de lui-même. Armoires, tables, commodes, bahuts, fauteuils, tout était digne de figurer dans un musée comme d'authentiques pièces de collection. Le père Trelawny se faisait aider de deux de ses fils qu'il avait initiés à contrecœur à ses secrets.

Emma, elle, aidait à l'atelier, prenant les commandes sur un gros cahier, car elle avait une jolie écriture ronde. Elle accueillit Eucaristus avec cette impassibilité gracieuse qui le déconcertait tant. Pourtant, au bout d'un moment, elle pria un de ses jeunes frères de la remplacer et se leva, faisant tournoyer sa jupe d'indienne sur des bottines qui n'auraient pas déparé une Londonienne. Ils sortirent dans l'arrière-cour où le père Trelawny et ses fils travaillaient tête baissée. Emma s'assit sur une souche d'arbre :

« Le mariage est affaire sérieuse, Eucaristus. Il est important que les deux partenaires partagent le même point de vue en tout... »

Eucaristus se permit un sourire :

« Ce n'est pas le cas dans votre famille, dirait-on!

On ne peut imaginer deux êtres plus différents que votre père et votre mère!

– C'est vrai. Aussi, toute notre enfance, nous avons été tiraillés entre des modèles contradictoires, empêchés de choisir par l'affection que nous portions à l'un comme à l'autre... Aussi je dois absolument savoir qui vous êtes... »

Eucaristus, que ce genre de propos terrifiait toujours, bégaya :

« Mais, mais... »

Emma poursuivit :

« Vous semblez tellement fier de votre nom, par exemple. Or c'est un nom d'esclave! »

Blessé, Eucaristus eut la force de protester :

« Et le vôtre?

– Trelawny? C'est un nom d'hommes et de femmes qui n'ont jamais accepté la servitude. A peine mes ancêtres avaient-ils été débarqués en Jamaïque qu'ils fuyaient vers la liberté, vers la montagne... Ce n'est pas tout..

– Quoi encore? »

Elle regarda ses jolies mains, croisées sur sa jupe, pesant visiblement ses mots :

« Vous êtes tellement amoureux de l'Angleterre et des Anglais. Vous croyez que les Blancs sont nos amis et qu'il faut les imiter en tout... »

Eucaristus protesta vivement :

« Là, vous vous trompez sur mon compte, Emma, et vous confondez mes sentiments avec ceux d'un Samuel, par exemple. Si vous saviez toutes les questions qui tournent et retournent dans ma tête... La civilisation des Blancs vaut-elle mieux que celle de nos ancêtres? »

Elle l'écoutait avec l'attention critique d'un maître jugeant un élève et l'interrompit :

« Alors pourquoi êtes-vous si impatient d'aller étudier en Angleterre? »

Quelle réponse donner à cette question? Il choisit d'être sincère :

« C'est comme un pari! Je crois que, malgré nous, les modèles des Blancs viendront à s'imposer. Bientôt, le monde n'appartiendra plus qu'à ceux qui sont capables de s'en servir... »

Comme il terminait sa phrase, elle eut un geste inattendu, contrastant avec la réserve qu'elle avait observée jusqu'alors et elle lui caressa la joue. Puis elle fit, avec une extrême douceur :

« Je vous épouserai, Eucaristus. Je l'avais tout de suite compris. Sous vos airs fanfarons, vous êtes tellement seul et tourmenté... »

Il tomba à ses pieds et ses deux jeunes frères, qui jouaient au cerf-volant dans l'arrière-cour, se tordirent de rire :

« Est-ce que vous m'épouserez avant mon départ pour l'Angleterre, si finalement je pars? »

Elle eut un signe de tête affirmatif, avec une expression à la fois moqueuse et tendre comme pour signifier que, sur ce point aussi, elle voyait clair en lui. Il croyait l'enchaîner par une cérémonie officielle, comme si les seules chaînes qu'elle acceptait n'étaient pas celles que lui forgeaient sa volonté et sa détermination.

9

D'AFRIQUE, Eucaristus n'avait aucun moyen de comprendre le monde. Il se doutait vaguement qu'il était composé de pays avec des gouvernements, des politiques et des ambitions qui dégénéraient en guerres et déterminaient des alliances. En arrivant à Londres à la fin de l'hiver de 1840, il le découvrit dans sa complexité. Le monde, c'était l'Europe. Mais aussi les Etats-Unis d'Amérique, le Brésil, le Mexique et, plus loin encore, l'Inde, le Japon, la Chine. Il s'aperçut très vite qu'il se divisait en deux camps. D'une part, des nations aventureuses et prédatrices qui équipaient leurs flottes et armaient leurs soldats pour conquérir des trésors qui ne leur appartenaient pas. D'autre part des nations plus passives, repliées sur elles-mêmes. C'était comme la jungle, le monde! Deux nations le fascinèrent. L'Angleterre d'abord! Elle était sur tous les fronts comme un artisan qui ne ménage pas sa peine. Chine, Inde, Nouvelle-Zélande, Canada. Que cherchait-elle ainsi à travers les mers? Quelle énergie! Quelle passion! L'Espagne ensuite. Eucaristus se plongea dans la lecture des exploits des conquistadores. Colomb, le premier. Magellan, Pizarro, Valdivia, Almagro. Et surtout Cortés. Hernán Cortés. Cortés et Montezuma. Le conquistador et le dernier empereur aztèque. L'Européen et l'Indien. Deux civilisations face à face. La première détruisant inexorablement la seconde. Etait-ce le sort qui attendait l'Afrique?

L'Afrique! Pour l'heure, elle ne comptait pas sur la carte du monde. On l'appelait « the Dark Continent ». On niait son histoire et ses valeurs. On savait à peine dessiner ses contours. La France et l'Angleterre tiraient de l'obscurité où elle semblait plongée des lambeaux de territoires. Les premiers autour de l'embouchure du fleuve Sénégal et au Gabon. Les seconds infatigables, après avoir suivi les côtes, repéraient le cours des fleuves Niger, Congo, Zambèze et tentaient de nouer des alliances avec les souverains de l'intérieur.

A part cela, Eucaristus souffrait beaucoup de la curiosité dont il était l'objet dès qu'il quittait le séminaire d'Islington. Dans les rues, dans les cafés, toutes les conversations s'arrêtaient tandis que des centaines de paires d'yeux gris, bleus, verts, à l'éclat insoutenable se posaient sur lui. On touchait sa peau pour voir si elle n'était pas enduite de peinture. On touchait ses cheveux. On s'écriait, dès qu'il ouvrait la bouche :

« C'est qu'il parle! Et il parle anglais! »

Etait-ce là le comportement d'hommes civilisés? Eucaristus se rappelait la courtoisie avec laquelle on accueillait les Blancs au royaume de Dahomey, où il avait grandi. On les traitait comme des seigneurs. Pourquoi le considérait-on comme un animal d'une espèce singulière? Après tout, la présence de Noirs n'était pas chose nouvelle en Angleterre. A la fin du siècle précédent, il y en avait tant que le Parlement avait dû voter une loi pour les rapatrier en Sierra Leone. Mais sans doute n'était-ce que des gueux, végétant dans des quartiers où la bonne société ne s'aventurait jamais. Eucaristus surprenait, car il osait s'écarter de ces quartiers réservés. Dès son arrivée à Londres, il s'était pris de haine pour cette ville, se vautrant dans une odeur de crottin comme une catin dans un lit sale. La circulation le terrifiait. Haquets, charrettes, petits omnibus, fiacres, chevaux de selle, calèches et cabriolets et, de temps à autre, carrosses, le cocher juché sur une housse éclatante, deux laquais tressautant à l'arrière. Aux carrefours, le crottin des bêtes était ramassé par des balayeurs en guenilles, en majorité des Indiens à la peau aussi noire que la sienne, mais étrangement distants. La saleté le repoussait. A deux pas du Strand, bordé de magasins de luxe, on butait sur des ruelles et des passages jonchés d'immondices et d'excréments humains conduisant à des taudis où s'entassaient des épaves humaines, dormant et s'accouplant sur des bottes de paille et des amas de chiffons grouillant de vermine. En voyant cela, Eucaristus se posait à chaque fois la même question. Pourquoi les Anglais couraient-ils propager leur foi et leur mode de vie à l'autre bout du monde quand ils avaient tant à faire chez eux? C'est qu'en réalité leur but devait être tout autre. Commercer. Commercer afin que les riches deviennent encore plus riches. Eucaristus baissait les yeux quand il traversait les quartiers où vivaient les prostituées. Des femmes et même des fillettes emplissaient rues et venelles. A la lueur des réverbères à gaz, leur peau blafarde était plus livide encore, et leurs cheveux semblables à de la paille, malsaine comme une litière jamais ensoleillée.

Bien sûr, il y avait les monuments. La cathédrale Saint-Paul. Westminster Abbey. Buckingham Palace où habitait la reine Victoria. Pourtant, comment se soucier de constructions de pierres quand la plus belle construction, le corps de l'homme, réceptacle de son âme, est pareillement dégradée?

Au nord de la cathédrale Saint-Paul, intrigué par

le bruit et la puanteur, il était arrivé un jour jusqu'à l'ouverture d'un abattoir souterrain. Dans un quadrilatère de murs encroûtés de sang et de graisse, des hommes (mais étaient-ce des hommes?) égorgeaient et éviscéraient des moutons. Quand il sortit de l'infâme boyau, Eucaristus fut pris de nausées. Il était si troublé qu'il n'entendit même pas les railleries d'une poignée de *costermongers*[1], jeunes délurés aux manteaux de drap et aux pantalons galonnés épousant le mollet, vendant à la criée des fruits et des légumes volés au marché de Covent Garden.

Quand il n'assistait pas à ses cours au séminaire d'Islington, pour lutter contre la solitude et ces sentiments de doute et de haine, bien peu compatibles avec la prêtrise, qui ne le quittaient plus, Eucaristus avait pris l'habitude de se réfugier dans une librairie située au 20, Charles Street, dans Westminster. Elle appartenait à William Sancho. William Sancho était l'un des fils d'Ignatius Sancho qui avait été le Noir le plus célèbre de sa génération, l'ami de Sterne, auteur de *Tristram Shandy*, le modèle favori du peintre Gainsborough. Ignatius, arrivé en Angleterre à l'âge de deux ans, avait grandi dans diverses familles aristocratiques dont celle de John, deuxième duc de Montagu, qui, ébloui par son intelligence, lui avait donné toutes facilités pour écrire. Il s'était marié à une Antillaise et en avait eu six enfants. C'est dans cet espace resserré, tout en buvant d'innombrables tasses de thé, qu'Eucaristus lisait ses chers récits de voyage et de découvertes. Mais aussi les romans de Laurence Sterne, Charles Dickens, Jane Austen, William Thackeray...

Ah! oui. Il faudrait qu'un jour tous les enfants

1. Vendeurs de primeurs.

d'Afrique apprennent à lire et à écrire afin qu'ils communiquent par-delà le temps et la distance avec les esprits supérieurs qui habitaient d'autres parties du monde. Eucaristus était en plein désarroi. Ces Européens qu'il haïssait la minute précédente, voilà qu'il se mettait à les admirer éperdument parce qu'ils avaient produit ces objets merveilleux, magiques, qui fixent et organisent la pensée : les livres!

Evidemment Eucaristus, qui n'était jamais entièrement maître de ses sens, fréquentait aussi Charles Street car il y reluquait la femme de William. Peut-être parce qu'elle était aussi jamaïquaine, il lui semblait qu'elle ressemblait à Emma, l'épouse tant désirée, dont il avait à peine savouré le corps. Elle en avait la vivacité d'esprit et le non-conformisme, glissant à l'oreille d'Eucaristus dès qu'elle était loin de son mari :

« Tu sais, cet Ignatius Sancho, quel imbécile! Si tu lis sa correspondance, il se prenait pour un Anglais parce que quelques lords lui tapaient sur l'épaule... »

Chaque fois qu'il entrait dans cette librairie, peu fréquentée, à dire vrai, Eucaristus posait à William, la même question :

« Est-ce que tu as enfin mon livre? »

Il s'agissait du *Voyage dans l'intérieur de l'Afrique, sous la direction et le patronage de l'African Association au cours des années 1795, 1796 et 1797, par Mungo Park, chirurgien* dont lui avait parlé Samuel.

Mais l'ouvrage paru en 1799 semblait devenu introuvable.

Comme Eucaristus terminait son repas au réfectoire, il vit arriver vers lui un mulâtre très clair.

Depuis ses mésaventures avec Eugenia de Carvalho, Eucaristus n'aimait pas les mûlatres. Pourtant, le sourire de l'autre était chaleureux. Sa main, largement offerte. Il était beau avec ses favoris roux et bouclés !

« J'ai appris que votre femme était de la Jamaïque. J'en suis originaire moi aussi. Et en plus, je suis de Port Antonio dans le même district que Nanny Town, le berceau des Trelawny. Je m'appelle George Davis. »

Bien qu'Emma lui ait longuement conté l'histoire des Trelawny, Eucaristus n'y avait pas attaché plus d'importance qu'à ces récits fantaisistes et glorificateurs dont toute famille entoure ses origines. En particulier, cette grand-mère Nanny aux yeux gris qui par le fer et la magie avait massacré tant d'Anglais, lui avait paru aussi peu réelle que la déesse Sakpata ou le dieu Shango. Elle avait donc vraiment existé ? Il pria le missionnaire de prendre place à ses côtés et George s'assit avec empressement :

« Je suis ici avec une délégation de missionnaires jamaïquains de toutes dénominations : méthodistes, baptistes, wesleyens, anglicans... Nous venons voir lord Howick, le sous-secrétaire d'Etat aux Affaires coloniales. Car tout va mal à la Jamaïque... »

Eucaristus, dont le père était mort en esclavage dans des circonstances tragiques, ne s'était pourtant jamais ému de ce qui se passait dans les plantations du Nouveau Monde. Peut-être parce que les Agoudas semblaient considérer leurs années de servitude au Brésil comme un séjour en paradis. Il fit, d'un ton vague :

« Mais pourquoi cela ? Est-ce que l'esclavage n'y est pas aboli depuis près de dix ans ? »

George Davis hocha tristement la tête :

« A quoi sert d'abolir l'esclavage si on ne donne

pas aux nègres les moyens de vivre? Il faut à présent une réforme agraire. Enlever la terre des mains des planteurs blancs, la donner à ceux qui la cultivent... »

Eucaristus osa poser une question :

« Croyez-vous que tout cela risque d'arriver un jour en Afrique? Je veux dire que les Blancs s'emparent des terres de nos ancêtres?

– Mon pauvre ami, je ne connais pas l'Afrique. Pourtant je le crains fort... »

Eucaristus aurait voulu retenir George pour poursuivre cet entretien, mais l'autre se levait, promettant de le revoir le lendemain. Ah! comme ce Jamaïquain disait vrai. Eucaristus l'avait toujours senti, les Blancs étaient un danger. Du pont de leurs navires, ils achetaient et vendaient. Puis ils partaient. Parfois, certains d'entre eux s'installaient à deux ou trois dans une case misérable et parlaient de leur Dieu. Mais ces commerçants, ces missionnaires n'étaient que des avant-coureurs. Des armées les suivraient, des hommes désireux de conquérir, de commander. Que faire pour prévenir leur invasion? Il se sentait comme un féticheur doué du don de seconde vue, mais incapable de changer des événements qu'il ne percevait que trop bien.

Dans son trouble, il sortit. Dehors, le froid le mordit comme une bête, tapie au-delà des murs de pierre. Il passa devant la façade noire d'un asile et, empruntant un chemin familier, il se trouva devant la Tamise. On venait d'inaugurer un service de bateaux à vapeur et c'était un spectacle extraordinaire. Crachant une fumée noire qui épaississait encore le ciel de la ville, sans rames ni voiles, les bateaux montaient et descendaient le fleuve dont l'eau s'écartait secouée de remous. Pourtant ce spectacle, qui d'habitude l'enchantait, laissait Eucaristus indifférent cet après-midi-là. A son aversion pour Londres se greffait une réelle peur. Comme s'il se trouvait dans l'antre de Satan. Cette force, cette énergie, admirable en soi, du peuple anglais étaient dirigées contre lui et les siens. Comment se défendre?

Comme il appuyait ses coudes sur le parapet de pierre, il entendit une voix :

« Sir! »

Il se retourna et se trouva nez à nez avec un laquais de grande maison en livrée aubergine à boutons de cuivre étincelants. Celui-ci lui tendit un pli non cacheté dont le parfum effaça pour un temps l'odeur du crottin de la rue.

« On aimerait faire plus ample connaissance avec vous. Pouvez-vous vous rendre à vingt heures, au 2, Belgrave Square? »

Eucaristus regarda le valet avec stupeur. Celui-ci, avec le décorum particulier à ceux de sa classe, tourna légèrement la tête vers un carrosse à l'arrêt de l'autre côté du pont. Prenant sa vie dans ses mains, Eucaristus, que cet exercice effrayait toujours, se décida à traverser la chaussée, presque sous les pas des chevaux qui venaient de toute part. Hélas! comme il atteignait au but, le cocher fouetta son équipage et le carrosse disparut. Eucaristus resta planté là, inconscient des quolibets qui pleuvaient sur lui :

« Hé! négro! Tu veux donc retourner à l'enfer d'où tu sors? »

Il n'envisagea pas un instant d'ignorer cette curieuse invitation puisque, le parfum et l'écriture en faisaient foi, Il s'agissait d'une femme! Eucaristus avait d'abord éprouvé une sorte d'horreur pour les Anglaises : ces teints de blanc-manger, ces cheveux pareils à des algues, ces yeux qui rappelaient ceux des prédateurs la nuit quand l'obscurité les élargit. Puis, peu à peu, sa curiosité vite changée en désir avait rôdé autour d'elle. Comment étaient les mamelons de leurs seins ? Et la forêt couvrant leur pubis ? William Sancho, qui affirmait en avoir fréquenté, prétendait qu'elles criaient pendant l'amour. Bientôt, seule la pensée d'Emma qu'il aimait et respectait profondément l'empêcha de suivre une prostituée dans Haymarket. Que faire en attendant vingt heures ? Aller à la librairie de William ? Non, il ne saurait cacher son impatience devant l'aventure qui s'offrait et se trahirait. Il poussa la porte d'un café.

La mode du café était tellement répandue à Londres qu'on ne demandait plus l'adresse de ceux que l'on souhaitait rencontrer, mais le nom du café qu'ils fréquentaient. Là, les gentlemen en haute cravate de soie blanche et en habit de drap sombre lisaient leurs journaux, discutaient des nouvelles du monde, critiquaient la politique internationale et exprimaient leur foi en l'Angleterre, la patrie bénie à laquelle ils avaient le bonheur d'appartenir. Les premiers temps, l'apparition d'Eucaristus dans ces lieux semait la confusion. Avec une exquise courtoisie, on l'accablait de questions. Etait-il né avec cette couleur de peau ? Ou bien était-ce l'effet d'une triste maladie ? Etait-elle contagieuse ? Comment parlait-il l'anglais avec cette perfection ? Et Eucaristus n'en revenait pas de cette ignorance dans un pays où le combat abolitionniste avait fait rage. Mais peut-être n'était-ce que l'affaire d'intellectuels et de politiciens à moitié inconnus du grand public. Finalement, Eucaristus était devenu un habitué du Will's. Là au moins il rencontrait des gens cultivés au courant aussi bien des explorations anglaises en Afrique, des révoltes d'esclaves aux Antilles que des difficultés de Louis-Philippe 1er, le roi des Français. Oui, d'habitude il aimait se trouver au Will's. Pour un penny, il jouissait d'un bon feu, d'une tasse d'un délicieux breuvage et surtout du sentiment d'appartenir au cercle supérieur de l'humanité. Mais franchement, cet après-midi-là, il n'eut pas l'esprit à savourer de tels plaisirs, et ne jeta même pas un coup d'œil à la *London Gazette.*

A vingt heures sonnantes, il se trouva à Belgrave Square.

Lady Jane, marquise de Beresford, atteignait l'âge où le charme d'une femme est au zénith. Encore quelques années et inexorablement viendrait le moment où sa chair commencerait de se détendre, avachissant l'ovale du visage et l'aigu des seins. Où la luminosité de ses dents, perles serties dans les gencives, s'obscurcirait avec l'éclat de ses yeux bleus entre des cils noirs. Mais, pour l'heure, elle était parfaite! Elle était vêtue d'une robe de moire à manches à gigot, à demi étendue sur un divan Louis XV comme tout l'ameublement de la pièce, exception faite de quelques magnifiques Chippendale en bois de mahogani espagnol.

« Aimez-vous le vin des Canaries? »

Eucaristus parvint à murmurer que oui. Il faisait chaud. Un feu allègre brûlait dans la cheminée, et une fois de plus il se demanda s'il était bien éveillé. C'était la première fois qu'il pénétrait dans la demeure d'aristocrates anglais et il se voyait brutalement précipité dans un univers de luxe et de beauté dont il n'avait jamais eu connaissance auparavant. Par peur de paraître naïvement émerveillé, il n'osait contempler les tableaux et les tentures qui couvraient les murs, déchiffrer le dessin des paravents japonais ou caresser de l'œil les bibelots répandus à profusion sur les meubles. Lady Jane pencha gracieusement la tête :

« Parlez-moi de vous. Que faites-vous à Londres?

J'ai toujours cru que les nègres se trouvaient dans les champs de canne à sucre des Antilles... »

Eucaristus avala sa salive et tenta de répondre avec esprit :

« Parfois, ils se mêlent comme moi d'étudier la théologie... »

Lady Jane eut un rire de gorge :

« La théologie? Venez m'expliquer cela de plus près... »

Comme Eucaristus hésitait, elle insista, tapotant le divan à côté d'elle :

« Allons, venez... »

Eucaristus obéit, écrasé d'embarras. Il n'avait connu pareille situation que la première fois où il avait fait l'amour. La fille était une esclave de son oncle et elle l'avait raillé au sortir de l'école.

« On dit que les prêtres t'ont défendu de te servir de ton bourgeon de palmier... »

Alors, il s'était jeté sur elle et s'était vengé. Par-delà les années, en dépit de la différence de statut, c'était bien là ce que cherchait aussi cette femelle, Eucaristus le sentait de tout son instinct de mâle. Pourtant était-ce possible?

Il s'arma de courage et expliqua :

« Mon histoire débute, bien sûr, avant ma naissance. Par celle de mon père, un noble bambara... »

Lady Jane rit à nouveau et l'interrompit :

« Il y a donc des nobles chez vous? »

En regardant son interlocutrice, Eucaristus se convainquit que tout ce qu'il pourrait lui dire ne l'intéresserait pas. Il avala trois gorgées de vin des Canaries et interrogea :

« Madame, pourquoi m'avez-vous fait venir chez vous? »

Ensuite tout se passa très vite. Avec cette rapidité des rêves, quand événements et gestes s'accélèrent dans la plus extraordinaire confusion. Par la suite, Eucaristus ne sut plus s'il s'était jeté sur elle. Si elle l'avait attiré vers elle. Si leurs corps impatients s'étaient rencontrés à mi-chemin. Toujours est-il qu'il se trouva aux prises avec de la soie, de la mousseline, de la dentelle, des boutons de nacre dans une odeur capiteuse d'œillet. Quand sa main toucha la chair nue et tiède, il eut un recul parce qu'il pensa brusquement à Emma. Ne lui avait-il pas juré fidélité? Pourtant, comme il se dégageait, il vit toute proche la blancheur de cette peau qu'ombrait par endroits un léger duvet et les paroles du Cantique des Cantiques lui vinrent à l'esprit :

Tes deux seins sont comme deux faons
jumeaux d'une gazelle
Qui paissent au milieu des lis...

Ah! si l'amour était damnation, qu'il soit damné!

William Sancho avait raison. Elles criaient, ces bougresses, et elles griffaient et elles se tordaient comme des serpents saisis par la queue! A chaque fois qu'Eucaristus, épuisé, se rejetait sur les coussins, Lady Jane d'une main brûlante le remettait en selle et il avait l'impression de chevaucher une jument à travers un fleuve en crue. Puis la jument elle-même perdait pied. Les eaux tumultueuses le recouvraient. « Je meurs, ma mère. Pitié, je me noie! »

Eucaristus reprit conscience dans le luxueux boudoir, envahi par l'ombre, car les bougies des chandeliers avaient fondu. Le corps ému, reconnaissant de tant de plaisirs, il voulut couvrir de baisers la chair blanche de sa partenaire. Elle le repoussa, soufflant :

« Allez-vous-en à présent. Mon mari...

– Quand vous reverrai-je?
– Mais demain même heure. »

Sur le trottoir, le froid le dégrisa. Il regarda la haute façade de l'hôtel particulier et il n'aurait pas été surpris de le voir disparaître, s'émietter comme ces constructions de l'imaginaire qui ne résistent pas à l'état de veille. Brusquement, une joie extraordinaire l'envahissait. En ce moment, il ne pensait pas à Emma qu'il venait d'offenser si cruellement. Mais à Eugenia de Carvalho. Ah! elle l'avait raillé, méprisé, traité de « sale nègre » par l'intermédiaire de son avorton de frère Jaime junior! Eh bien, sa maîtresse était blanche et aristocrate. Non seulement blanche, mais aristocrate!

Sautant et bondissant littéralement, il arriva à Leicester Square. Dans les bars brillamment éclairés au gaz, des buveurs vidaient des grogs tandis que des musiciens français en veste rouge jouaient des airs de valse. Des couche-tard arrivaient des casinos où polkas et quadrilles faisaient tournoyer les danseurs et leurs rires résonnaient, portés au loin par la nuit et le froid. Cette vie nocturne qui avait toujours effrayé Eucaristus, non parce qu'elle était pleine de péché, mais parce qu'il croyait n'y avoir point de place, lui semblait accessible. Il en jouirait, lui aussi. Comme il avait joui de l'autre. Dans le tumulte. Comme ces instants s'étaient écoulés vite! Comme il prendrait sa revanche le lendemain, car l'amour ne se savoure véritablement qu'à la seconde fois.

La nuit passa comme un rêve, Eucaristus revivant chaque instant de sa rencontre avec Lady Jane. Au matin, on frappa à sa porte. C'était George Davis qui s'exclama :

« Mon Dieu, comme vous avez mauvaise mine? Couvrez-vous bien, ces climats sont traîtres. Voulez-vous venir avec moi? Nous avons rendez-vous avec

Sir Fowell Buxton. C'est lui-même qui va présenter notre requête à Lord Howick...

Eucaristus prétendit qu'il avait une dissertation à terminer. Au diable les abolitionnistes et les nègres des Antilles! Sa maîtresse était blanche et aristocrate! A vingt heures sonnantes, il se présenta à Belgrave Square. L'imposant valet de pied qui l'avait introduit la veille lui ouvrit la porte et le fit entrer dans le hall, mais avant qu'il ait pu placer un mot, il prit sur une commode Boulle un pli cacheté. Eucaristus hasarda :

« Madame la marquise n'est donc pas là? »

Sans mot dire, le mastodonte le reconduisit vers la porte cependant que deux escogriffes de même calibre apparaissaient comme par enchantement entre les plantes en pot. Dehors, à la lueur blafarde du gaz, Eucaristus déchiffra la missive.

« Bravo! je vous donne plusieurs points de mieux que Kangourou. Adieu. »

« Kangourou? C'est un animal, qu'est-ce que tu veux que je te dise?

– Pas avec un K majuscule...

– Pas avec un K majuscule? »

William Sancho se gratta la tête. Il n'avait jamais compris Eucaristus, qu'il jugeait fantasque. Ce matin-là, en le tirant du lit pour lui demander la signification d'un mot, il dépassait les bornes. Comme Mme Sancho paraissait dans la boutique, le corsage un peu de travers, car elle venait d'allaiter son dernier-né, il l'interrogea :

« Ma bonne, tu sais qui est Kangourou? »

Mme Sancho leva les yeux au ciel. Mon Dieu, que les hommes étaient obtus :

« Tu sais bien, c'est ce nègre acrobate à Haymarket... »

Peut-on dépeindre les sentiments d'Eucaristus?
Il songea d'abord à retourner à Belgrave Square. Allons donc, les valets le jetteraient à la rue comme un manant. A se rendre à Argyll Rooms où Kangourou se produisait et à voir à qui on le comparait? A quoi bon?

En même temps, en y réfléchissant, il ne comprenait pas. Pour le blesser et l'humilier si gratuitement, Lady Jane devait le haïr. Or, elle avait trop peu écouté ses propos pour se faire une idée de lui et il ne lui avait procuré que du plaisir. C'était donc sa race qu'elle visait? Pourquoi? Les êtres à peau blanche haïssaient-ils donc naturellement les êtres à peau noire? Que leur reprochaient-ils? Quel mal ces derniers avaient-ils fait en naissant?

Quand il ne se révoltait pas, un véritable désespoir le prenait. Il pensait à la chair si douce de sa maîtresse d'un soir. Ah! île à laquelle il n'aborderait plus. Terre de lait et de miel dérobée aussitôt qu'atteinte. Coupe arrondie pleine de vin parfumé. Meule de froment couronnée de lis. Tour d'ivoire. Sanglotant presque, il entra au séminaire et le portier qui le vit passer comme une ombre se promit de le signaler au supérieur. Si ce nègre-là se piquait de devenir prêtre, il ferait mieux de surveiller sa conduite!

Sur le triangle de tapis, au seuil de sa porte, Eucaristus trouva une lettre et un paquet. Les deux venaient d'Emma. Il décacheta la lettre.

« Mon pauvre Babatundé,

« Quand je vous imagine dans l'enfer de Londres, je tremble et les larmes me viennent aux yeux. Vous si sensible, si fragile, accessible à toutes les tentations... »

Comme elle le connaissait bien! Qu'il aurait aimé se réfugier dans ses bras! Ah! pourquoi l'avait-on humilié et blessé si gratuitement?

Au bout d'un moment, il reprit sa lecture.

« Votre ami Samuel est parti avec le révérend Schonn et cent quarante-cinq Anglais afin de remonter le fleuve Niger. Vous savez déjà leur plan : établir une ferme modèle où on cultiverait du coton et d'autres plantes, afin d'inciter nos populations à se tourner vers une agriculture qui porte du profit... Il paraît que cette idée ne vient pas des missionnaires eux-mêmes, qui n'auraient pas les moyens de financer pareille expédition, mais de politiciens. Avez-vous eu l'occasion de rencontrer M. Fowell Buxton? On dit qu'il aime sincèrement ceux de notre race... »

Là, Eucaristus ricana. Aucun Anglais n'aimait les Noirs. Il ne fallait surtout pas tomber dans pareil piège. Les sourires les plus séduisants, les paroles les plus douces cachaient des armes meurtrières.

Femelle traîtresse!

« Vous ne me croirez pas, mais, à force de recherches, je vous ai trouvé le livre dont vous rêviez. Il était tout simplement dans la bibliothèque de Fourah Bay College.

Le livre dont il rêvait? Eucaristus déchira l'emballage du paquet.

Voyage dans l'intérieur de l'Afrique, réalisé sous la direction et le patronage de l'African Association au cours des années 1795, 1796 et 1797, par Mungo Park, chirurgien.

La main attentionnée d'Emma avait mis un signet au chapitre XV :

« La capitale du Bambara, Ségou, où j'arrivais alors, consiste proprement en quatre villes distinctes; deux desquelles sont situées sur la rive septentrionale du fleuve et s'appellent Ségou Korro et Ségou Bou. Les deux autres sont sur la rive méridionale et portent les noms de Ségou Sou Korro et Ségou See Koro. Toutes sont entourées de grands murs de terre. Les maisons sont construites en argile; elles sont carrées et leurs toits sont plats; quelques-unes ont deux étages, plusieurs sont blanchies... »

En même temps que ses yeux parcouraient la page, Eucaristus croyait entendre la voix, les paroles de Malobali :

« Un jour, tu viendras à Ségou. Tu n'as jamais vu de villes pareilles à celle-là. Les villes par ici sont des créations des Blancs. Elles sont nées du trafic de la chair des hommes. Elles ne sont que de vastes entrepôts. Mais Ségou! C'est comme une femme que tu ne peux posséder que par violence...

Sanglotant de honte, de remords et de douleur, Eucaristus s'abattit sur sa couche.

Sur quoi pleurait-il?

Sur lui-même et son humiliation récente. Mais aussi sur cette pureté de ses ancêtres de Ségou qu'il avait à jamais perdue. Ségou, monde clos sur lui-même. Imprenable. Refusant son accès à l'homme blanc, condamné à errer au pied de ses murailles. Jamais il ne se baignerait dans les eaux du Joliba pour y puiser force et vigueur. Jamais il ne retrouverait l'orgueilleuse assurance de ce temps-là.

Peu à peu, ses larmes séchèrent et il se rassit sur son lit. Dans quelques mois, il serait ordonné prêtre. Il savait déjà que sa mission le ramènerait à Lagos. Christianiser et civiliser l'Afrique, c'était son lot.

Christianiser et civiliser l'Afrique. C'est-à-dire la pervertir?

Cinquième partie

LES FÉTICHES ONT TREMBLÉ

1

Depuis quelques années, Siga souffrait d'un éléphantiasis. Cette maladie l'humiliait. Après les désillusions et les déboires de sa vie, elle lui semblait la suprême trahison puisqu'elle était celle de son corps lui-même. Sa jambe gauche enflait à partir du genou pour atteindre à la cheville la circonférence d'un tronc de goyavier. La peau se craquelait, se boursouflait, se couvrait par places d'un eczéma souvent purulent. Pour haler ce poids, il devait s'appuyer sur une canne que lui avait sculptée son fils aîné. Une fois assis, il ne se levait pas sans aide. Quand il était couché, c'était bien pire! De même, il avait perdu une bonne partie de ses dents au point qu'il ne pouvait plus croquer le kola. Yassa, la jeune esclave, devait le râper avant de le lui tendre dans une écuelle de terre. Siga se demandait ce qu'il avait fait à son corps pour qu'il le lâche ainsi à bonne distance encore du tombeau. Il n'avait pas commis d'excès. En tout cas, pas plus que les autres hommes, pas plus que Tiéfolo, toujours droit comme un rônier et capable de couvrir des kilomètres à la poursuite du gibier.

En vérité, c'était dans sa vieillesse qu'il se prenait de désirs. Manière sans doute de lutter contre la peur qui accompagne la fin de toute vie. Dans le petit matin, il caressa le corps de Yassa étendue contre lui. Elle eut d'abord cet instinctif mouvement de recul qu'il était trop sensible pour ne pas remarquer. Puis elle ouvrit les yeux et murmura :

« Qu'est-ce que tu veux, maître?

– Rien, rien... »

Il lui flatta le flanc. Elle était déjà réveillée et se leva souplement. Siga, étendu, regarda les branches entrecroisées qui soutenaient le toit. La journée qui s'annonçait serait inexorablement pareille aux autres. Il mangerait sa première bouillie après s'être lavé la bouche à l'eau tiède. Il écouterait les doléances des uns et des autres. Cela le conduirait jusqu'à l'heure de son bain. Ensuite, il prendrait place sous le dubale et écouterait les doléances des uns et des autres en mâchant un cure-dents.

Yassa revint, accompagnée d'un autre esclave, portant une calebasse d'eau chaude et, plus surprenant, un pli cacheté. La fille plia le genou :

« C'est arrivé dans la nuit, maître. Un Peul qui arrivait de Hamdallay l'a porté... »

Siga tourna et retourna le pli. Les rudiments d'arabe qu'il était parvenu à acquérir s'étaient depuis longtemps estompés dans sa tête. Il ne savait plus ni lire ni écrire. Il ordonna :

« Va me chercher Mustapha... »

Mustapha était son sixième fils, le seul qui donnait du goût à la paternité. Tous les autres enfants étaient trop attachés à Fatima et prenaient fait et cause pour cette épouse acariâtre et vieillissante. En attendant Mustapha, Siga se leva avec l'aide de Yassa et sortit dans la cour. C'était l'aube. Des mosquées de Ségou sortait l'infernal vacarme des muezzins. Car rien à faire, l'islam se répandait comme une maladie sournoise dont on n'aperçoit les progrès que trop tard. C'était à croire que la mort spectaculaire et tragique de Tiékoro avait suscité des vocations, même au sein de la famille.

Sans doute qu'en le voyant périr de cette façon certains, pleins de stupeur et d'envie, s'étaient interrogés : « Quel est cette foi pour laquelle on accepte de perdre la vie? » Et ils avaient marché sur ses traces. Comme pour découvrir un trésor.

Le ciel était zébré de traînées noires allant d'est en ouest, et Siga se demanda avec lassitude s'il verrait la fin de cet hivernage-là. Puis le début et la fin de combien d'autres encore? Il se lava la bouche, cracha l'eau de droite et de gauche, remit la calebasse à Yassa qui attendait derrière lui, puis il cria :

« Eh bien, où est Mustapha? »

Elle s'en alla en courant et revint bientôt avec le garçon. Mustapha cassa habilement le sceau de cire. Ses yeux parcoururent la page et Siga cria à nouveau, non parce qu'il était exaspéré de sa lenteur, mais parce qu'il jouait son rôle de vieillard quinteux.

« Qu'est-ce que tu attends?

– Elle vient de Mohammed, fa, le fils de mon père Tiékoro.

– Que dit-il? Tu veux donc que je t'étripe? »

Mustapha feignit de se hâter :

« Mon père,

« Mon temps d'étude s'est achevé et j'ai obtenu le titre de hâfiz kar[1]. Je pourrais si je le désirais aller étudier le droit ou la théologie à l'université, mais cela, je ne suis pas sûr de le désirer. Du moins en ce moment. D'autre part, Cheikou Hamadou, mon maître, était le seul lien qui me retenait à Hamdallay. Depuis qu'il a disparu, tout a changé. Son fils Amadou Cheikou qui lui a succédé n'est pas fait de même matière. Bien qu'après son intronisation il ait déclaré : " Je n'ai pas l'intention de changer quoi

1. Grade couronnant l'élève qui a appris par cœur tout le Coran.

que ce soit à l'ordre des choses ", rien n'est plus pareil. Les intrigues pour le pouvoir politique et la possession des biens matériels ont remplacé la foi et le souci de Dieu. Bref, Hamdallay n'est plus dans Hamdallay et moi, je n'ai plus rien à y faire. Tout cela donc pour t'informer qu'au moment où tu recevras cette lettre je serai déjà en route pour Ségou.

« Reçois mon salut de respect et de paix. Ton fils aimant. »

Mustapha se tut et regarda son père, attendant que celui-ci lui signifie de s'en aller. Mais Siga n'y songeait pas, partagé entre une joie immense et une profonde angoisse. Le fils de Tiékoro revenait au bercail. Alors qu'il aurait pu choisir le royaume de Sokoto où demeuraient sa mère et ses sœurs. Ah! les voies des ancêtres sont impénétrables. En même temps, c'était un musulman convaincu, ayant grandi dans une ville sainte ou qui se voulait telle. Les querelles religieuses latentes au sein de la famille n'allaient-elles pas flamber? Dans sa perplexité, Siga trouva des victimes en Mustapha et Yassa qui restaient plantés à le regarder :

« Qu'est-ce que tu attends pour me porter ma bouillie? Et toi, fous-moi le camp... »

Puis il s'assit avec beaucoup de difficulté sur un petit siège de bois, essayant d'étendre sa jambe devant lui. Il fallait réunir le conseil de famille et le mettre au courant de cette arrivée. Auparavant pourtant, ne fallait-il pas s'entretenir avec Tiéfolo? Mohammed savait-il le rôle que celui-ci avait joué dans l'arrestation et la mort de son père? N'avait-il pas le cœur plein de désirs de vengeance? Voilà qu'une fois de plus cette paix fragile qu'il s'efforçait de maintenir entre tous les membres de la famille était menacée!

Il préparait mentalement le petit discours qu'il

devrait tenir à Tiéfolo quand Yassa réapparut. Elle n'était pas seule et la venue si matinale d'un visiteur irrita Siga. L'étranger portait un manteau de soie rouge et jaune sur une blouse de soie bleue brochée. Par-dessus son bonnet de drap vert de la forme ordinaire des bonnets mandingues, il avait enroulé un turban de soie du Levant broché d'or. C'était à n'en pas douter un personnage considérable.

« *As salam aleykum...* »

Siga grommela :

« *Wa aleyka salam...* »

Ces satanés salutations musulmanes s'étaient imposées, même aux non-croyants! Puis, sa courtoisie naturelle reprenant le dessus, il invita l'inconnu à s'asseoir et lui tendit une noix de kola que Yassa était allée chercher en vitesse. Après un instant, le visiteur se présenta :

« Je m'appelle Cheikh Hamidou Magassa. Je viens de Bakel. Je ne suis pas tidjani... »

Siga eut un geste qui signifiait qu'il ne connaissait rien à ces querelles de confréries et l'autre poursuivit :

« Je suis venu te dire que le tombeau de ton frère Oumar nous appartient et qu'il doit être vénéré comme un lieu de pèlerinage. Or nous savons que conformément à vos traditions, il est situé dans votre concession. Aussi, très humblement, nous te prions de nous y donner accès... Tu n'as pas le droit de refuser. Pour nous, Modibo Oumar Traoré est un martyr de la vraie foi. »

La proposition était tellement extravagante que d'abord Siga faillit éclater de rire. Puis une réelle exaspération l'envahit. Ainsi, même mort, Tiékoro continuait de diviser les esprits et surtout de monopoliser l'attention. Lui, un saint et un martyr! En même temps, il était vaguement flatté. Penser que cet homme avait voyagé des jours et des nuits pour présenter cette requête! Penser que la concession des Traoré aurait bientôt réputation de lieu saint! Alors, le prestige de la famille qui s'était évanoui renaîtrait. A ce point de ses pensées, Siga se livra à son occupation favorite : l'autocritique. C'était sa faute si ce prestige s'était évanoui! Certes les terres des Traoré étaient toujours étendues et fertiles, cultivées par des centaines d'esclaves. Leurs greniers étaient pleins de grains. Leurs enclos, trop petits pour abriter moutons, chèvres, volailles et bêtes de selle à robe luisante. Pourtant, qui dans Ségou pouvait oublier que leur fa avait un temps imité les garankè? Taillé des bottes et des sandales? Quand Siga se reprenait à se remémorer les rêves de sa jeunesse, il ne les comprenait plus lui-même. Il reporta son regard sur le visage de son hôte. Un visage grave, marqué par la maturité et l'expérience. Cet homme-là et ceux de son pays étaient convaincus que Tiékoro était un saint. Qu'est-ce donc qu'un saint? Peut-être simplement un mortel pareil aux autres, somme de qualités et de défauts, mais habité d'une idée force à laquelle il subordonne tout?

Il fit lentement :

« Chez nous, tout se décide collectivement. Je vais parler de ta requête aux membres de la famille. Pourtant tu sais bien que nous ne partageons pas ta foi? »

Cheikh Hamidou Magassa eut un sourire bienveillant :

« Tout est en train de changer, Traoré. Est-ce que tu ne le sais pas? Est-ce que tu n'es pas à l'écoute de ce qui se passe autour de toi? Bientôt Ségou cherchera par tous les moyens à donner des preuves de son islamisation... »

« Ségou cherchera par tous les moyens à donner la preuve de son islamisation. » Qu'est-ce que cela signifiait ?

En sortant de sa case d'eau où il s'était longuement récuré avec le secret espoir d'arrêter la pourriture qui le rongeait, le phrase hantait Siga. Confronté à deux problèmes importants, il sentait qu'il fallait, avant d'affronter la famille, prendre le conseil d'esprits supérieurs. C'était vrai que le monde changeait. Autrefois, un homme n'avait besoin que de poigne pour tenir épouses, enfants, frères cadets esclaves. La vie était un chemin tracé droit, qui allait du ventre d'une femme au ventre de la terre. Si on se battait derrière un souverain, c'était simplement pour avoir plus de femmes, plus d'esclaves ou plus d'or. A présent, partout rôdait le danger d'idées et de valeurs nouvelles. Dans son désarroi, Siga décida d'aller trouver le Maure Awlad Mbarak qui dirigeait l'école coranique que Fatima faisait fréquenter aux enfants.

A cause de son éléphantiasis, il ne pouvait aller qu'à petits pas. Pourtant, cela ne l'incommodait pas. Il était devenu comme un promeneur forcé de contempler des paysages qu'autrement il aurait traversés sans les voir. Ségou n'en finissait pas de changer. Des maisons neuves avec leurs terrasses et leurs tourelles à créneaux triangulaires. De rares toits de paille. Partout, des enfants emprisonnés dans les cages des écoles coraniques. Illogique, à leur vue Siga eut un regret. Que n'avait-il poussé plus loin ses études alors qu'il était à Fès ? Mais alors ce savoir qui ne se dissociait pas de la foi islamique le rebutait.

Awlad Mbarak était drapé dans des mètres de coton indigo froissé et chaussé de babouches jaune clair, du modèle même que Siga avait rêvé de produire. En vrai Maure, il buvait du thé à la menthe et entre chaque tasse se fichait entre les dents une tige d'argent pleine de tabac à priser. Il avait vu défiler dans sa cour les dix enfants de Siga, partagé le couscous des fêtes avec Fatima et se sentait presque un parent. Il s'enquit tout d'abord :

« Comment va ta jambe? »

Siga soupira :

« N'en parlons pas, veux-tu?

– Il paraît que les Blancs ont des poudres et des onguents merveilleux pour ces choses-là...

– Les Blancs? »

Awlad Mbarak hocha la tête :

« Ils ne fabriquent pas que des armes et des alcools, tu sais? Je suis allé chez un de mes parents qui est installé à Saint-Louis sur le fleuve Sénégal. C'est là que j'ai vu les Français à l'œuvre. Je te dis que ces gens-là font des merveilles... Ils font sortir de terre des plantes que tu ne peux même pas imaginer. Ils ont des médicaments pour tout : maux de ventre, de tête, plaies, fièvres... »

Siga écoutait tout cela bouche bée. S'il avait aperçu des Espagnols quand il était à Fès, des Français, il n'en avait jamais vu. Il interrogea :

« A quoi ils ressemblent, les Français? «

Awlad Mbarak haussa les épaules :

« Pour moi un Blanc ressemble à un autre. »

Siga en vint à l'objet de sa visite :

« Awlad, mon père a vécu plus longtemps que moi. Pourtant il me semble que je suis plus vieux que lui et que je ne comprends rien à rien. Ce matin, un homme de Bakel est venu me voir. Il pense que mon frère Tiékoro est un saint...

– Et c'est la vérité! »

Siga négligea l'interruption :

« Il veut faire de son tombeau un lieu de pèlerinage. Mais surtout il m'a dit ceci : « Bientôt Ségou cherchera par tous les moyens à donner les preuves de son islamisation. » Qu'est-ce que cela peut bien signifier? »

Awlad attisa le feu de son réchaud et, au bout d'un instant, servit deux tasses de thé, dont il sirota l'une. Siga n'osait le brusquer.

« Tu vois, pendant longtemps, ici à Ségou vous avez cru que Cheikou Hamadou du Macina était votre ennemi le plus féroce. Vous avez levé vos armées contre lui. Vous l'avez combattu sans relâche. Or voilà qu'à présent apparaît un ennemi plus redoutable, assoiffé de pouvoir politique. C'est le marabout toucouleur qui avait dans le temps logé chez vous...

– El-Hadj Omar? »

Awlad inclina la tête :

« L'histoire serait trop longue et je n'en connais pas moi-même toutes les finesses. Ce que je sais, c'est que le marabout toucouleur qui est devenu très puissant convoite Ségou et que Ségou pour se défendre doit faire alliance avec le Macina... »

Abasourdi, Siga fixa Awlad Mbarak :

« Des musulmans s'allieraient à des non-musulmans contre des musulmans?

– C'est cela même. Ne me demande pas pourquoi, c'est là que tout devient trop compliqué... »

Pour ponctuer ces surprenantes nouvelles, les nuages crevèrent et les deux hommes se réfugièrent à l'intérieur de la case d'Awlad. Une échelle de bois composée de deux morceaux torses en travers desquels étaient attachés des bâtons avec des lanières de cuir non tanné servait à monter sur la terrasse pendant la belle saison. Dans la pièce principale étaient disposés des divans en cannes de mil sur lesquels Siga et Awlad s'étendirent. Siga haïssait la saison des pluies qui ne convient pas aux vieillards. Ce n'était pas seulement parce que mille douleurs se disputaient son corps dont les jointures et les articulations craquaient comme celles d'une pirogue malmenée sur le Joliba. Mais parce que ce murmure incessant de l'eau semblait celui du métier d'un tisserand s'affairant sur un linceul. Et pourtant il la désirait, la mort. Il la désirait en la redoutant. Quel était son visage? Quel sourire aurait-elle en se penchant au-dessus de sa natte?

Il accepta la troisième tasse de thé que lui offrait Awlad et interrogea :

« Est-ce que tu comprends la séduction de l'islam? Pourquoi tant des nôtres se frottent-ils à présent le front dans la poussière? »

Awlad rit :

« Tu interroges un croyant. Que veux-tu que je te réponde? Pour moi, la séduction de l'islam est simplement celle du vrai Dieu... »

Eh oui, la question était idiote. La foi ne se discute pas. Siga se leva à grand-peine. Les réponses d'Awlad à ses questions n'avaient rien éclairci. Au contraire, elles avaient épaissi le mystère. Pour justifier l'alliance contre le Toucouleur, le Macina exigerait-il donc de Ségou qu'elle « donne les preuves de son islamisation »?

La pluie n'avait pas entièrement vidé les rues. Des enfants en cache-sexe ou entièrement nus jouaient dans les flaques d'eau, sous les gouttières en bambou. Au passage de Siga traînant son éléphantiasis, ils interrompaient leurs jeux. Silencieux, presque effrayés, ils le suivaient des yeux.

Entrant dans la concession, Siga vit Fatima surgir de la cour des femmes aussi vite que le lui permettait son embonpoint. Si l'âge avait été cruel avec Siga, ne lui laissant rien de son ancienne beauté, il n'avait pas été clément non plus avec Fatima. Que restait-il de l'adolescente qui avait écrit hardiment : « Es-tu aveugle? Ne vois-tu pas que je t'aime? » sans savoir que ce mot « amour » la condamnait à un interminable exil loin des siens?

De beaux yeux dans un visage bouffi de graisse. Une chevelure soyeuse, hélas! toujours dissimulée sous des mouchoirs de tête noués à la va-vite. Dix enfants vivants, trois morts en bas âge, avaient distendu son ventre et transformé ses seins en outres flasques. Mais, alors que Siga avait craint le pire, une fois élevée au rang de bara muso du chef de famille, Fatima avait semblé faire la paix avec Ségou et accepter les Bambaras comme siens. Présente à tous les baptêmes, mariages, décès, nul ne savait mieux qu'elle régaler une assemblée avec un grand plat de couscous, un mouton cuit tout entier à la broche, le ventre rempli d'aromates. Comme elle savait un peu lire et écrire l'arabe, elle jouissait d'un grand prestige parmi les femmes de la concession et du voisinage qui la consultaient sur tout. Fatima apostropha Siga avec fureur :

« Eh bien, il paraît que le fils Tiékoro revient, et naturellement je suis la dernière à le savoir? »

Avant que Siga ait pu s'expliquer, elle poursuivit :

« Où va-t-il loger? As-tu pensé à cela? »

Siga entra dans le vestibule de sa case, attira un tabouret à lui et interrogea :

« Qu'en penses-tu toi-même? »

Fatima, qui adorait qu'on lui demande son avis, se calma et prit son air implorant :

« Elevé à Hamdallay, c'est un vrai musulman. Il ne supportera pas de vivre parmi des fétichistes. »

Siga grommela :

« Fétichistes, fétichistes! »

Pourtant, il protestait pour la forme, sachant Fatima bien plus capable que lui de résoudre les situations délicates. Comme le vieil âge rapproche et distend tout à la fois! Plus de désir du corps. Plus d'élan du cœur. Mais aussi, plus de besoin de dominer, d'humilier, de faire mal. Une solide complicité. Depuis des années, Siga n'avait plus possédé Fatima physiquement. Quand elle passait la nuit dans sa case, ils bavardaient comme ils ne l'avaient jamais fait dans leur jeunesse. Ils parlaient des jours d'autrefois à Fès. Ils parlaient de Tiékoro, comme si le bref amour que Fatima avait eu pour lui était un secret qui les rapprochait encore. Ils parlaient de l'islam, Fatima tentant de vaincre l'opposition irréductible de son mari à Allah. Sur ce point, toutes leurs discussions se terminaient par un haussement d'épaules de Fatima :

« De toute façon, l'islam vaincra... »

Et Siga enviait la foi tranquille de ces croyants.

Fatima reprit après un silence :

« Fais recrépir notre maison, dans laquelle souris et rats font bombance. Donne-lui quelques esclaves chargés de le servir... »

Siga faillit interroger :

« Ne se sentira-t-il pas exclu? »

Puis il se retint, car l'islam ne portait-il pas en lui sa propre exlusion? Quand Fatima se fut retirée, il sortit sur le seuil de sa case, fixant le dubale, et il s'adressa à Tiékoro :

« Aide-moi. Que dois-je faire? Cette nuit, en rêve, fais-moi connaître ta volonté... »

Depuis que Tiékoro n'était plus, il ne quittait pas son frère et Siga se trouvait comme un nouveau-né envahi par l'esprit d'un défunt. Il ne prenait pas une décision sans se demander : « Qu'aurait-il fait à ma place? »

Il ne portait pas un aliment à sa bouche sans lui

offrir une petite part en la posant sur le sol. Il n'éprouvait pas une joie sans vouloir la partager avec l'absent.

Plongé qu'il était dans ses pensées, il n'entendit pas Yassa s'approcher et ne s'aperçut de sa présence qu'au moment où elle lui tendait sa pâte de noix de kola. Yassa n'était pas une esclave de case. Elle venait du royaume du Bélédougou, avec lequel une fois de plus Ségou avait eu maille à partir. Elle était donc arrivée dans une file de captifs, demi nue, le visage baigné de larmes, et Tiéfolo, désireux d'offrir des présents à sa cinquième femme, l'avait achetée dans un lot.

Sans trop savoir pourquoi, la rencontrant quelques jours plus tard dans la concession, le vieux corps de Siga s'était ému. Son sexe flétri qui ne lui donnait plus d'usage s'était gonflé de sève dans son large pantalon bouffant, tendant la toile souple. Un peu honteux, il s'était approché de Tiéfolo pour négocier la cession de la fille.

Comme il faisait rouler sur sa langue la petite boule de pâte amère et bienfaisante, Yassa s'approcha et fit doucement :

« Maître, je suis enceinte... »

La joie et l'orgueil inondèrent Siga. Ainsi tout vieux et décati qu'il était, il était encore capable de donner la vie? Néanmoins, il cacha ses sentiments comme il se devait et dit avec désinvolture :

« Bon, les ancêtres fassent que ce soit un garçon! »

Yassa resta prosternée devant lui, et il avait sous les yeux les jolies rosaces de ses tresses. Elle poursuivit, très bas :

« Maître, quand tu ne seras plus là, qu'adviendra-t-il de moi et de mon enfant? »

Cette interrogation stupéfia Siga. Depuis quand une esclave questionne-t-elle son maître? Mais avant qu'il ait pu exprimer son courroux, Yassa reprit :

« Tu as dix enfants de notre mère Fatima. Autant de tes deux concubines. Que restera-t-il à mon enfant? Pense à cela, maître, pense à cela... »

Là-dessus, comme effrayée de sa propre audace, elle se retira. Heureusement, car déjà Siga cherchait sa canne pour la rouer de coups. Impudente, insolente créature! Pour qui se prenait-elle? Est-ce parce qu'elle avait partagé sa couche? Quel droit cela lui donnait-il?

En même temps, Siga pensait à sa propre mère. Celle-qui-s'était-jetée-dans-le-puits. Pourquoi l'avait-elle fait? N'était-ce pas parce qu'on avait disposé d'elle? Et lui, n'en avait-il pas été marqué à vie? Ah! les femmes! Que fallait-il en faire? Que voulaient-elles? Que cachaient leur beauté et leur docilité, autant de pièges pour enchaîner l'homme?

Tout avait commencé par Sira qui, un beau matin, était repartie pour le Macina, brisant le cœur de Dousika. Puis Maryem, qui avait rassemblé ses enfants et s'en était allée, refusant l'époux que la tradition lui donnait. A présent, Yassa réclamait des droits pour son enfant. A croire qu'elles se donnaient le mot pour se rebeller, chacune à sa manière... Pour se rebeller? Mais contre quoi? Ne leur suffisait-il pas de savoir qu'aucun homme n'est grand devant celle qui l'a porté? Que, par-delà le jeu consenti des apparences, aucun n'est puissant devant celle qu'il aime et qu'il désire?

Comme l'ombre s'épaississait, Siga hurla pour avoir de la lumière. Est-ce qu'on l'oubliait? Est-ce qu'il était déjà mort? Est-ce qu'il n'était plus le maître? Un jeune esclave entra en hâte pour allumer la lampe au beurre et, pour se soulager, Siga l'attrapa par le bras. Cependant, au moment où il s'apprêtait à le frapper, il vit le visage de l'enfant, résigné et presque empreint de pitié devant cette fureur sénile. Alors il eut honte de lui-même et le laissa aller.

Tous les événements de la journée repassaient dans sa tête. L'annonce du retour de Mohammed. La surprenante requête de Cheikh Hamidou Magassa. Les propos d'Awlad Mbarak. Et pour finir la grossesse de Yassa. Que de responsabilités! Que de décisions à prendre!

Le plus important cependant était de bien accueillir le fils de Tiékoro. Il croyait entendre la voix de son frère la veille de son arrestation :

« Surtout veille sur Mohammed. Je sens qu'il est comme moi, il ne sera jamais heureux. »

Qui est heureux sur cette terre?

Oui, il ferait de son mieux et protégerait Mohammed contre ceux que le souvenir de son père indisposait encore. Ce ne serait pas toujours facile. La suggestion de Fatima était-elle bonne et fallait-il le loger hors de la concession familiale?

Siga soupira, prit une pincée de pâte de kola dans l'écuelle et se leva péniblement pour aller voir Tiéfolo. Comme il ramenait vers lui sa jambe, raclant le sable de la case et s'appuyant lourdement sur sa canne, une douleur fulgurante lui traversa le côté tandis que la nuit se faisait autour de lui. Il eut tout juste le temps de voir le visage de Tiékoro, souriant, penché au-dessus du sien, avant de retomber en arrière. Affolé comme une bête prisonnière, son esprit se mit à tournoyer. Etait-ce la mort?

Pas encore, pas encore! Il lui restait tant de choses à régler!

2

LE cheval de Mohammed allait au pas, dressant l'oreille, tressaillant au moindre bruit, sentant dans l'ombre l'odeur des troupeaux de buffles et d'antilopes dérangés dans leur retraite et s'enfuyant à l'abri des fourrés.

Mohammed lui-même, tressautant légèrement en suivant les mouvements dc sa monture, égrenait sans discontinuer son chapelet. Ce n'était point parce qu'il avait peur et voulait se garder des esprits malfaisants qui rôdent la nuit. C'était simplement parce que la prière était l'état naturel de son être.

Quelques mois auparavant, il aurait été dangereux de suivre ce chemin allant de Hamdallay à Ségou en se dirigeant vers le gué de Thio. Les méharistes touaregs, deux par deux à dos de leurs dromadaires, profitaient de l'obscurité pour foncer sur les villages des Peuls en représailles contre leur domination sur Tombouctou. Espérant profiter de ces tracasseries entre « singes rouges », les Bambaras de la rive gauche du Joliba galopaient jusqu'à Tenenkou pour razzier des bœufs et tuer des bergers peuls. Attaqués sur deux fronts, les Peuls, quant à eux, ne demeuraient pas inactifs et lançaient leurs javelots sur tout ce qui bougeait.

Or depuis peu le calme et l'unité se faisaient dans

la région. Touaregs, Peuls et Bambaras pansaient leurs blessures et s'apprêtaient à se liguer contre El-Hadj Omar qui levait des armées de convertis et de captifs enrôlés de force, dans des buts que l'on ignorait encore, mais que l'on redoutait déjà.

Ce renversement d'alliances décidé par les politiciens et les religieux laissait les peuples sans voix. Pendant des générations, on leur avait appris à se haïr et à se mépriser les uns les autres. Brusquement, on leur demandait d'apprendre à vivre ensemble et on leur désignait un nouvel ennemi, les Toucouleurs. Mohammed avait eu connaissance d'une lettre adressée au successeur de Cheikou Hamadou par le cheikh El-Bekkay de Tombouctou, autrefois ennemi irréductible du Macina, et qui disait :

« Ne permets pas que Ségou tombe entre les mains d'El-Hadj Omar. S'il en prenait possession et s'emparait de toute sa puissance, chevaux, hommes, or, cauris, que ferais-tu alors? Assurément, tu ne peux croire qu'il te laisserait tranquille même si tu ne le menaçais pas. Sans l'ombre d'un doute, ce qui arriverait, c'est que le peuple de ton pays passerait de son côté. »

Toutes ces tractations l'écœuraient. Il s'en apercevait, le souci de l'islam était secondaire. Il s'agissait surtout de luttes pour le pouvoir et le contrôle de terres.

Brusquement, le cheval buta sur une racine. La bête était fatiguée. Il fallait lui permettre de se reposer. On s'arrêterait donc au premier village.

Mohammed avait vingt ans. Il était noble. Et pourtant, son cœur n'était que douleur. La veille, les paroles de Tidjani étaient tombées, sifflantes comme la lame d'un cimeterre tranchant le cou d'un condamné :

« Ne parle plus de cela. C'est impossible. Tu n'épouseras jamais Ayisha. »

Il la pressentait, cette réponse. Pourtant, en l'entendant, il lui avait semblé que des pelletées de terre l'ensevelissaient dans la nuit de la terre. Il avait bégayé :

« Mais, père, il n'y a pas de sang entre nous. »

L'autre s'était levé, en grande fureur :

« Ne parle plus de cela... »

Mohammed était prêt à admettre qu'il avait bousculé les procédures d'usage. C'est un fait : il aurait dû rentrer à Ségou. Informer la famille et par l'intermédiaire de griots chargés de présents contacter Tidjani. Pourtant, ne pouvait-on pardonner son impatience alors qu'il s'engageait dans un périlleux voyage? Il ne voulait pas s'avouer qu'il avait voulu forcer la main d'Ayisha elle-même. L'obliger à se prononcer. A exprimer enfin ses propres sentiments. Hélas! le calcul avait été faux de bout en bout. Après son entrevue avec Tidjani, il était allé la trouver sous l'auvent où elle sucrait au miel le lait caillé. Elle avait seulement dit :

« Mon père a parlé, Mohammed. »

Est-ce que cela signifiait qu'elle ne l'aimait pas? Alors autant mourir. Oter son burnous et ses vêtements. Entrer dans l'eau noire du Joliba. Dériver au gré du courant. Un jour, des pêcheurs somonos découvriraient son cadavre. Mohammed aperçut les formes sombres des cases d'un village et flatta le flanc de sa monture afin qu'elle se hâte.

C'était un village sarakolé, reconnaissable à la forme de ses cases, flanquées de leurs greniers à mil, juchées sur des pattes de bois grêles et groupées autour d'une belle mosquée de terre. Mohammed entra dans la première cour et frappa dans ses mains. Au bout d'un moment, une silhouette sortit sur la véranda au sol fait de bouse de vache battue, en s'éclairant d'une lampe au beurre. Mohammed cria :

« *As salam aleykum.* Je suis un musulman comme toi. Peux-tu m'abriter pour la nuit?

– Est-ce que tu es un bimi? »

Mohammed rit et s'avança, distinguant à présent le contour du visage de l'homme jeune, méfiant, avec de gros sourcils emmêlés comme la tignasse qui couvrait le crâne.

« Moitié bimi. Moitié n'ko[1]... Beau mélange n'est-ce pas? »

L'homme hésitait visiblement, partagé entre les traditions d'hospitalité et le souvenir de tant de brimades et d'exactions exercées contre les paysans. Combien de fois des guerriers de toute race, peuls comme sarakolés, n'avaient-ils pas pris prétexte du Coran pour faire main basse sur leurs armes? Mohammed leva comiquement les mains au-dessus de sa tête :

« Vois, je n'ai qu'un chapelet! »

L'homme finit par lui faire signe d'approcher.

« Attache ton cheval près de la case des poules. J'espère qu'il ne leur fera pas peur... »

Mohammed obéit, puis suivit son hôte. Déjà, sa femme s'était levée et sans attendre des ordres sortait sur la véranda pour réchauffer du couscous de mil. A chacun de ses pas, les rangées de perles de ses hanches dissimulées sous le lâche pagne de nuit tressautaient et cette douce musique rappelait à Mohammed celle des bracelets d'argent torsadé qu'Ayisha portait aux chevilles. Oui, si Ayisha ne l'aimait pas, autant mourir tout de suite. Mais comment ne l'aimerait-elle pas? Est-ce que son amour à lui pouvait manquer de l'atteindre et de la

1. N'ko : surnom donné par les Peuls aux Bambaras; le mot signifie « je dis ».

parcourir, inondant son cœur, montant jusqu'à ses lèvres et obscurcissant toutes les pensées de sa tête? Pourtant il n'avait jamais été capable de lire dans ses regards autre chose que la tendresse due à un frère.

La femme de son hôte lui présentant une calebasse d'eau, Mohammed sortit de sa rêverie et la remercia d'un sourire. A en juger par l'ameublement de la case, il s'agissait d'un paysan prospère. Le lit, fait de deux murettes en terre surmontées de nattes épaisses en nervures de feuilles de palmier, était recouvert d'une couverture européenne. De même, de petits tapis jonchaient le sol entre les corbeilles à habits et, luxe des luxes, des bougies, non allumées cependant, étaient plantées dans des chandeliers de métal. Ce mélange d'objets traditionnels et d'objets de traite venus de la côte, à partir de Freetown qui concurrençait Saint-Louis du Sénégal, bien que fascinant, ne retenait nullement l'attention de Mohammed absorbé par son idée fixe.

Une fois rendu à Ségou, il presserait son père Siga de faire la demande en mariage auprès de Tidjani et celui-ci finirait bien par se laisser convaincre. Autrement... Autrement? Mohammed n'osait aller jusqu'au bout de sa pensée.

« Il paraît que le Mansa Demba de Ségou va se convertir à l'islam! »

Relevant la tête vers son hôte, Mohammed sourit :

« Ou peut-être simplement faire semblant. C'est là tout ce que lui demande Amadou Cheikou... »

Pendant un instant, on n'entendit que le léger bruit de mastication de Mohammed. Puis, l'homme insista :

« Est-ce que tout cela ne te dégoûte pas? Pour garder leurs empires, ils font n'importe quoi. Ils changent de religion. Ils se font des présents après s'être fait la guerre. Ils se traitent de frères, après n'avoir songé qu'à s'égorger... »

Mohammed se lava les mains :

« Que veux-tu? C'est le monde des puissants. Un monde à côté duquel celui des bêtes dans la brousse est harmonieux et pacifique.

Mohammed reprit la route avant le lever du soleil, car il avait hâte d'arriver à Ségou. Si la nuit appartient aux esprits et fait se terrer hommes et animaux, au petit matin ces derniers prennent leur revanche. Des pintades sauvages et des perdrix couraient sous les pas du cheval. Campés sur les rochers, des singes cynocéphales à crinière de lionceau aboyaient furieusement au passage de cet humain trop hardi tandis que des hordes d'abeilles bourdonnaient au-dessus de sa tête. Çà et là, on apercevait les empreintes laissées par les hyènes somnolant à présent sous quelque buisson. Soudain la brousse fut en feu et, dans la lueur des flammes qui l'emportait encore sur celle du jour, Mohammed vit bondir pêle-mêle gazelles, sangliers, buffles... Le vent ne parvenait pas à dissiper les épais nuages aussi noirs que ceux de la pluie qui heureusement s'amassait et allait mettre bon ordre à tout cela.

Dans un panier, la femme de son hôte avait placé des poules blanches, des œufs et un petit sac de haricots, présents de paix et d'amitié, outre des provisions de bouche. Mohammed avait dormi dans la case réservée aux visiteurs de passage. Il s'était à peine étendu sur le lit qu'une jeune esclave était entrée, car le paysan et sa femme entendaient l'honorer.

La fille était à peine pubère, les tresses ornées de perles de verre et de bijoux de cornaline tandis qu'à son nez brillait un petit anneau de métal. On sentait qu'elle avait été réveillée en hâte, sommée de se laver et de se parfumer avant de se livrer au plaisir de cet inconnu. Mohammed l'avait interrogée :

« Comment t'appelles-tu? »

Elle avait fait, d'une voix presque inaudible :

« Assa... »

Alors il s'était approché d'elle :

« Retourne d'où tu viens, Assa. Je ne te souillerai pas... »

Eperdue, hésitant entre la crainte d'encourir la colère de ses maîtres et le bonheur de n'avoir pas à livrer son corps, elle avait obéi. Au matin, le paysan avait dévisagé Mohammed à la dérobée, brûlant de lui poser des questions. Or, Mohammed était pur, son amour pour Ayisha lui ayant interdit de jeter les yeux sur toute autre femme.

Le cheval se mit à trotter. Soudain heureux de vivre, car le soleil s'était levé. La grosse boule rouge commençait à se vautrer dans le ciel luttant comme elle le pouvait contre les vapeurs de la pluie. Mohammed traversa Sansanding sans s'arrêter. C'était une importante cité où se côtoyaient librement musulmans et non-musulmans. Les premiers avaient édifié quelques-unes des plus belles mosquées de la région grâce aux dons de commerçants dont les caravanes résistaient bien à l'invasion des produits de traite. Apparemment, ils ne s'offusquaient pas des cases-fétiches des seconds qui, souvent, s'élevaient près des marchés et aux carrefours. Mohammed le savait, cette tolérance, cet islam complaisant avec les infidèles faisaient horreur à El-Hadj Omar. Avait-il raison? Dans cette grande querelle qui commençait d'agiter les esprits, Mohammed n'avait pas d'opinion définie. La générosité de son cœur lui soufflait que tous les hommes sont frères quel que soit le nom de leur dieu.

Etait-ce une pensée hérétique? Cela ne revenait-il pas à pardonner à ceux qui avaient assassiné son père?

Au sortir de Sansanding, Mohammed dirigea son cheval vers la berge du fleuve incrustée de gros coquillages, puis chercha un coin sec près d'un bosquet de graminées et de cram-cram[2]. Au loin, une barque tournoyait, sa voile de raphia gonflée par le vent, maintenue tant bien que mal par des cordages. Il pria longuement, effectuant des rekkat surérogatoires[3]. Quand il se releva enfin, il s'aperçut que des femmes étaient apparues, portant sur leurs têtes des calebasses de linge à laver. Mohammed avait appris à redouter l'effet qu'il produisait sur les femmes. Tant qu'il avait été un adolescent, mendiant à Hamdallay, elles s'étaient bornées à remplir sa calebasse de morceaux de poulet, de riz et de douceurs. Au fur et à mesure qu'il grandissait, leurs regards s'étaient chargés d'autres désirs que celui de le combler de nourriture. Et Mohammed en éprouvait une réelle horreur. C'était comme s'il avait vu Maryem, la mère lointaine et bien-aimée, ou Ayisha, la princesse interdite, dévisager un homme de cette manière. Une femme doit-elle éprouver du désir? Non, elle doit accepter celui de l'homme que son amour pour elle purifie.

Les femmes déballèrent leur linge et, l'ayant trempé dans l'eau, commencèrent de le frotter avec du savon de séné. En même temps, leurs yeux, brillants, agrandis de kohol, ne lâchaient pas leur proie. Ce n'étaient pas des musulmanes. Leur religion ne leur imposait pas un comportement plein de retenue devant l'homme. Au contraire, elles

2. Plantes épineuses de la région.
3. Prières supplémentaires, autres que les cinq prières canoniques obligatoires.

étaient accoutumées à le railler, à le plaisanter dans des échanges aux sous-entendus chargés de sexualité auxquels Mohammed, grandi à Hamdallay, n'était pas habitué.

Que faire? Ramasser ses effets et partir? Il y songeait déjà quand les femmes entonnèrent une petite chanson à la fois ironique et tendre :

Le vent soufflait et la pluie menaçait.
Le bimi vint s'asseoir sous un arbre,
Pauvre bimi!
Il n'a pas de mère pour lui apporter du lait,
Pas de femme pour moudre son grain,
Pauvre bimi!

Mohammed s'arma de courage et s'approcha d'elles :

« D'abord, je ne suis pas un bimi. Je suis un n'ko comme vous et je rentre dans ma famille où, dès ce soir, j'aurai quelqu'un pour m'apporter du lait et me moudre du grain... »

L'une d'entre elles était particulièrement jolie avec ses seins pareils à des mangues et son ventre bombé entouré de plusieurs rangs de perles. Elle fit hardiment :

« Tu es marié, toi? »

Mohammed s'accroupit sur ses talons :

« Non, celle que j'aime ne peut pas être à moi! »

Les femmes rirent de plus belle. Il était évident qu'elles ne pouvaient entendre un tel langage. Un homme n'est-il pas force, virilité, voire brutalité? Et celle qu'il convoite, ne doit-il pas s'en emparer? Or Mohammed ne sentait en lui que faiblesse et douceur. Il n'avait à l'esprit nul rêve de gloire et de conquête. Il ne voulait qu'être aimé.

Une autre femme interrogea :

« Pourquoi parles-tu comme un bimi si tu es un n'ko? »

Mohammed sourit :

« Est-ce que tu ne sais pas que bientôt, il n'y aura plus ni bimi ni n'ko? Tous unis contre le Toucouleur... »

Puis il se leva et retourna vers son cheval qui broutait sans entrain quelques brindilles sur la berge. Il entra dans Ségou avant la nuit.

Après avoir vécu huit ans dans le calme austère de Hamdallay, dont les seuls bruits étaient les appels des muezzins, Ségou effraya presque Mohammed par sa turbulence. Quand il était enfant, la ville se résumait pour lui à la concession des Traoré, à la zaouïa de son père, au palais du Mansa dont il allait admirer les gardes et leurs fusils. Brusquement, il comprenait pourquoi, après les Peuls, les Toucouleurs rêvaient de s'en emparer. C'était cette richesse, cette prospérité qui débordaient sur les marchés, sur les étals des artisans, qui s'affichaient dans les façades des lourdes maisons hérissées de tourelles, touchant les basses branches des cailcédrats. Une foule de femmes et d'hommes aux vêtements faits d'épaisses bandes de coton, sous des burnous ou des boubous de soie, allait et venait, s'arrêtant pour écouter des musiciens ou regarder les bouffons dans leurs postures acrobatiques. Des tondyons en habit jaune, le fusil sur l'épaule, se dirigeaient vers les cabarets déjà pleins de buveurs de dolo, bavards et rieurs. Mohammed fut surpris, car il y avait des mosquées partout! Autrefois, les seules mosquées étaient celles des quartiers somonos ou maures. A présent, le croissant ornait une infinité de minarets, dressés comme des houlettes de bergers.

Bien des regards se levaient vers Mohammed. A quelle famille appartenait-il? On s'arrêtait pour épier le chemin que son cheval allait emprunter. Tiens, il dépassait le marché aux bestiaux où de jeunes Peuls tentaient de discipliner leurs troupeaux avant de les reconduire hors des murs à côté des dromadaires des Touaregs? Est-ce qu'il se dirigeait vers la pointe des Somonos? Non, il continuait à descendre les rues, les sabots de sa bête martelant la terre molle.

Mohammed eut un coup au cœur. Car à l'endroit où s'étendait autrefois la zaouïa de son père, il n'y avait plus qu'une étendue de terre, à présent boueuse. Les femmes l'avaient plantée de nosikũ, plante qui demande le pardon aux ancêtres pour les fautes commises. Quant à la concession elle-même, elle lui parut encore plus importante. Il descendit de cheval, attacha sa monture à un anneau fixé sur une façade et, frappant entre ses mains, entra dans la première cour.

Il y régnait une agitation extraordinaire. Des esclaves couraient dans tous les sens. Des féticheurs faisaient brûler des plantes ou interrogeaient des cauris. Des enfants étaient livrés à eux-mêmes. Personne ne lui prêta attention. Il entra dans la deuxième cour et avisa un jeune homme, guère plus âgé que lui :

« Je suis un fils de cette maison. Mon nom est Mohammed... »

Le jeune homme le prit dans ses bras :

« Ah! Mohammed, je suis ton frère Olubunmi. On craignait que tu n'arrives trop tard. Père Siga est au plus mal... »

Retrouver un être alors qu'il est engagé dans l'inexorable voyage de la mort. Alors que son esprit est déjà au loin. Ses yeux obscurcis. Sa parole inaudible.

La case était envahie par les fumigations et Mohammed aurait voulu chasser tous ces guérisseurs. Car seule la prière convient aux derniers instants. En même temps, une ritournelle obsédante trottait dans sa tête : « Faites qu'il me regarde! Faites qu'il sache que je suis là! »

Il lui semblait que son harmonieuse réinsertion dans la famille était liée à cette reconnaissance. Qu'il n'avait d'autre soutien que ce vieillard agonisant.

Olubunmi le toucha à l'épaule :

« Notre père Tiéfolo te demande... »

Mohammed rangea son chapelet dans la poche de son burnous.

Si les années avaient défait Siga, elles avaient respecté la belle stature de Tiéfolo, l'ampleur de son torse, le modelé de ses jambes. Seuls ses cheveux, qu'il portait encore longs et tressés, avaient consenti à blanchir. Tiéfolo était partagé entre des sentiments paternels et le souvenir du rôle que Tiékoro avait joué dans la famille. Aussi son comportement était-il totalement incohérent.

Quand Mohammed parut, de le voir si jeune, si ouvertement vulnérable, son cœur s'émut. Le serrant étroitement contre lui, il fit :

« Quel triste retour nos dieux t'ont-ils préparé! Une maison en pleurs... »

Malgré lui cependant, il ne pouvait s'empêcher de prononcer « nos dieux » avec agressivité, comme pour bien signifier qu'ils n'étaient pas ceux de Mohammed. Celui-ci répondit :

« Père, seul le mécréant pleure les morts. Car il oublie le bonheur de l'âme, lampe du corps... enfin réunie au divin. »

Le mot « mécréant » était certainement malheureux, mais Mohammed était trop troublé par les circonstances de son retour et la confrontation avec ce père dont il savait, d'après les paroles de sa mère Maryem, « qu'il avait joué un rôle dans la mort de Tiékoro », pour faire preuve de diplomatie. Il irrita Tiéfolo en lui rappelant les propos sentencieux et le ton supérieur de son frère défunt. Aussi, il fit brutalement :

« Accepteras-tu de demeurer parmi des " mécréants ", comme tu nous appelles? »

Mohammed tenta tant bien que mal de réparer sa gaffe :

« Le sang, le sang n'est-il pas plus fort que tout? »

En fait, il aurait suffi d'un rien pour que Tiéfolo et Mohammed parviennent à s'aimer en dépit du passé. Car bien des choses les rapprochaient qui avaient nom timidité, sensibilité, manque de confiance en soi-même et par-dessus tout sens de la famille. Pourtant, ils n'en eurent pas conscience. Tiéfolo crut Mohammed prévenu contre lui par des rumeurs et des ragots, qui amplifiaient le rôle qu'il avait joué dans l'arrestation de Tiékoro. Mohammed s'imagina indésirable.

Brusquement, les hurlements des femmes éclatèrent, immédiatement suivis de chants rythmés par des battements de mains :

J'irai au marigot, ma mère!
Un mauvais oiseau m'a adressé son chant!
J'irai au marigot, mes mères!
Un mauvais oiseau m'a adressé son chant!
Les femmes pleurent,
Les femmes se lamentent,
Car leur grand cultivateur s'est couché!

Tiéfolo se leva en vitesse, imité par Mohammed. Comme ils se dirigeaient vers la case de Siga, ils virent adossée à un mur une toute jeune fille, secouée de sanglots, le visage inondé de larmes. Il était évident qu'il ne s'agissait pas là de pleurs de circonstances plus ou moins rituels, mais d'un désespoir personnel, navrant et solitaire. Tiéfolo répondit à l'interrogation silencieuse de Mohammed :

« C'est Yassa, la dernière concubine de ton père Siga... »

Mohammed s'éloigna, emportant la vision d'un visage jeune, infiniment défait, infiniment troublant.

3

La mort qui frappe par surprise est mauvaise. Bien sûr, elle ne bat jamais le tam-tam, la mort. Pourtant, elle laisse à certains le loisir de disposer de leurs femmes, de leurs biens et de donner des directives à leurs successeurs. Dans le cas de Siga, rien de cela ne fut possible. Aussi, une fois ses funérailles terminées, Tiéfolo, qui prit la direction de la famille, se trouva face à une multitude de problèmes, jusque-là masqués par le consensus d'affection apitoyée qui s'était fait autour du défunt, et rendus brutalement urgents.

Donner une réponse à Cheikh Hamidou Magassa qui attendait patiemment dans une case de passage. Faire cohabiter non-musulmans et musulmans toujours plus nombreux dans la concession. Obliger les veuves qui s'abritaient derrière les prétextes religieux à accepter les époux désignés par la famille. Et surtout accueillir Mohammed. Empêcher qu'il ne s'impose comme un héritier d'une nature particulière, comme le flambeau de l'islam qui rallierait les convertis et les indisciplinés. A vrai dire, le garçon était charmant. Facile à vivre. Respectueux. Courtois jusqu'à l'effacement. Pourtant, Tiéfolo croyait flairer, dans ces qualités mêmes, un danger possible. Trop d'idéalisme. Trop de générosité. Une sorte de refus de tout ce qui est censé faire l'homme.

Aussi, chaque fois qu'il était en sa présence, Tiéfolo hésitait entre le désir de le réconforter comme un enfant peureux et de le brutaliser. Il l'interrogea :

« Pourquoi n'es-tu pas allé étudier dans une de vos universités? »

Mohammed se tenait la tête baissée et, cette fois encore, Tiéfolo fut frappé, presque rebuté, par la perfection de ses traits. Cette beauté féminine, elle aussi, était dangereuse. Mohammed sembla s'armer de courage et bégaya :

« Père, il faut que vous sachiez ce que j'ai sur le cœur. Je sais bien qu'un fils respectueux prend l'épouse que la famille lui donne. Mais moi... j'aime... une jeune fille et si je ne l'ai pas... je mourrai... »

Tiéfolo le regarda avec stupeur, presque avec effroi. Mourir pour une femme? Etait-ce là ce qu'enseignait l'islam? Pas étonnant d'une religion qui interdisait l'alcool et châtrait les hommes, les transformant en moutons broutant l'herbe l'un à côté de l'autre. N'était-ce pas aussi à cause d'elle que Mohammed dormait seul chaque nuit alors qu'il ne manquait pas d'esclaves pour le satisfaire?

Il se contint et fit :

« Une Peule du Macina? »

Très vite, Mohammed se mit à parler d'Ayisha, mais Tiéfolo l'interrompit, sourcils froncés :

« Tu dis que c'est la petite-fille de ta grand-mère Sira? C'est donc ta sœur? »

Mohammed entama ce discours qui n'avait pas su convaincre Tidjani :

« Père, ma grand-mère Sira s'est remariée à un Peul du Macina. Quelle parenté cette descendance a-t-elle avec notre famille? »

Tiéfolo continua de réfléchir, se perdant visiblement dans le labyrinthe des généalogies. Puis il conclut, d'un air choqué :

« Cela ne se peut pas, Mohammed. C'est ta sœur... »

Comme Mohammed se préparait à insister, il lui signifia avec sa fermeté coutumière que l'entretien était terminé. La mort dans l'âme, Mohammed s'en alla. Quelle conception obtuse et absurde de la géographie du sang! Fallait-il s'incliner et renoncer à Ayisha? Jamais! Jamais! Pour la millième fois, il se répéta son infaillible argumentation qui n'avait que le tort de ne convaincre personne. Lui qui n'avait jamais désobéi aurait bien passé outre et serait remonté sur son cheval pour aller enlever Ayisha. Mais se prêterait-elle à ce rapt?

« Mon père a parlé, Mohammed! »

Est-ce que ce sont là les paroles d'une femme amoureuse?

Mohammed regagna sa case non loin de l'enceinte où se trouvaient les tombes des défunts de la famille. Celle de Tiékoro était placée un peu en retrait comme pour symboliser son destin particulier. Dans son désespoir, Mohammed s'assit près d'elle. Ah! si son père avait vécu, il aurait su le comprendre et vaincre les ridicules répugnances des deux familles. Mais voilà, il était seul. Sa mère au loin et tous ceux qui auraient pu le défendre à des pieds sous terre. Puis il eut honte de ce désespoir. Pourtant, comment commander à son cœur? S'il n'avait pas Ayisha, il ne désirait rien de la vie.

Comme il demeurait là, Olubunmi s'approcha de lui. Seul fils vivant d'un fils mort au loin, Olubunmi, que la famille appelait Fanko[1], avait été couvé comme un enfant miraculé. Cela n'était point parvenu à lui gâter le caractère et ceux qui guettaient en lui l'héritage de Malobali s'accordaient à dire que le fils était bien différent du père. Mohammed

1. Fanko : mot bambara qui signifie « né après le père ».

s'était pris d'une vive affection pour ce frère qui s'était trouvé symboliquement là pour l'accueillir le jour de son retour. Il désespérait seulement de faire de lui un musulman. Olubunmi opposait à toutes ses tentatives de conversion un scepticisme souriant.

« Tous les dieux se valent. Pourquoi vouloir en imposer un seul au-dessus des autres? »

Olubunmi s'assit près de Mohammed en prenant soin cependant de se tenir à quelque distance de la tombe :

« Un messager du Mansa vient d'entrer chez notre père Tiéfolo. Il paraît que cela te concerne...

– Comment cela? »

Olubunmi ne résista pas au plaisir de jouer à l'important :

« Il paraît que le Mansa va envoyer une délégation dans le Macina et il désire que tu serves d'interprète...

– Moi? »

Il est certain que l'idée était saugrenue. Mêler à une délégation du royaume un garçon d'à peine vingt ans qui ne s'était distingué nulle part! Olubunmi prit un air finaud alors qu'il ne faisait que répéter ce qu'il avait entendu :

« Il est évident que le temps de l'islam est venu à Ségou et crois-moi, on va l'utiliser, le sang de notre père. Tiékow... »

Une fois de plus, Mohammed fut écœuré. Oui, l'islam se fanait jusqu'à ressembler à un vêtement décoloré. Après la mort de Cheikou Hamadou, très vite les soucis temporels étaient venus vicier la foi. Ce saint que tout le monde révérait n'avait-il pas, bousculant toutes les règles, préparé la succession de son fils Amadou Cheikou? Et celui-ci ne préparait-il pas déjà l'avènement de son fils Amadou

Cheikou, au détriment de ses propres frères? Quels sont les moteurs du cœur de l'homme?

Ce que Mohammed ignorait, c'était que, sous son calme apparent, la tête d'Olubunmi était pleine de rêves de voyages et d'aventures. Ceux qui croyaient qu'il n'était pas le digne fils de Malobali se trompaient. En réalité, la même impatience bouillonnait en lui. Le même désir d'action. Il était de ceux qui s'assemblaient près des marchés pour écouter les récits de ceux, de plus en plus nombreux, qui avaient vécu sur la côte, vu des Blancs, parlé leurs langues et manié leurs armes. Ainsi le vieux Samba lui avait-il décrit Freetown où il avait passé de longues années, son port et ses bateaux aux ventres chargés de billots de bois qui cinglaient vers l'Europe. C'est par lui qu'il avait appris que les Blancs avaient une autre écriture que celle des Arabes et que, autant que les fétichistes, ils haïssaient l'islam. Il lui avait même appris à dessiner quelques lettres qui mises bout à bout formaient son nom : Samba. Comment s'écrivait Olubunmi? Cela, le vieux Samba l'ignorait.

Passant devant la case de Tiéfolo, ils le virent assis dans le vestibule, en grande conversation avec le messager du Mansa et Cheikh Hamidou Magassa. Sûrement d'importantes décisions allaient être prises... Dans quel sens?

Mohammed ne savait trop que penser. Ainsi, il allait peut-être retourner à Hamdallay? Certes, il s'était juré de n'y revenir que pour obtenir la main d'Ayisha. Mais, du moins, pendant quelques jours il allait la voir et surtout découvrir ses véritables sentiments à son endroit.

« Mon père a parlé, Mohammed! »

Est-ce que ce sont là les paroles d'une femme amoureuse?

Ce fut le soir après le repas que Tiéfolo informa

les hommes de la famille des décisions qu'il avait dû prendre sous la pression du Mansa. Des pèlerinages de musulmans seraient autorisés sur la tombe de Tiékoro. Mohammed ferait partie d'une délégation de réconciliation qui se rendrait bientôt dans le Macina.

C'est avec un haussement d'épaules blasé que les bonnes gens de Ségou apprirent que le Mansa Demba et le souverain du Macina s'apprêtaient à faire ami-ami. Ils s'assemblèrent près des portes pour voir partir, en direction de Hamdallay, le cortège des notables précédés de leurs griots, montés sur des bêtes magnifiques et suivis d'esclaves ployant sous le poids des présents. On leur avait dit que les agissements du Toucouleur rendaient cette réconciliation nécessaire, ce qui ne les surprenait pas outre mesure. Le nom d'El-Hadj Omar était devenu synonyme de malfaisance. Les événements de son passage à Ségou avaient été amplifiés. On parlait de pluie de sang et de cendres tombée du ciel, de tremblement de terre qui avait englouti le palais du Mansa, puis d'une terrible sécheresse qui avait transformé en amas de croûtes pierreuses les berges du Joliba. Les gens bien informés savaient qu'El-Hadj Omar résidait pour l'heure à Dinguirayé dans le Fouta Djallon où ils n'avaient jamais mis les pieds, quelque part non loin du Joliba, mais beaucoup plus au sud. Des voyageurs racontaient que cette ville était devenue une place forte imprenable et un lieu de prières, encore plus ferventes qu'à Hamdallay. Dans chaque rue des mosquées. Au centre une forteresse dont les murs avaient dix mètres de hauteur, à l'intérieur de laquelle El-Hadj Omar résidait avec ses femmes, ses enfants et ses hommes de confiance. Les voyageurs racontaient aussi que les disciples obligeaient à prononcer la fameuse phrase : « Il n'y a de dieu que Dieu... » Sinon, clic-clac, ils coupaient les têtes.

A ceux qui les comparaient aux Peuls de Cheikou Hamadou quelques années plus tôt, les voyageurs soutenaient que les gens du Macina étaient des êtres doux et tolérants, comparés aux hordes d'El-Hadj Omar.

Une fois la poussière retombée sous les pas des chevaux, Olubunmi retourna tristement vers la concession. Mohammed était parti au milieu d'adultes qui l'entretenaient comme un pair, vu sa connaissance des choses de l'islam et de la vie à Hamdallay. Quelles aventures l'attendaient? Peut-être aurait-il l'occasion de se faire un nom glorieux? En tout cas, il échappait à la routine de la vie à Ségou. C'était déjà enviable!

Olubunmi avait suivi quelques années d'enseignement coranique, tout en recevant l'enseignement initiatique des sociétés secrètes. C'est dire qu'il portait des gris-gris autour de sa taille, auxquels étaient mêlés des rectangles de parchemin portant des versets du Coran dont, d'ailleurs, il était capable de réciter quelques sourates. Il se vêtait à la musulmane, mais portait les cheveux longs et tressés. En un mot, il incarnait l'époque de transition que connaissait Ségou. En outre, il ne parvenait pas à oublier le sang étranger qu'il portait en lui. Une mère Agouda du Bénin? Qui à Ségou pouvait se vanter de pareille originalité? Un père qui était descendu jusqu'à la côte alors que la plupart des Bambaras n'avaient jamais franchi le Joliba!

Olubunmi éprouvait des sentiments fort contradictoires à l'endroit de ce père. Il l'admirait et l'enviait puisqu'il avait effectué ces voyages dont il rêvait lui-même. D'autre part, mort au loin, sans recevoir de sépulture parmi les siens, il était sans doute devenu un de ces esprits sans bienveillance qui désespèrent de se réincarner et rôdent dans l'invisible. Aussi, parfois le soir, croyait-il entendre ses plaintes dans le souffle du vent, le piétinement de la pluie ou le crépitement du beurre de la lampe. Fidèlement, il n'oubliait jamais d'offrir des sacrifices à sa mémoire, même si Mohammed lui répétait la parole du Prophète : « Ni leur chair ni leur sang n'auront quelque effet. Seule ta piété y parviendra... »

Olubunmi entra chez le vieux Samba qu'il trouva assis sur son lit de bambou. Samba grimaça :

« Eh bien, ton frère est parti? »

Le cœur un peu gros en songeant à Mohammed qui galopait sur sa belle monture, Olubunmi haussa les épaules :

« Oui, le barbouilleur de planchettes est parti... Samba, parle-moi de tes voyages... »

Le vieux Samba fit la coquette :

« Je t'ai déjà parlé de cela des dizaines de fois. Que veux-tu encore entendre? »

Puis il bourra cette pipe qui achevait de lui donner grand prestige auprès d'Olubunmi, car elle était faite de bruyère d'Ecosse et venait d'un pays de Blancs, et commença :

« Vous autres, vous ne pouvez pas vous imaginer ce que c'est que la mer. Le Debo vous étonne déjà. Et pourtant, on en voit la rive. Des îlots à sa surface. Vos barques zigzaguent entre les roseaux. La mer, c'est comme un grand ciel qui serait toujours en mouvement. Elle ne s'entend pas avec le vent et quand il se lève, elle se fâche, elle fait le gros dos comme une panthère furieuse et tant pis pour les bateaux à sa surface. Moi j'ai été un lapot[2] pendant trois années. Tu vois, quand j'étais petit, des Maures

2. Aide-marin africain.

m'ont enlevé à mes parents et emmené dans le Cayor. C'est là que j'ai rencontré des Français...

– Comment sont-ils, les Français? »

Le vieux Samba n'aimait pas les interruptions. Il feignit de ne pas entendre cette question directe :

« C'est M. Richard qui m'a employé. Cet homme-là faisait venir toutes sortes de plantes de son pays et les expérimentait. Et puis, il en inventait d'autres. Si tu savais ce que sa main faisait sortir de terre! Coton, indigo, oignon de Gambie, bananier, papayer, soump, séné, arachide... Il disait que nos pays sont des jardins! Puis, un jour, j'en ai eu assez de me pencher sur la terre et je suis parti droit devant moi. C'est comme ça que je suis arrivé à Freetown. Là, attention, ce sont d'autres Blancs, des Anglais...

– Parle-moi de Freetown, Samba! »

Une fois encore, Samba ignora la question et poursuivit :

« Moi, je n'ai jamais travailé avec les Anglais puisque je connaissais déjà la langue des Français et c'est comme ça que je suis monté sur leurs bateaux. Je suis descendu jusqu'à Cape Coast...

– Mon père est allé là-bas, lui aussi! »

Le vieux Samba cracha un jus noirâtre :

« Peut-être, mais ce n'était pas un laptot, lui! »

Olubunmi dut en convenir et insista :

« Parle-moi de Freetown...

– Mais que veux-tu que je te dise? Tu n'as jamais vu la mer. Tu ne sais pas ce qu'est un brick, une goélette, un brigantin, une felouque. Tu ne connais que les pirogues des Somonos... »

Olubunmi baissa le nez, tout honteux. Le vieux Samuel reprit :

« On m'a dit qu'à présent les Blancs font marcher leurs bateaux avec de la vapeur...

– De la vapeur! »

Pour éviter que son jeune interlocuteur ne lui pose des questions sur ce sujet qu'il possédait mal, Samba changea de conversation :

« Avec les Blancs, on peut aussi devenir soldat. Un fusil double, un pantalon rouge avec des galons, et voilà...

– Qu'est-ce qu'on fait quand on est soldat?

– On se bat, pardi...

– Mais contre qui? »

Ni le vieillard ni le jeune homme ne pouvaient répondre à cette interrogation. Les Blancs n'avaient pas besoin de se battre pour se procurer des esclaves puisqu'on leur en apportait jusqu'à la côte. Que visaient-ils donc avec leurs fusils? Olubunmi n'osait pas penser que le vieillard se trompait, mais cela lui paraissait bien invraisemblable. Des soldats? Peut-être alors s'en allaient-ils au pays des Blancs pour se battre contre leurs ennemis?

Perplexe, Olubunmi reprit le chemin de la concession. Dire que Mohammed galopait dans son beau boubou bleu ciel, alors qu'il était là à s'ennuyer et traîner les pieds dans cette terre molle de fin d'hivernage! Une foule considérable se tenait devant l'entrée de la concession, tandis que dans les cours régnait un silence de mort. A croire que les enfants eux-mêmes avaient renoncé à leurs jeux et à leur turbulence. Debout parmi les adultes ils demeuraient comme figés sur place. Olubunmi baissa la voix :

« Qu'est-ce qu'il y a?

– C'est Yassa. Elle a avalé les poisons de fa Tiéfolo... »

Il y avait tant d'horreur contenue dans cette brève information que Olubunmi resta sans voix. Avalé des poisons de chasse! Si, l'âge et les charges aidant, Tiéfolo avait réduit le nombre de ses expéditions en brousse, il n'en demeurait pas moins un des grands karamoko de Ségou, présent à tous les Foutoutèguè[3]. Il gardait ses carquois de flèches dans une petite case où il faisait également macérer des poisons, ces mélanges de strophantus et de pourriture cadavérique. L'année précédente, des moutons, qui avaient rompu leurs liens et goûté, curieux, à ces breuvages, étaient tombés foudroyés, le museau couvert d'écume. Olubunmi bégaya :

« Elle est morte?...

– On lui fait boire des décoctions de tiliba... »

Olubunmi n'avait jamais prêté grande attention à Yassa. Ce n'était qu'une esclave, attachée, il le savait, à son père Siga. Brusquement ce geste forcené la dotait d'une individualité. Pourquoi avait-elle agi ainsi? Il regardait la case où Yassa agonisait peut-être comme un temple où étaient à l'œuvre des forces mystérieuses. Se donner à soi-même la mort! Quel acte terrible! Et peut-on à ce point braver les ancêtres!

Une femme sortit dans la cour et chassa ces curieux et ces enfants, debout là les bras ballants. Une autre suivit, portant une calebasse recouverte d'un linge d'où se dégageait une odeur fétide...

Cependant, à l'intérieur de la case, la mort n'avait pas voulu de Yassa. Après l'avoir flairée, après avoir joué avec elle comme un fauve avec sa proie, elle l'avait laissée aller. Mais, suite à ce terrible face à face, le corps de Yassa s'était ouvert, expulsant avant l'heure le fruit qu'elle portait. Un enfant était né, boule de membranes et de glaires.

Moussokoro, l'accoucheuse que l'on avait fait chercher, prit le petit corps et se dirigea vers le seuil de la case pour y voir plus clair. Etait-ce un mort-né? C'est-à-dire un être ayant perdu ses composantes spirituelles et dont il faudrait patiemment

3. Cérémonie anniversaire de la mort d'un chasseur.

rechercher l'esprit là où il s'était enfui, avant de le mettre en terre? Moussokoro sentit une faible palpitation sous ses doigts. Non, c'était un vivant! Elle ordonna donc à une femme de lui apporter de la bière de mil mêlée d'eau afin de le purifier à l'issue de son terrible voyage. Puis elle distingua un bourgeon fragile comme une pousse d'arbuste. Son cœur s'emplit de joie. Elle se tourna vers une de ses aides :

« Va prévenir fa Tiéfolo que la famille compte un bilakoro de plus! »

Déjà, apprenant que mère et enfant étaient en vie, Fatima, la veuve de Siga, qui devait donc se comporter comme la sœur aînée de Yassa, entra précipitamment. Fatima n'avait jamais haï Yassa, qu'elle considérait comme la dernière jouissance offerte à un homme qui en avait eu très peu. Elle s'agenouilla auprès de Yassa, encore inerte, les yeux clos, et murmura sans trop de sévérité cependant :

« Allah te pardonne ton péché! »

Puis elle alla regarder le nouveau-né qu'à présent Moussokoro baignait dans la bière de mil avant de l'oindre de beurre de karité. Il était si petit, à peine plus gros qu'une poignée de poussins, qu'on ne distinguait pas encore ses traits. Pourtant, Fatima crut reconnaître le grand front de Siga, la courbe de son menton. Son cœur s'émut. En elle-même, elle dit :

« Bonne arrivée, Fanko! »

Car elle le savait, né après la mort de son père, on l'appellerait ainsi.

Tiéfolo et le féticheur Soumaworo entraient à leur tour. Il y avait naissance, donc joie. Soumaworo s'accroupit pour égorger un coq rouge dont il laissa couler le sang afin d'en badigeonner le sexe et le front de l'enfant. Tout en faisant ce sacrifice, il le scrutait du regard. De quel défunt était-il la réincarnation? On mit l'enfant dans les bras de Yassa. Si faible. Si fragile. Les paupières pareilles à de minuscules coquillages recouvrant les yeux, le nez pas plus épais qu'une tige de mil, la bouche, tomate naissante, ronde et un peu froissée. Yassa regardait cette merveille. Qu'est-ce qui l'avait créée? Son corps qui rechignait au plaisir de Siga, rebuté par son odeur de maladie et de mort? Celui de ce vieillard qui soufflait en la pénétrant? Non, les dieux s'étaient accouplés pour donner pareil prodige. Les dieux, qu'il fallait remercier.

Elle serra le petit être tout neuf contre elle. Avec une avidité qui étonnait, venant d'un corps si dérisoire, il se passait la langue sur les lèvres comme pour savourer les dernières gouttes de lait de chèvre dont on les avait humectées. Ce geste trahissait la force de vie qui était en lui et dont elle avait failli le priver à jamais. Ah! elle n'aurait pas assez de tous les jours de son existence pour expier à force d'amour, de soins, de tendresse le crime qu'elle avait tenté de commettre! Elle souffla tout contre son oreille :

« Bienvenue, Fanko, dans le monde des vivants où, désormais, tu as ta place. Avec moi... »

4

Alhadji Guidado, l'un des sept marabouts qui assuraient la police à Hamdallay, faisait aussi partie du Grand Conseil, sans lequel aucune décision n'était prise à travers le Macina, et était donc un des hommes les plus influents du royaume.

Le Grand Conseil se composait de quarante membres, tous docteurs en droit et en théologie, dont trente-huit siégeaient dans la salle aux Sept Portes qui ouvrait sur le tombeau de Cheikou Hamadou, devenu lieu de pèlerinage pour les musulmans de la région. Alhadji Guidado était de ceux qui s'opposaient à toute alliance avec Ségou, rappelant que l'islam, s'il s'allie au polythéisme, n'est plus l'islam. Hélas! pour la première fois, ses conseils n'avaient pas été écoutés et il avait été mis en minorité avec ses partisans. Il sut taire son chagrin et sa colère et fit seulement :

« Fasse Allah que nous ne regrettions pas les décisions que nous avons prises aujourd'hui. Mais, je le répète, se préparer à rassembler des troupes pour aider des infidèles contre des musulmans et considérer qu'il est permis de combattre ceux-ci n'est pas compatible avec la foi. »

Tous les yeux se tournèrent vers Amadou Cheikou, qui se tenait là où autrefois son père siégeait. Mais, depuis bientôt trois mois, Amadou Cheikou était affaibli par une maladie contre laquelle les médecins et les prières étaient impuissants. Aussi, il se laissait complètement manipuler par le cheikh El-Bekkay, venu de Tombouctou et convaincu, quant à lui, de la nécessité d'une alliance avec le Mansa de Ségou. Ces relations entre les deux hommes étaient d'autant plus surprenantes qu'autrefois le cheikh El-Bekkay n'avait pas caché son hostilité au Macina qui tenait Tombouctou en vassalité et lui imposait son ordre. Mais c'était le signe des temps! Les amis de la veille devenaient les ennemis du jour. Les ennemis, les amis.

Amadou Cheikou ne dit mot, exposant à tous son visage au teint cireux et au regard déjà absent, lointain, conversant avec l'invisible. Alhadji Guidado enfila ses babouches qu'il avait laissées près de la porte et reprit :

« Permettez-moi de me retirer. Vous le savez, aujourd'hui je marie mon troisième fils, Alfa... »

L'assemblée murmura les phrases de bénédiction rituelle tandis qu'Amadou Cheikou interrogeait avec bonté, toujours sans tenir compte de l'esprit de rébellion du marabout :

« A qui le maries-tu donc, Alhadji?

– A Ayisha, la fille de Tidjani Barri, dont le père Modibo Amadou Tassirou vivait à Tenenkou... »

Amadou Cheikou hocha la tête pour signifier que cette généalogie le satisfaisait. Puis il fit :

« Tout à l'heure, je viendrai partager les prières des jeunes époux... »

C'étaient là paroles de politesse : l'on savait qu'il ne se déplaçait plus au-dehors. Là-dessus, Alhadji se retira. Quittant la salle aux Sept Portes, il passa près du tombeau du maître et son cœur s'emplit de douleur. Ah! s'il avait vécu, ce saint, il n'aurait jamais cédé à ces considérations politiciennes. Lui qui toute sa vie avait combattu les infidèles de

Ségou! Heureusement, les fils ne ressemblent pas aux pères. Aussi, qui sait si les décisions qu'avait prises Amadou Cheikou ne seraient pas défaites à leur tour par son fils Amadou Amadou? Un faible espoir envahit Alhadji, puis il s'efforça de ne penser qu'au mariage de son fils. A vrai dire, cette union ne le satisfaisait pas. Oui, Ayisha était jolie, parfaite, mais la famille à laquelle elle appartenait se composait de musulmans médiocres, gens qui récitaient tout juste quelques sourates et n'avaient jamais lu un texte religieux. Même, Alhadji les soupçonnait de porter des gris-gris sous leurs vêtements et d'offrir de temps à autre des sacrifices à des « fétiches ». Mais, apparemment, Alfa s'était entiché de la fille et la jeunesse d'aujourd'hui se piquait d'aimer sans se soucier uniquement du choix des parents. Si Alhadji s'était laissé convaincre, c'est qu'Alfa, d'une certaine manière, lui donnait du souci. C'était un excellent fils. Il venait de terminer sa première éducation religieuse, faisant l'admiration de tous ses maîtres par la profondeur de son esprit. Mais précisément, si on ne le corrigeait pas, il risquait d'être gâté par un goût pour le monachisme.

C'est ainsi qu'il allait sans cesse répétant la sourate du Très-Haut : « Mais vous préférez la vie dans ce monde. Et cependant la vie future est meilleure et perpétuelle. En vérité, cela est dans les livres anciens d'Abraham et de Moïse. » Ce mariage, plaise à Allah, le ramènerait peut-être sur terre. Car il n'est pas bon que l'homme devienne un eunuque, incapable de brûler pour un corps de femme.

La concession d'Alhadji Guidado faisait face à la mosquée. Alors que de nombreux Peuls du Macina faisaient bâtir, à la manière des Bambaras ou des habitants de Djenné, de grandes maisons en terre avec des toitures en terrasses, Alhadji s'était fait un point d'honneur de conserver les usages de son ethnie. Sa concession se composait de cases de forme circulaire, aux parois de paille tressée. Au centre de la cour s'élevait un hangar soutenu par des piliers faits de troncs d'arbres accolés. C'est là que se tenait la foule entourant les futurs époux. Des gamins tenaient par les cornes des moutons à laine soyeuse du Fermagha, qui allaient être sacrifiés. Les femmes faisaient circuler des bassines de lait caillé, mêlé de dattes et de feuilles de menthe, tandis que des cuisines s'élevait l'odorant fumet du tatiré Macina.

Qu'Ayisha était belle ! Elle portait une robe d'une seule pièce d'un tissu de soie venu de Tombouctou. Pourtant, ce qui retenait tous les regards, c'était sa coiffure. Un haut cimier central tendu à la perfection et flanqué de grosses tresses entremêlées de fils d'or et d'argent. Pour l'occasion, sa mère et les femmes de la famille lui avaient suspendu aux oreilles des boucles d'or torsadées qui avaient bien six centimètres de diamètre, si légères cependant qu'elles se balançaient au souffle de l'air. A part cela, on ne pouvait compter ses bracelets, ses bagues, les colliers à ses poignets et à ses chevilles. Alfa était vêtu avec sa coutumière simplicité d'un boubou de toile fine. Alors qu'il aurait dû être transporté au faîte du bonheur et de l'orgueil, c'est sans ivresse qu'il regardait Ayisha. S'il avait suivi la pente naturelle de ses inclinations, il ne se serait jamais marié ! Mais Ayisha l'aimait tant qu'elle l'avait conquis ! C'était comme un feu auquel il avait été exposé par surprise et qui l'avait fasciné par son éclat. Alfa regrettait l'absence de Mohammed. Comme son ami l'aurait raillé !

« Eh bien, toi aussi, tu succombes à l'attrait de la femme ? »

A vrai dire, Mohammed, même absent, avait beaucoup compté dans cette union. Ayisha n'était-elle pas sa sœur? Et n'était-ce pas un moyen de se rapprocher encore de lui? Pourtant, à chaque fois qu'il avait voulu aborder ce sujet avec sa promise, elle s'était dérobée avec une étrange répugnance.

En attendant l'arrivée de l'imam, qui était aussi le frère d'Alhadji Guidado, les conversations allaient bon train. Elles tournaient toutes autour de Ségou. Les guetteurs avaient annoncé que la délégation avait traversé Sansanding et était déjà entrée dans Diafarabé.

Certains s'accommodaient de la réconciliation avec Ségou. Ils demandaient seulement qu'Amadou Cheikou envoie des hommes de confiance voir ce qui s'y passait du point de vue religieux. Si les Bambaras étaient sincères, alors qu'ils brisent leurs cases-fétiches et multiplient l'édification des mosquées...

D'autres s'y refusaient absolument. Aussi, ils souhaitaient que le Macina revienne à la règle de succession collatérale dont il s'était écarté à la mort de Cheikou Hamadou. Alors Ba Lobbo, frère du cheikh et chef suprême de l'armée, monterait sur le trône. Il n'y avait pas musulman plus intransigeant que celui-là, on verrait bien quel serait son camp!

D'autres encore n'osaient pas avouer qu'ils étaient tentés par la voie tidjani. Ils avaient lu *Ar-Rimah*[1] l'œuvre maîtresse de El-Hadj Omar, et cet islam intransigeant, semblable à celui d'Hamdallay autrefois, qui récapitulait d'une certaine manière les vertus des tourouq[2] antérieures, les séduisait. Ils répétaient onze ou douze fois la *Djawharatul-Kamal*[3] :

1. *Les Lances.*
2. Confréries de l'islam.
3. « La Perle de la perfection », prière de bénédiction.

O dieu, répands tes grâces et ta paix
Sur la source de la miséricorde divine, étincelante [comme
Le diamant, certaine dans sa vérité, embrassant
Le centre des intelligences et des significations...

Tout ce bavardage cessa avec l'apparition de l'imam. On recouvrit la tête d'Ayisha d'un voile blanc. La cérémonie du mariage commença.

Au même instant la délégation de Ségou entrait dans Hamdallay. Selon une pompe bannie dans cette cité musulmane, les griots venaient en tête. Le son ample du dounoumba alternait avec celui des tamani et s'interrompait par instants pour permettre aux joueurs de flûte et de violon de se faire entendre à leur tour. Des cavaliers en habit jaune tiraient des coups de fusil et l'on respirait une odeur de poudre que depuis longtemps Hamdallay avait oubliée. Les habitants sortaient en hâte de leurs concessions et se tenaient devant les kakka[4] de tiges de mil, partagés entre l'admiration que causait un si beau spectacle et le mépris que leur inspiraient ces fétichistes.

Mohammed venait lentement presque en queue de délégation, juste devant les esclaves qui portaient les présents que le Mansa Demba envoyait au souverain. Depuis plusieurs nuits, il était torturé par un rêve. Toujours le même. Il entrait dans la concession d'Ayisha. Elle reposait sur sa natte, les yeux clos, la tête tournée vers le sud, les pieds vers le nord. La famille était en pleurs autour d'elle et, comme éperdu, ne croyant plus à la vertu de ses yeux, il s'approchait de sa dépouille, une voix lui soufflait : « Tu vois bien qu'elle ne t'était pas desti-

4. Clôtures, en peul.

née. A présent, elle est perdue à jamais. » Alors, il se réveillait, trempé de sueur, grelottant comme s'il était atteint de souma[5].

La délégation de Ségou atteignit la mosquée et la concession d'Amadou Cheikou qui lui faisait face. Curieux, les talibés en sortaient en désordre pour regarder les Bambaras et s'étonnaient de les voir grands, beaux, nobles de visage, alors qu'on les avait dépeints comme des diables à l'haleine empestée et aux dents noircies par le tabac dont l'usage était interdit à Hamdallay. La foule considérable, rassemblée devant la concession d'Alhadji Guidado pour regarder le mariage d'Alfa et d'Ayisha, se précipita, elle aussi, pour dévisager les Bambaras. D'aucuns reconnurent Mohammed qui avait passé tant d'années parmi eux. Ce furent des rires, des salutations, des bénédictions. Quelqu'un lança joyeusement :

« On peut dire que tu arrives bien. Juste pour le mariage de ton ami...

– Alfa Guidado? »

Mohammed ne dit rien de plus. Une terrible intuition, vite changée en certitude, l'envahissait. Si Alfa Guidado cédait – enfin – aux charmes d'une femme, ce ne pouvait être que celle qu'il aimait. Alfa n'était-il pas un autre lui-même? Il descendit de cheval et franchit le seuil de la concession. Son aspect était tel qu'au fur et à mesure qu'il avançait, les bruits s'éteignaient, faisant place à un silence lourd de stupeur. Ayisha de son côté, depuis des nuits, faisait le même rêve. L'imam venait de prononcer les bénédictions rituelles. Sa main reposait dans celle d'Alfa, tandis que, renversant la tête en arrière, le poète Amadou Sandji entamait une de ses plus belles compositions. C'est alors que

5. Paludisme.

Mohammed faisait son apparition, brandissant un tilak touareg au-dessus de sa tête.

Aussi, quand Mohammed surgit en vacillant entre les musiciens, soudain terrorisés, elle crut que c'était la réalisation de son rêve. Elle eut un geste instinctif pour se protéger.

Ce qu'elle avait oublié, c'est que Mohammed n'était pas un violent. S'il marchait sur elle, ce n'était pas pour la menacer ou la blesser. C'était simplement pour l'étreindre et tomber à ses pieds, en pleurant.

« Pourquoi ne m'as-tu jamais dit que tu voulais l'épouser? »

Mohammed détourna la tête. Comment l'expliquer? C'est qu'il avait honte, tout simplement. Alfa était si pur. Il allait la tête pleine du souci de Dieu. Il ne voyait pas la terre. Il ne voyait pas les humains. Pour lui, la beauté d'une femme n'existait pas. Alors, comment lui parler d'émois du cœur, d'avidité du corps? Comment lui décrire ce désir de ne faire qu'un avec Ayisha? Il s'exclamerait :

« La créature ne doit aspirer qu'à être réunie avec son créateur! »

Alfa fixa Mohammed :

« Est-ce qu'elle savait, elle, que tu l'aimais? »

Mohammed était incapable de mentir. Alfa se leva en grande colère :

« Femelle impure et rouée! »

Mohammed protesta malgré sa faiblesse :

« Ne l'injurie pas! Comment peux-tu comprendre à quoi l'amour nous conduit? Toi, tu ne sais songer qu'à Dieu... »

Qu'à Dieu? L'énormité du blasphème était telle

qu'Alfa se demanda si Satan ne s'était pas emparé de l'esprit de son ami.

Après son esclandre, on avait emporté Mohammed à demi inconscient jusqu'à une case de passage. Par délicatesse, on avait feint de mettre sa conduite au compte de la fatigue d'une longue marche sous le soleil. Pourtant personne n'était dupe et Ayisha serait à jamais celle dont un amour coupable avait souillé les noces. Alfa marcha jusqu'à la porte de la case. La fête continuait. D'où il était, il entendait la voix du poète Amadou Sandji accompagné par le chant modulé de la flûte :

Plein les ventres, la paix à moi me comble.
O mes femmes nombreuses, mes fils nombreux
Moi, j'ai campements nombreux
Et nombreux villages serviles!

Alfa ne pouvait s'attarder plus longtemps auprès de son ami sans manquer de courtoisie vis-à-vis de ses parents et de ses invités. Il fallait au contraire paraître, jouer le jeu du naturel. Heureusement, selon la règle, trois jours se passeraient sans qu'il soit seul avec Ayisha, car il semblerait indécent que leur mariage se consommât trop hâtivement. Il aurait donc le temps de se composer une attitude en face d'elle. Pour l'heure, incapable de la regarder en face, il passa près d'elle et rejoignit son père qui s'entretenait avec l'imam de la mosquée qui venait de célébrer le mariage.

Les deux vieillards parlaient d'El-Hadj Omar, qui avait quitté Dinguiraye, sa capitale, et marchait sur le Kaarta. Alhadji Guidado répétait sa position : pas d'alliance avec Ségou. Pas d'alliance avec les fétichistes! A l'en croire, c'étaient des renforts qu'Amadou Cheikou aurait dû envoyer au Toucouleur pour l'aider dans sa grande œuvre! Le Prophète n'a-t-il pas dit : « Le croyant et l'infidèle, leurs feux ne se rencontrent pas! »

L'esprit ailleurs, Alfa écoutait cette conversation. Il souffrait. Non point tant de la trahison d'Ayisha – la femme n'est-elle pas faite pour semer le trouble autour d'elle? – que du comportement de son ami. Ainsi, Mohammed lui avait caché quelque chose. Lui qu'il croyait si proche. Lui avec qui il partageait tout. Il pensait que leurs âmes étaient faites de la même manière, leur poitrine animée d'un même souffle. Hélas! l'autre n'avait au ventre que l'envie de la fornication!

Ayisha, quant à elle, dissimulait son visage sous son voile blanc. Ce jour dont elle attendait tant de joie se terminait dans la honte et le chagrin. Elle savait qu'Alfa ne lui pardonnerait jamais d'avoir fait du mal à son ami. Et pourtant, était-elle coupable? De quoi? D'être belle? D'inspirer des sentiments qu'elle ne partageait pas? Coupable. Coupable. La femme est toujours coupable. Quand avait-elle commencé d'aimer Alfa Guidado? Il lui semblait qu'il avait toujours été présent dans son cœur. Le matin, elle guettait le son de sa voix plus fervente quand, avec ses compagnons, il mendiait sa nourriture à la porte des concessions. Chaque soir, elle gardait des restes de repas à son intention et elle courait les placer dans sa calebasse. A côté de lui, les autres talibés, Mohammed lui-même, semblaient vulgaires, faits d'une argile grossière comme celle de certains champs. L'amour ne peut se confondre avec un autre sentiment. Mohammed était un frère, tendrement chéri. Alfa était le maître qu'elle s'était choisi.

Amadou Sandji chantait un chant traditionnel d'épousée :

Il a bien raison, le roi, de nous battre.
Il bat le tambour royal pour nous en faire entendre le
[son,
Il enveloppe pour nous des femmes à la peau claire
Et les fait entrer dans les chambres nuptiales,
Il achète des noix de kola pour nous les faire cro-
[quer,
Il achète des destriers pour nous les faire chevau-
[cher...

Les femmes reprenaient en chœur le refrain :

Il a raison de nous battre, le roi.

Brusquement, un talibé entra en courant dans la cour, se précipita vers Alhadji Guidado et lui glissa quelques mots à l'oreille. Aussitôt le marabout frappa dans ses mains fines. La nouvelle était d'importance. Amadou Cheikou venait d'être pris d'un grave malaise et exigeait la présence de tous auprès de lui.

Cette nouvelle qui aurait dû gâter la fête donna un dérivatif au malaise général. Les marabouts s'en allèrent pour prier à haute voix. L'imam, pour diriger une récitation publique du Coran. Les curieux, pour aller rôder autour de la concession du souverain. On sentait que Hamdallay allait vivre des jours tissés d'intrigues et de tractations. Qui succéderait à Amadou Cheikou? Qui recevrait son bonnet, son turban, son sabre et son chapelet, symboles de suzeraineté? Son fils Amadou Amadou?, Son frère puîné? Ou un des frères cadets de son père? On disait que, quelques mois auparavant, Amadou Amadou avait déjà été désigné par son père comme successeur.

Bref, la fête se termina plus tôt que prévu et les

femmes demeurèrent avec leurs bassines à moitié pleines de tatiré macina, leurs écuelles de dattes fraîches, leurs jattes de lait caillé mêlé de farine de mil.

Alfa revint jusqu'à la case de passage où il avait laissé Mohammed. Elle était vide. Il eut beau interroger anxieusement les esclaves et les femmes. Personne ne savait ce qu'il était devenu.

Mohammed arriva devant la mare d'Amba. En cette saison, les eaux étaient hautes, agitées d'un impatient mouvement de va-et-vient qui creusait leur centre en cuvette. Des vols de dyi kono, oiseaux de l'hivernage, rasaient la surface et plongeaient leur bec à la recherche de quelque poisson ou d'une tige grasse de bourgou. Mohammed descendit de son cheval et le frappa de la main afin qu'il s'éloigne et ne reste pas là à le regarder. Mais l'animal hennit et refusa de lui obéir.

Mohammed avait galopé d'une traite depuis Hamdallay. Il n'avait qu'une idée : en finir. Non, il ne fallait pas vivre! Il ne fallait pas accepter que sa douleur s'apaise, devienne vaguement importune comme une épouse qu'on n'aime plus mais avec laquelle mille liens sont noués. Il ne voulait pas devenir semblable à tous ces hommes qui vivent sans vrai désir ni vraie joie, parce qu'ils n'ont pas le courage de se déprendre de la quotidienneté. Mourir à vingt ans. C'est-à-dire refuser l'existence avec une autre qu'Ayisha. Méthodiquement, Mohammed se débarrassa de ses vêtements. D'abord son caftan de soie blanche à encolure bordée de broderies à la haoussa. Ensuite sa tunique mi-longue. Puis, sa blouse de coton sans manches. Enfin la petite calotte qui emboîtait son crâne et il demeura là dans son pantalon bouffant, frissonnant dans l'air frais. Sous ses pieds, la terre gorgée d'eau était molle. Il se décida à avancer.

Comme il atteignait presque la rive rongée de nénuphars, Mohammed vit surgir un berger peul sur sa gauche. Drapé d'un pagne en laine noire, sous son chapeau conique, il se tenait en héron, sur une jambe, la seconde repliée à hauteur du genou, parfaitement immobile. L'apparition le surprit, car il lui avait semblé à son arrivée que les abords de la mare étaient déserts. Et puis que faisait ce berger sans troupeau dans la nuit naissante? Il faillit battre en retraite, puis il eut honte de ce mouvement d'effroi, indigne d'un croyant. Néanmoins il sortit son chapelet de sa poche et se mit à l'égrener. Que faire à présent? Se jeter à l'eau sous les yeux d'un témoin? Mohammed, demi-nu, resta là à frissonner quand brutalement le vent se leva. Les eaux de la mare clapotèrent furieusement tandis qu'une nuée de crabes au corps translucide sortaient en désordre de leurs refuges. Un grand serpent noir et blanc apparut sur un lit de nénuphars et se mit à balancer sa tête plate, aux yeux couleur d'ambre, de droite et de gauche. Ces choses n'étaient pas naturelles. Mohammed battait en retraite quand il entendit appeler son nom. C'était la voix de Tiékoro. La voix de son père qu'il n'avait pas entendue depuis des années et dont les accents faisaient de lui à nouveau un petit garçon tremblant et traçant d'une main malhabile des lettres sur sa tablette. Il tomba à genoux :

« Père, où es-tu? »

Le berger peul laissa tomber son chapeau, découvrant son visage empreint de douleur. Des larmes ruisselaient le long de ses joues. Mohammed balbutia :

« Père, pourquoi pleures-tu? »

Pourtant, ne savait-il pas la réponse? Son père

pleurait parce qu'il se condamnait au feu éternel, détruisant délibérément le temple de son corps. Et pour quoi ? Pour l'amour d'une femme. Toute l'horreur de sa résolution lui apparut. Il fallait vivre au contraire. Vivre. Vivre, purifié de désirs et d'émotions frivoles. Ah! qu'il était heureux qu'Ayisha n'ait pas partagé ses sentiments, puisqu'il aurait vécu enchaîné à son corps. Tandis qu'à présent, il était seul. Seul avec Dieu. Il balbutia :

« Père, pardonne-moi. »

Comme il se précipitait vers la forme immobile pour l'étreindre et lui signifier son repentir, le berger peul disparut. Ce fut si soudain que Mohammed crut avoir été victime d'une illusion. Impossible! Il entendait encore résonner son nom. Il sentait encore sur son visage le feu d'un regard. Alors il comprit que, par amour pour lui, Tiékoro avait quitté un instant le féerique Djanna, lieu d'asile de ceux qui ont su préserver leur cœur de passions. Une force nouvelle l'envahit. Oui, il allait vivre. Se battre. Désormais il serait un soldat d'Allah. Il enfila hâtivement ses habits, prit par la bride son cheval qui demeurait immobile, comme pétrifié par l'apparition et le flatta de la voix :

« Allons, ma belle! Rentrons à présent! »

Comme il atteignait la porte de Damal Fakala au sud de la ville, des lanciers l'arrêtèrent. Amadou Cheikou était mort.

Des quatre coins de Hamdallay, des lamentations s'élevaient :

Il est mort, Amadou, le père des pauvres et leur soutien.
Il est mort, Amadou, qui fut toujours soumis à Allah
Et qui recourut tant de fois
A l'indulgence alors qu'il avait la possibilité de sévir.
Il est mort, Amadou, qui a porté si haut le nom des
[Peuls...

Malgré la nuit, la foule était massée aux carrefours, les femmes, le visage voilé, se dissimulant dans l'ombre de leurs frères ou de leurs maris. Les esprits étaient inquiets. On se répétait la prédiction du cheikh El-Bekkay : « Un ouragan sera causé par la mort d'Amadou Cheikou. Le pays ne finira pas de compter un nombre d'années égal à celui des doigts des deux mains qu'un cataclysme venant de l'ouest s'abattra sur Hamdallay et alors nous grincerons des dents. »

Depuis des années, les Peuls faisaient la loi dans la région. Même les Bambaras en étaient venus à les craindre, évitant de les affronter ouvertement. Cette paix, cette sécurité allaient-elles être à nouveau menacées? Le temps où on razziait leur bétail, où on distribuait à des étrangers leurs femmes et leurs enfants, où on exécutait leurs hommes allait-il revenir? Mohammed rejoignit les Bambaras dans la grande maison à étage où on les avait logés. On commençait de s'inquiéter de sa disparition, Alfa Guidado étant venu s'enquérir de lui alors qu'on le croyait au mariage. Mandé Diarra, le chef de la délégation, craignait que la mort du souverain ne les retienne davantage dans cette ville qu'il haïssait déjà. D'autres se demandaient si le futur maître du Macina serait dans les mêmes dispositions qu'Amadou Cheikou et si, au lieu de rechercher l'alliance avec Ségou, il ne déciderait pas de s'allier au Toucouleur pour lui faire la guerre.

Mohammed prit place dans l'assemblée, assise en rond sur des tapis de haute laine, décorés de motifs de fleurs venus du Maroc. Jusqu'alors, étant donné son âge devant ces adultes, pères de famille, souvent couverts d'exploits à la guerre ou à la chasse, il n'avait droit qu'au silence quand on ne lui demandait pas de lire ou de traduire quelque texte.

Contrairement à cette habitude, il prit la parole :

« Pourquoi se lamenter avant l'heure... C'est comme une pleureuse qui commencerait ses chants quand l'âme anime encore le corps... »

Les gens se regardèrent avec surprise. Qu'arrivait-il au fils de Tiékoro Traoré ?

5

MANDÉ DIARRA avait raison, la mort subite d'Amadou Cheikou obligea la délégation de Ségou à demeurer près de trois mois à Hamdallay.

Il y eut d'abord le deuil officiel pendant lequel aucune réunion du Conseil ne fut tenue. Puis la dépouille d'Amadou Cheikou enveloppée des sept pièces de vêtement, le pantalon, le bonnet, le turban dont l'extrémité était ramenée vers le visage, les couvertures formant capuchon, fut mise en terre à côté de celle de son père à l'intérieur de la concession où ils avaient vécu.

Après cette inhumation à laquelle n'assistaient que les parents et les membres du royaume, des lettres furent envoyées à travers le Macina et aux pays amis afin de les convier à l'intronisation du nouveau souverain, Amadou Amadou.

Amadou Amadou était encore très jeune. Il avait été gâté, couvé par sa mère et sa grand-mère et, de ce fait, il était incapable de prendre une décision. Aussi, il fut une proie parfaite entre les mains du cheik El-Bekkay qui n'eut aucune peine à lui faire adopter la même politique que son père. On sut bientôt qu'il lui avait fait signer une charte en dix points dont le premier répétait la nécessité de l'alliance avec Ségou contre El-Hadj Omar.

Les Bambaras se rongeaient le sang. A leurs yeux,

Hamdallay était une ville horrible, retranchée derrière ses murs comme une femme prude dans sa case. Les jours y étaient monotones, entrecoupés des sempiternels appels des muezzins après lesquels les hommes s'aggloméraient comme des moutons qui bêlent vers l'est. Les soirées y étaient plus éprouvantes encore, sans veillées autour du feu, sans contes, sans danses en commun. Parfois la voix grêle d'un dimadio[1] s'élevait, accompagnée d'un ridicule instrument aussi peu mélodieux qu'elle. Les funérailles d'Amadou Cheikou les choquèrent profondément. Cela, des funérailles royales? Où étaient les offrandes? Où étaient les sacrifices? Les chants et la musique? La récitation des généalogies et des hauts faits de la famille du défunt? Ils comparaient cette cérémonie hâtive et sans grandeur à celles qui accompagnaient la disparition des Mansa à Ségou.

Un matin, Amadou Amadou les fit convoquer. Un vrai bimi que celui-là! Le teint très clair, les cheveux bouclés comme ceux d'un Maure, vêtu avec une extrême simplicité d'un caftan blanc sans broderies et cependant subtilement arrogant. Il était entouré des membres du Grand Conseil au complet. Même ceux qui résidaient dans l'arrière-pays du Fakala ou sur les bords du lac Debo étaient présents ainsi que les amirabe[2] des différentes régions du royaume. On commença par réciter les prières. Ces prières qui exaspéraient les Bambaras :

« O Dieu, bénis notre seigneur Mohammed, celui
« qui a ouvert ce qui était fermé, qui a clos ce qui a
« précédé, qui soutient la vérité par la vérité... »

Enfin on put s'asseoir.

Amadou Amadou prit la parole et annonça sobrement :

1. Esclave peul.
2. Chefs militaires peuls.

« Le Kaarta est aux mains d'El-Hadj Omar. Le Mansa Mamadi Kandian accepte de se convertir à l'islam. Cette lettre que le Toucouleur m'a adressée le confirme. »

Le Kaarta! Le royaume bambara du Kaarta! Celui-là même qu'avait fondé Niangolo Coulibali alors que son frère s'installait à Ségou! Certes les querelles entre les deux royaumes bambaras n'avaient pas manqué. Pourtant, à l'annonce de cette nouvelle, elles furent oubliées. Il n'y eut de place que pour le chagrin, et le désir de revanche. Amadou Amadou tendit à Mohammed, seul membre de la délégation bambara capable de lire, un parchemin qu'authentifiait un sceau circulaire. Il portait l'écriture d'El-Hadj Omar. Mohammed le parcourut des yeux avant d'en donner connaissance aux siens.

« Les infidèles du Kaarta sont soumis. Ce pays est effacé de la carte. Telle a été la volonté de Dieu. Je ne veux que réformer autant que je puis. Mon assistance n'est qu'en Allah. Formons un seul groupe contre ses ennemis, contre nos ennemis et les ennemis de nos pères, les polythéistes! Les seuls sentiments qui conviennent entre nous, ce sont l'amour, l'affection, le respect et la considération... »

Le silence se fit dans la salle. Les Bambaras étaient terrifiés. Si le Kaarta était défait, si Mamadi Kandian s'était converti, tout pouvait arriver.

Amadou Amadou reprit la parole :

« Je ne vous cacherai pas que je n'ai pas avec moi l'unanimité du Grand Conseil. Je dirai même que j'ai dû forcer la volonté d'hommes plus sages et plus expérimentés que moi. Néanmoins voici la décision que j'ai prise. Sous la conduite d'Alhadji Guidado et de Hambarké Samatata, un groupe va vous accompagner à Ségou pour briser vos cases-fétiches et prendre acte de la conversion de votre Mansa... »

Mohammed lui-même fut atterré. Il ne partageait plus la religion des ancêtres. Mais de là à briser les cases-fétiches! Le peuple de Ségou ne s'y prêterait jamais! Dans toutes les concessions, ce serait la révolte. Le royaume vacillerait! Amadou Amadou poursuivit :

« Si vous acceptez, alors je ferai parvenir une lettre à El-Hadj Omar l'informant que Ségou est entrée dans mon allégeance. Ainsi, il ne pourra plus vous attaquer et la paix sera respectée... »

« Ségou est entrée dans mon allégeance! » Paroles inacceptables! Emporté par la fureur, Mandé Diarra se leva dans l'intention évidente de souffleter ce Peul. On dut le retenir. La délégation bambara se retira dans le plus grand désordre.

Au sortir de la salle aux Sept Portes où se tenait le Conseil, Mohammed se heurta à Alfa Guidado. Alors qu'il aurait pu profiter de la retraite qui suit les noces et pendant laquelle l'épousée est toute au souci de son compagnon, Alfa quittait sa maison chaque soir pour visiter son ami et restait avec lui fort avant dans la nuit. Les deux garçons ne parlaient jamais d'Ayisha. Au début, Mohammed avait bien été tenté de lui demander comment il se comportait avec sa femme, s'il lui avait pardonné et même s'il avait consommé son mariage. Puis il s'était retenu. Puisqu'il faisait l'effort de rayer de ses pensées une femme qui avait failli le pousser au plus grave des péchés, pourquoi s'en enquérir? Alors, Alfa et Mohammed discutaient interminablement des hadith, de l'avenir du Macina et de Ségou et surtout de l'apparition surnaturelle de Tiékoro. Cette dernière ne surprenait pas Alfa :

« Tu sais, quand un homme possède les pleines lumières de la religion au-dedans, il peut tout. Ton père était un saint. Il a pu venir à toi... Et je ne serais pas étonné s'il revenait à tous les grands moments de ta vie... »

Alfa passa le bras sous celui de Mohammed :

« Goré[3], quand tu repartiras pour Ségou, je t'y accompagnerai. J'ai obtenu de mon père l'autorisation de faire partie de la délégation du Macina... »

Mohammed se dégagea avec une violence qui le surprit lui-même et s'écria :

« Ne sois pas si sûr de toi! Nous n'avons pas encore décidé d'accepter vos propositions. »

Alfa le fixa avec tristesse et dit d'un ton de commisération :

« Vous n'avez pas le choix... »

Pour la première fois, les deux garçons s'opposaient, car, pour la première fois, Mohammed se pensait en Bambara et non en musulman. Il n'avait jamais oublié la leçon que lui avait faite son père en lui annonçant son départ pour Hamdallay : « Les croyants, même s'ils sont éloignés par la parenté et la distance, sont " frères " parce que, par la religion, ils remontent à une même origine, la foi. »

En outre, il avait grandi à côté d'Alfa Guidado, forgeant à l'écoute des mêmes maîtres son intelligence et sa sensibilité. Et voilà que soudain il se trouvait retranché de lui, prêt à assumer un héritage qu'il ne connaissait même pas entièrement et que, d'une certaine manière, il avait appris à mépriser. Ségou était en lui. Il la revendiquait.

Avec ses cases-fétiches. Avec ses sacrifices sanglants. Avec ses pratiques sombres et mystérieuses.

Hamdallay généralement si calme était en émoi. La mort d'Amadou Cheikou, l'installation du nouveau souverain, l'annonce de la chute du Kaarta,

3. Ami, frère, en peul.

c'est-à-dire de l'entrée d'El-Hadj Omar dans une région que seul le Macina se croyait chargé de convertir, tous ces événements avaient fini par briser la réserve imposée à la fois par l'islam et par l'éducation peule. On voyait même des femmes attroupées aux carrefours, à l'écoute des nouvelles qui circulaient, venues on ne savait d'où. Les maîtres désertaient les écoles coraniques et les enfants retrouvaient la joie, les rires, le chahut. De grands bœufs sans surveillance broutaient les tiges de mil des kakka entourant les maisons. Alfa et Mohammed se séparèrent devant la demeure où étaient logés les Bambaras. Pour la première fois, ils n'éprouvaient pas le désir d'être ensemble.

Et pourtant, Alfa avait raison. Ségou ne pouvait pas refuser les propositions d'Amadou Amadou. Il fallait accepter l'alliance. El-Hadj Omar était trop puissant. Ses armées, animées d'une force trop redoutable.

A Guémou-Banka, il avait fait tuer tous les hommes.

A Baroumba, il avait fait passer toute la population au fil de l'épée.

A Sirimana, il avait fait exécuter six cents hommes et emmener en captivité des milliers de prisonniers.

A Nioro du Kaarta, sa conduite avait été particulièrement sanguinaire. Il avait d'abord épargné le Mansa, qui assurait vouloir se convertir à l'islam. Puis, revenant sur sa décision, il l'avait fait décapiter devant ses femmes et ses enfants avant d'exécuter ceux-ci un à un. Ensuite, il avait permis à ses disciples de massacrer la population d'abord à l'arme blanche, puis au fusil. Les morts ne se comptaient plus.

On finissait par se demander si El-Hadj Omar était un homme né d'une femme. Est-ce que ce n'était pas l'instrument d'une terrible fureur des dieux et des ancêtres? Pourtant, quels crimes pouvaient les irriter à ce point? Aussi Mandé Diarra, après réflexion, prit une décision sage. Retourner à Ségou avec la délégation du Macina. Soumettre ses propositions au Mansa.

Quelle douleur que de découvrir un ennemi en celui que l'on aimait comme un autre soi-même! Mohammed faisait cette expérience en cheminant à côté d'Alfa.

En apparence, rien n'était changé entre eux. Et pourtant rien n'était plus comme avant. Alfa était un Peul du Macina dont Ségou allait peut-être subir la loi.

Alors ils traversaient sans parler des pays que l'hivernage rendait aussi sombres que leur humeur. Evitant le Joliba en crue, ils prirent la route de Tayawal, franchissant le Bani à des jours de marche de Djenné. Pas un homme en vue. Les paysans se terraient dans leurs villages qu'ils avaient hâtivement fortifiés. Des troupeaux de buffles venaient regarder les chevaux tandis que le chant des griots bambaras qui accompagnaient leurs maîtres faisait fuir les gazelles, taches fauves au pied des arbres à karité.

Les hommes passèrent la nuit dans un camp édifié par les esclaves peuls habitués par les anciennes traditions nomades à se protéger partout contre la nature. Ceux-ci coupaient de jeunes branches aux arbres à karité, les fichaient en terre et enroulaient autour d'elles de grandes nattes en secco[4] maintenues par des tiges de mil. Ils arrivèrent à Ségou avant le milieu du jour.

4. Paille séchée de palmier-doum.

Mohammed ne s'était jamais demandé s'il aimait Ségou. Quand il y était revenu, après ses études, il avait éprouvé beaucoup de joie à la retrouver. C'était un lieu où il avait été un enfant, gâté par sa mère et ses sœurs. Un lieu de souvenirs personnels, intimes. Brusquement, il découvrait la ville avec d'autres yeux.

Les murailles de terre s'élevaient au-dessus de l'eau grise du Joliba. Mais, au lieu de l'habituelle cohue des femmes, des enfants et des pêcheurs, il y avait tout autour un entassement de cases de paille, de tentes de peau, d'abris rudimentaires et pathétiques.

C'étaient ceux des Bambaras rescapés du sac de Nioro qui avaient rejoint le royaume de Ségou dans l'espoir d'y trouver protection. Visages creusés. Corps ravagés. Les hommes avaient vu violer leurs femmes et leurs filles. Les femmes avaient vu éventrer leurs maris. Les enfants avaient perdu père et mère et ne devaient d'être en vie qu'à la puissante solidarité des femmes, chaque mère accrochant deux bébés à ses seins, attachant deux enfants à son dos. Debout sur un monticule de terre, un griot chantait. Les disciples d'El-Hadj Omar avaient massacré ses trois fils et s'étaient partagé ses femmes qui avaient le malheur d'être belles. Alors il ne pouvait plus que chanter :

La guerre est bonne puisqu'elle enrichit nos rois.
Femmes, captifs, bétail, elle leur procure tout cela.
La guerre est sainte puisqu'elle fait de nous des
[musulmans.
La guerre est sainte et bonne,
Qu'elle embrase donc nos ciels
De Dinguiraye à Tombouctou,
De Guémou à Djenné...

En entendant ce chant, Mohammed ne put retenir ses larmes. Certes, El-Hadj Omar faisait la guerre au nom d'Allah, le seul vrai Dieu! C'était le jihad! Pourtant, ce peuple était le sien. Ses plaies les siennes, et il se surprenait à haïr un Dieu qui se manifestait ainsi par le fer et le feu! Il arrêta son cheval devant le griot, véritable épouvantail humain avec sa mitre de cuir constellée de cauris en lambeaux, son corps presque nu dissimulé tant bien que mal dans une peau de chèvre, ses plaies ouvertes et suppurantes.

« Comment t'appelles-tu? »

L'homme le fixa de ses yeux noircis par toute la souffrance du monde :

« Faraman Kouyaté, maître!

– Suis-moi! »

Claudiquant sur ses pieds blessés, enveloppés de feuilles de baobab, l'homme le suivit. Et toujours il chantait :

Ah! oui, la guerre est sainte et bonne,
Qu'elle embrase donc nos ciels...

La délégation du Macina entra dans le palais du Mansa, où elle devait être logée, accompagnée de dignitaires bambaras. Mohammed prit le chemin de la concession familiale, ralentissant le trot de son cheval afin de ne pas trop distancer Faraman. Il était heureux d'être séparé d'Alfa. En d'autres temps, il n'aurait pas manqué de le loger chez lui, de partager avec lui une case, de le présenter aux siens, en particulier à Olubunmi. A présent, en agissant ainsi, il aurait l'impression d'être un traître. N'était-il pas tout simplement un mauvais musulman? Déjà, l'amour d'une femme l'avait emporté dans son cœur sur l'amour de Dieu. A présent, l'attachement pour ceux de son peuple l'emportait sur la fraternité de l'islam. Il pensa à son père. Lui qui avait reçu El-Hadj Omar. Créé une zaouïa. Tenu tête à un roi. Un sentiment d'indignité l'envahit. Jamais il n'égalerait ce modèle.

Olubunmi, qui avait entendu annoncer l'arrivée de la délégation, se tenait à l'entrée de la concession avec Mustapha, le petit Kosa et d'autres frères. Les deux garçons se jetèrent dans les bras l'un de l'autre et s'étreignirent.

Par jeu, Olubunmi railla :

« Eh bien, le bimi est de retour... »

Le bimi? C'est vrai qu'il avait du sang peul par sa mère. Mohammed s'aperçut qu'il l'avait oublié. Passant le bras sous celui d'Olubunmi, il entra dans la concession, retrouvant avec bonheur le solide alignement des cases, le dubale central, l'odeur des fumigations de mãkalanikama qui favorise l'unité de la famille.

Olubunmi, tout heureux de retrouver son compagnon favori, bavardait sans arrêt :

« Est-ce que tu sais que Yassa a accouché d'un fils? On l'a baptisé Fanko... C'est donc mon homonyme et j'en prends grand soin. Alors tout le monde se moque de moi et me demande si je suis devenu femme. »

Mohammed s'aperçut alors que Faraman n'avait pas cessé de le suivre sans mot dire, attendant qu'il daigne se soucier de lui. Il eut un peu honte de sa légèreté. Prenant le griot par la main, il le conduisit à la cour où habitait la bara muso de Tiéfolo afin qu'elle lui donne le vivre et le couvert.

Le Mansa Demba accepta les propositions d'Amadou Amadou transmises par la délégation du Macina.

Sous la supervision des Peuls, de petits groupes de tondyons entrèrent dans chaque maison de Ségou, traversant l'enfilade des cours jusqu'aux cases où s'abritaient les pembélé et les boli. Ils les ramenèrent au jour, puis les portèrent sur la place du Palais où avait lieu l'autodafé auquel présidaient Alhajdi Guidado et Hambarké Samatata, flanqués des marabouts royaux. Un feu crépitant rongea les poils, les écorces, les racines, les billots, les queues d'animaux qui les composaient. De tous les coins de la ville, les tondyons ramenaient des moissons d'objets sacrés, brisant les pierres rouges qui représentaient les ancêtres et ne pouvaient brûler. Puis ils s'attaquèrent au quartier des forgerons-féticheurs adossé à la muraille non loin de la porte Mougou Sousou. Les outils des grands ancêtres cachés dans des trous du sol, rappel des anciennes habitations souterraines des forgerons à Gwonna, furent tirés de leurs sanctuaires. Comme on ne pouvait enflammer le fer des houes, des pioches et des haches que l'on trouvait dans les forges, on arracha le bois des manches, puis on traîna ces hommes saints sur la place où on les dépouilla des colliers de cornes d'animaux, de dents, de plumes et de feuilles qu'ils portaient autour du cou, ainsi que de leurs ceintures d'objets magiques. Ensuite on les força à s'agenouiller afin qu'un barbier rase leurs têtes vénérables. A chaque mèche de cheveux qui tombait, la foule massée sur l'esplanade du palais faisait entendre un gémissement de douleur et de colère. Dans l'excès de son zèle, un tondyon déchira le vêtement fait de fibres végétales d'un grand prêtre du Komo et le vieillard resta là stupéfait, exposant aux regards son corps noueux, ravagé par l'âge.

Quel était le calcul du Mansa? Les gens ne comprenaient pas. Comment espérait-il, en tournant le dos aux dieux de Ségou et en insultant les ancêtres qui l'avaient protégé, préserver sa puissance? Aveuglement, folie! Après pareils crimes, le nom de Ségou disparaîtrait de la surface de la terre. Ou alors, il deviendrait celui d'une misérable bourgade végétant au bord de son fleuve dont le monde ne saurait rien. Les gens diraient : « Ségou, mais où est-ce? »

Les hommes hésitaient. Fallait-il s'élancer et défendre les fétiches? Attention, les tondyons avaient des fusils et ces salauds n'hésiteraient pas à tirer. Alors demeurer là, les bras croisés? N'était-ce pas se rendre complice, prendre sur ses épaules une part du forfait et de la punition qui s'ensuivrait?

Parallèlement à cet autodafé, d'autres tondyons et d'autres Peuls parcouraient la ville et prenaient note de l'emplacement des mosquées. Ils ne prenaient pas en compte les mosquées des Somonos et des Maures, puisqu'il s'agissait de communautés traditionnellement islamisées. Ils ne s'estimaient satisfaits que si l'imam, le muezzin, les fidèles étaient des Bambaras. Aussi, supercherie des supercheries, le Mansa avait dépêché des gens en robe longue et le crâne rasé qui psalmodiaient en chœur :

« *Ah hamdu lillahi*[5]*!*

– *La ilaha ill' Allah*[6]*!* »

Et autres phrases obscènes. De même, ils dénombraient les écoles coraniques, interrogeant les maîtres sur le nombre d'élèves et le niveau d'études. Parfois ils leurs posaient des colles :

« En quoi consiste l'ihsan[7]?

– Quel est l'enseignement caché de la shahada? »

5. Loué soit Dieu.
6. Il n'y a de dieu que Dieu. C'est la shahada.
7. Comportement parfait.

Dûment chapitrés, les pseudo-maîtres d'école répondaient à la perfection.

Qui avait organisé cette mascarade, c'était la question que Mohammed se posait. Les Peuls du Macina savaient bien qu'ils n'avaient point affaire à de véritables musulmans, que les grands fétiches royaux demeuraient intacts à l'abri des cases aux autels du palais, où l'on détenait aussi quelques albinos qui pourraient être rituellement offerts à Faro si besoin en était. Ils n'ignoraient pas que ces conversions ostentatoires ne signifiaient rien et n'avaient aucun effet sur la masse des habitants, qui n'auraient rien de plus pressé que de demander aux féticheurs de refaire des boli ou des pembélé en redoublant de sacrifices pour tenter d'apaiser les dieux. Quelle honteuse alliance se tramait, et autour de quoi? Dans quel but? Le mépris et la colère se disputaient dans son cœur.

Suivi de Faraman Kouyaté qui ne le quittait guère, Mohammed était là sur la place du Palais quand un homme s'approcha de lui :

« Est-ce que tu n'es pas un Traoré, toi, fils de Tiékoro Traoré, petit-fils de Dousika? »

Mohammed acquiesça. L'homme eut un geste vif :

« Alors, hâte-toi. Le malheur vient d'entrer chez toi. »

Mohammed prit ses jambes à son cou.

6

Quand, quittant la place du Palais, Alhadji Guidado se dirigea vers la concession des Traoré, il était chargé d'une mission de grande importance. Chacun le savait, ce qu'El-Hadj Omar haïssait le plus, c'était la tolérance de l'islam vis-à-vis du fétichisme, le mélange de l'islam et des rites fétichistes. Or il y avait un bon moyen de lui prouver que le Macina ne tolérait pas plus que lui pareille pratique et ne prenait pas les choses à la légère. Tiékoro Traoré avait été un saint, un martyr de la vraie foi. A présent son tombeau se trouvait au milieu d'une concession d'incroyants, à deux pas de cases aux autels inondés de sang, dans les vapeurs délétères de plantes aux pouvoirs magiques. On disait qu'un musulman venu de Bakel pour demander d'en faire un lieu de pèlerinage pour les croyants avait attendu pendant plus de six mois une réponse mitigée. Eh bien, tout cela allait changer! Dans un grand déploiement de forces, on allait briser les cases aux autels et établir la tombe de Tiékoro Traoré dans la prééminence qu'elle aurait toujours dû avoir. S'il fallait abattre des cases autour d'elle afin qu'elle se détache comme un lis dans une broussaille d'orties, les tondyons s'en chargeraient.

En même temps, Alhadji Guidado haïssait cette

mission. Hypocrisie des hypocrisies! Voilà que le Macina d'Amadou Amadou pratiquait la muwalat avec le royaume du Mansa Demba pour avoir accès à la fortune qu'il possédait. Aussi le verset du Très-Haut le condamnait tout spécialement : « O vous qui croyez, ne prenez point pour affilié un peuple contre lequel Allah est courroucé... »

O Amadou Amadou, indigne fils de son père Amadou Cheikou, ennemi des mécréants, ami d'Allah, qui craint Allah!

Alhadji Guidado se trouva devant la concession des Traoré et, impressionné malgré lui, admira la façade décorée de nervures en relief, mise en valeur par l'alternance des décorations murales colorées de rouge ou de blanc de kaolin. Ah! ils savaient bâtir, ces gens-là!

Alhadji Guidado entra dans la première cour, suivi de son fils, de quelques dignitaires peuls et de nombreux tondyons, et se trouva nez à nez avec un beau vieillard qui se présenta avec détermination :

« Je suis Tiéfolo Traoré, fa de cette demeure! »

Tiéfolo portait une courte chemise faite de deux bandes de coton teintes en rouge, attachée sur les côtés par trois cordelettes, un cache sexe de cuir décoré de cauris, une haute coiffure à armature de peaux de bêtes entièrement recouverte de cauris et de gris-gris de toutes sortes. Le plus frappant, c'étaient les colliers et la ceinture de queues de bêtes qui agrémentaient sa poitrine et ses bras tandis qu'un arc et un énorme carquois rempli de flèches étaient suspendus à son épaule gauche. Alhadji Guidado regarda tout cela avec dégoût. Il se doutait bien que Tiéfolo ne s'était pas vêtu ainsi par hasard et qu'un tel étalage de gris-gris n'était pas gratuit. Il dit sèchement :

« Je suis envoyé par Allah. Laisse-moi faire mon devoir...

– Qui est Allah? »

Certes Alhadji détestait la mission dont il était chargé. Néanmoins, il était un musulman austère et convaincu. Il n'allait pas laisser mettre en dérision le nom de Dieu, surtout que des femmes, des enfants et des hommes étaient sortis en foule des cours intérieures pour regarder son affrontement avec le fa. La tranquille impertinence de ce dernier, qui feignait d'ignorer le nom d'Allah, le mit en rage. Il marcha sur lui et l'apostropha :

« Impie, courbe-toi devant le seul vrai Dieu! »

Ce qui se passa ensuite n'est pas clair. Les Traoré prétendirent qu'Alhadji Guidado accompagna ces mots d'une forte bourrade. Tiéfolo, se sentant insulté, mit la main à son carquois. Alors les tondyons se jetèrent sur lui et le renversèrent. Les Peuls affirmèrent au contraire que Tiéfolo cracha au visage d'Alhadji qui, ne pouvant supporter cette offense, donna l'ordre aux tondyons de s'emparer de son adversaire qui, tentant de se dégager, tomba par terre. Toujours est-il que pendant quelques instants Tiéfolo resta cloué sur le sol en faisant pour se relever des mouvements que la fureur rendait plus malhabiles encore. Il parvint à s'agenouiller et à étreindre les pans du caftan de soie blanche d'Alhadji. En même temps, ses lèvres s'écartèrent comme s'il allait parler. Mais il ne prononça aucun son et retomba par terre. Inanimé.

Un silence total régna pendant quelques instants. Ni les membres de la famille Traoré, ni les Peuls de Macina, ni les marabouts royaux et les tondyons qui les accompagnaient n'osèrent bouger. Puis la bara muso de Tiéfolo s'approcha de son mari. Il était tombé sur le côté, la face dans la boue de la concession. Elle le retourna et l'on vit son visage crispé, un peu de bave moussant à ses lèvres, aussi rouges que si on les avait teintes au ngalama. La bara muso hurla :

« Allah a tué mon mari! »

Le cri galvanisa tous les hommes de la famille. Même ceux qui secrètement s'étaient convertis à l'islam ou envisageaient de le faire, car ils avaient envie d'être admirés des femmes en écrivant à leur tour sur des tablettes, prirent des armes improvisées, gourdins, pierres, flèches. Cela pouvait-il tenir en échec les tondyons armés de fusils? En un rien de temps, ils furent alignés contre le mur des cases cependant que des gueules noires et circulaires se pointaient sur eux. Sans un regard pour le cadavre de Tiéfolo, Alhadji Guidado et quelques dignitaires peuls marchèrent vers la dernière cour où, ils le savaient à présent, se trouvaient les vases aux autels. Ils déchiquetèrent les boli, renversèrent le pembélé, dispersèrent les pierres rouges, brisèrent les poteries qui contenaient le souffle des défunts de la famille, attendant la naissance d'enfants qui leur permettraient de se réincarner. Puis, ils libérèrent la volaille blanche que l'on tenait enfermée dans un enclos en vue de sacrifices au dieu Faro.

Alfa Guidado restait effondré à côté du corps de Tiéfolo. Pas un instant auparavant, il n'avait mis en doute sa foi. Il n'avait jamais vécu que pour Allah et par Allah. Il était capable de rester quarante-huit heures sans manger ni boire. Il considérait cet acte de chair auquel le condamnait sa condition d'homme marié, puisqu'il n'avait pas répudié Ayisha, comme une souillure et priait dès qu'il ouvrait les yeux. Et pourtant, ce cri : « Allah a tué mon mari! » résonnait dans sa tête. Brusquement il comprenait qu'il n'y a point de dieu universel, que chaque homme a le droit d'adorer qui lui plaît et qu'ôter à un homme sa foi, pierre angulaire de sa vie, est le condamner à la mort. Pourquoi Allah valait-il mieux que Faro ou Pemba? Qui en avait décidé ainsi?

Des larmes ruisselèrent sur son visage. Il appuyait son front sur le torse de Tiéfolo comme si lui aussi avait été privé de père, pareil aux orphelins de la concession qui commençaient de réaliser leur malheur. Olubunmi qui par extraordinaire n'avait pas accompagné Mohammed sur la place du Palais vint s'agenouiller à côté de lui. Puis à deux, en pleurant, ils soulevèrent le corps et le portèrent dans sa case.

Tiéfolo ressemblait à un arbre tombé alors que la sève l'irrigue encore, que son feuillage ne manque pas d'éclat et que son panache s'étend orgueilleusement. Peu à peu, la paix de la mort s'était posée sur ses traits. Il ne restait plus sur ses lèvres qu'une croûte blanche que bientôt les femmes procédant à la toilette mortuaire laveraient avec de l'eau chaude aromatisée de basilic. Tiéfolo ayant été un des plus grands chasseurs de sa génération, les esclaves couraient aux quatre coins de Ségou pour annoncer son décès à toutes les confréries de chasseurs. Des karamoko et des élèves, avertis de la nouvelle, et surtout des circonstances de cette mort, arrivaient en hâte, déchargeant leurs fusils en attendant de les tourner contre les Peuls, coupables de tout le mal. Les femmes de la famille et du voisinage, hormis les épouses de Tiéfolo, avaient commencé de hurler. Déjà s'organisait le vacarme de la mort.

Mohammed entra comme un fou dans la concession au moment où Olubunmi et Alfa sortaient de la case de Tiéfolo. Sans un mot, les trois jeunes gens s'étreignirent. Mohammed et Alfa se retrouvaient. Ils se serraient l'un contre l'autre comme un couple d'amoureux qui a failli se perdre. Ils avaient appris en peu de temps toute l'horreur du fanatisme religieux avec celle des tractations pour le pouvoir qui souvent se dissimulent derrière lui. Il semblait à Alfa que la vision de son père profanant les autels des Traoré ne s'effacerait jamais de son esprit. Dieu est amour. Dieu est respect de chacun. Ah! non, Alhadji Guidado ne servait pas Dieu. Il n'était que l'instrument de l'ambition terrestre d'Amadou Amadou et cela, il ne le savait pas.

Pendant ce temps, le conseil de famille se réunissait. Certes, il était trop tôt pour désigner le successeur de Tiéfolo à la responsabilité de fa, même si on savait que ce rôle incomberait à son frère cadet. Mais il importait de venger sa mort et de présenter des revendications au Mansa. Il fallait exiger réparation de ces Peuls qui étaient entrés dans la concession comme en pays conquis. Certains hésitaient. Fallait-il attendre l'inhumation de Tiéfolo? N'était-ce pas lui manquer de respect que de distraire le temps qui était dû aux cérémonies funéraires? D'autres affirmaient au contraire qu'il fallait agir sur-le-champ. Ces derniers l'emportèrent. Un cortège quitta donc la concession, qui comprenait des frères du défunt, les aînés de ses fils, des maîtres chasseurs de ses amis. Mohammed, Olubunmi et Alfa fermaient la marche. Ce n'était pas sans mal qu'ils avaient fait accepter leur présence : on les trouvait trop jeunes.

Cependant, quand tout le monde atteignit la place du Palais sur laquelle fumaient encore les derniers boli, on entendit résonner le grand tabala royal. Le Mansa Demba était mort.

Généralement, à la mort du Mansa, le royaume est orphelin. Ce ne sont que chants funèbres, lamentations, pleurs. Outre les grandes cérémonies publiques, chacun égorge un chevreau avant d'aller défiler devant la dépouille exposée dans le premier vestibule du palais. C'est la désolation.

La mort de Demba fit une exception à cette règle et eut presque un caractère de réjouissance populaire. Pour tous les Segoukaw, c'était le signe que, offensés, les dieux avaient frappé vite et fort, qu'Allah était vaincu. On racontait que Demba, qui se portait comme un charme, avait été pris de mystérieuses douleurs alors qu'il s'entretenait avec les Peuls du Macina. Un flot de sang jaillissant de sa bouche avait interrompu leurs conversations. Puis son corps, son visage en particulier, s'était couvert de pustules. Quelques minutes après, il était mort, et tout de suite son cadavre avait exhalé une terrible puanteur.

Joie, bonheur! Comme par peur des tondyons, on n'osait pas manifester ces sentiments ouvertement, les gens dansaient derrière les murs des concessions et, de temps à autre, on entendait fuser des éclats de rire. Une chanson circulait :

Pemba, tu es le constructeur des choses,
Faro, toutes les choses de l'univers
Sont en ton pouvoir.
Celui-qui-s'assied-sur-la-peau-de-bœuf[1]
Avait oublié cela!

Elle fut vite interdite. Mais comment empêcher une chanson de courir d'une bouche à l'autre? De fleurir là où on ne l'attend pas? Une chanson, c'est insaisissable comme l'air. Et les femmes faisant tomber leurs pilons dans les mortiers fredonnaient en chœur :

Celui-qui-s'assied-sur-la-peau-de-bœuf
Avait oublié cela.

1. Expression qui désigne le Mansa.

Plus que tout autre, malgré leur deuil récent, les Traoré nageaient dans la joie. A quoi bon chercher une réparation individuelle quand la vengeance éclate? La vengeance divine? La famille avait partagé les femmes de Tiéfolo, désigné un nouveau fa, Ben, frère cadet du défunt, paisible cultivateur qui ne dédaignait pas de donner un coup de daba[2] à côté des esclaves et qui avait vis-à-vis de l'islam une attitude plus conciliante que son aîné puisqu'il avait envoyé trois de ses fils à l'école coranique des Maures.

Alors que les Peuls du Macina étaient retenus au palais à cause du deuil officiel en attendant la nomination d'un nouveau Mansa, Alfa Guidado avait quitté son père et la compagnie de ces dignitaires. Il partageait la case de Mohammed et d'Olubunmi et il savourait avec eux le bonheur d'être jeune, sans souci ni responsabilité immédiate. Lui qui n'avait pas su quelle suite donner à son mariage avait l'impression que Dieu en avait disposé au mieux. Depuis des semaines, loin d'Ayisha, il demeurait à Ségou où il avait retrouvé son ami et découvert un autre compagnon. L'esprit d'Olubunmi l'enchantait comme il enchantait Mohammed. Cette curiosité qu'il ne possédait pas lui-même. Ce désir de vérifier de quoi le monde est fait au-delà du Joliba, de la Bagoé, du désert aux portes de Tombouctou. Olubunmi les avait entraînés chez le vieux Samba qui leur avait conté ses habituelles histoires de bateaux et de Blancs :

« Est-ce que vous ne savez pas que les Blancs eux-mêmes ont peur d'El-Hadj Omar? Les Toubabs[3]

2. Houe.
3. Les Blancs.

ont bâti un fort sur le fleuve Sénégal et El-Hadj Omar veut les chasser de là... »

Cela donnait lieu à des discussions interminables. Pourquoi les Toubabs avaient-ils bâti un fort sur le fleuve? El-Hadj Omar n'avait-il pas raison de vouloir les en déloger? Les jeunes gens ne partageaient pas l'admiration du vieux Samba pour les Blancs, leurs fusils et leurs médicaments. Ces intrus à peau d'albinos n'avaient rien à faire dans la région. Ceux-là étaient de vrais infidèles, à la fois buveurs d'alcool, mangeurs de chairs immondes et parlant un informe jargon que nul ne comprenait.

Il n'y avait que deux points sur lesquels Mohammed et Alfa ne s'accordaient pas avec Olubunmi. Ceux de l'alcool et des femmes. Olubunmi ne répugnait jamais à entrer dans un cabaret pour s'emplir le ventre de dolo. De même il ne se passait guère de nuit sans qu'il n'ait commerce avec quelque esclave de la concession. Il raillait ses amis, Mohammed surtout, qui n'avait jamais connu de femmes :

« Vos verges, si vous n'y faites pas attention, vont vous pourrir entre les cuisses... »

Et c'est ainsi que Mohammed et Alfa en vinrent à parler enfin d'Ayisha. Ils étaient seuls dans leur case à la tombée de la nuit, savourant la paix de l'heure et la paix de ce temps, sachant comment elle était fragile et comment la menace d'El-Hadj Omar continuait de gronder au loin. Yassa avait passé non loin, son fils suspendu à son sein et c'était merveille de voir combien ce petit être avait rendu sa mère à la joie. Alors le désir d'un corps de femme et, plus lointain, mais tout aussi troublant, le désir de la paternité avaient remué en eux, s'ajoutant au souvenir des descriptions lyriques d'Olubunmi. C'était Mohammed qui avait commencé :

« Ainsi tu n'as jamais aimé et pourtant tu as possédé Ayisha. N'est-ce pas un péché de prendre une femme sans amour? »

Alfa resta d'abord silencieux. Il semblait à Mohammed que son ami devenait de plus en plus beau. Peut-être parce qu'il s'imposait moins de mortifications religieuses et se laissait, lui aussi, choyer par les mères de la concession, toujours prêtes à offrir un plat de to et une succulente sauce aux feuilles de baobab. Puis il se tourna vers son compagnon :

« Je ne voulais pas la prendre pour cette raison et aussi parce qu'elle t'avait fait du mal. Alors elle a pleuré...

– Pleuré d'amour... pour toi? »

Malgré lui, malgré les leçons qu'il s'était faites, Mohammed était éperdu de jalousie. Pourquoi les femmes aiment-elles celui-ci et non cet autre? Lui qui avait voulu mourir pour Ayisha, il n'avait jamais obtenu d'elle que sourires et regards de bénigne affection. Alfa poursuivit, et on sentait bien que cette conversation était pour lui un supplice qu'il était toutefois décidé à endurer jusqu'au bout :

« Elle pleurait. Elle s'est blottie contre moi. Elle était à moitié nue. Je ne sais pas moi-même ce qui m'a pris... »

Mohammed se rapprocha et interrogea fiévreusement :

« Est-ce que c'était agréable? Même de cette manière... »

A nouveau, Alfa demeura silencieux avant de répondre d'une voix troublée :

« Agréable? Le féérique Djanna ne doit pas receler plus de délices qu'un corps de femme. »

Mohammed fut atterré :

« Même si on ne l'aime pas?...

– Je crois que si j'étais resté à Hamdallay, j'aurais... J'aurais fini par l'aimer. C'est pour cela que j'ai demandé à suivre mon père. Pour m'éloigner d'elle... »

Les deux jeunes gens demeurèrent sans parler. Après pareil aveu, que dire? Mohammed était à la fois torturé par la jalousie et par la curiosité. Jalousie, en imaginant Ayisha et son ami dans les bras l'un de l'autre, les caresses qu'ils se prodiguaient, les soupirs qu'ils poussaient, la volupté qu'ils partageaient! Curiosité, en se demandant quand il connaîtrait enfin ces sensations. Bientôt la famille songerait à le marier. Ce qui compliquait quelque peu l'opération, c'est que, étant fils de Tiékoro et élevé à Hamdallay, on ne pouvait lui offrir qu'une musulmane. Ou une fille prête à se convertir. Hélas! cette épouse aurait-elle la beauté d'Ayisha et comme Alfa se prendrait-il malgré lui à l'aimer après l'avoir désirée?

Dans la cour voisine, on chantait. On riait et l'on entendait les piaillements joyeux des enfants repoussant toujours plus loin l'heure du sommeil. Quelle chaleur dans cette concession! Alfa et Mohammed se rappelaient leur éducation austère à Hamdallay. Affamés, transis, roulés de coups par un maître. Le tout au nom d'Allah! Ils se levèrent et rejoignirent le cercle familial.

Sous le dubale, Faraman Kouyaté enchantait l'auditoire avec sa chanson qui, chose étrange, avait fait le tour de Ségou comme si elle symbolisait l'attitude à la fois moqueuse et fataliste du peuple devant les décisions des puissants :

La guerre est bonne puisqu'elle enrichit nos rois.
Femmes, captifs, bétail, elle leur procure tout cela.
La guerre est sainte puisqu'elle fait de nous des [musulmans.
La guerre est sainte et bonne,
Qu'elle embrase donc nos ciels
De Dinguiraye à Tombouctou
De Guémou à Djenné...

Depuis qu'il vivait dans la concession, le griot s'était transformé. Les femmes avaient pansé ses plaies et l'avaient nourri. Aussi se serait-il fait tuer pour les Traoré et révérait-il Mohammed à l'égal d'un dieu.

7

SEGOU apprit le même jour deux terribles nouvelles. A peine intronisé, le nouveau Mansa, Oïtala Ali, reprenait à son compte l'alliance nouée par son frère aîné avec le Macina et, pour la concrétiser, il envoyait des soldats soutenir des bataillons de Peuls qui allaient tenter d'arrêter El-Hadj Omar dans le Bélédougou.

Tout le monde fut stupéfié. Les souverains n'apprennent-ils pas leur leçon? Demba était mort et de quelle façon! Or voilà qu'Oïtala Ali s'obstinait à commettre la même erreur. Voulait-il connaître la même fin?

Pourtant, certaines voix s'élevaient pour soutenir le Mansa. Que voulait-on qu'il fasse? Qu'il se croise les bras en attendant l'arrivée d'El-Hadj Omar aux portes de Ségou? Qu'il l'affronte tout seul? Ne voyait-on pas que c'était impossible?

Ceux qui se hâtaient de parler de victoire des dieux ancestraux feraient bien de réfléchir. Victoire? Victoire? Alors que ce fléau d'Allah détruisait tout sur son passage? Demba était mort. Mais pourquoi? Pour avoir touché aux fétiches du peuple de Ségou? Ou pour avoir secrètement refusé de détruire les siens, croyant qu'il s'en tirerait grâce à un subterfuge? On ne trompe pas Dieu. Ce discours qui était celui des musulmans de la ville commençait à couvrir tous les autres et les esprits étaient troublés. Les forgerons-féticheurs qui avaient retrouvé leur prestige depuis la mort du Mansa recommençaient sérieusement à le perdre. Des marabouts musulmans en long caftan à burnous parcouraient les rues et clamaient :

« Convertissez-vous! Convertissez-vous! Ségou est une femme atteinte de la variole. Les pustules n'ont pas encore envahi son visage. Mais la mort est à l'œuvre en elle. »

Un exalté s'était installé sur la place du Palais à côté d'un barbier et exhortait les passants :

« Dépouillez-vous du vieil homme... Coupez vos tresses... Rejoignez Dieu! »

Les gens hésitaient. Ces conversions publiques ne plaisaient pas. Une fois de plus, les Segoukaw ne comprenaient pas cette ostentation de l'islam. Toute religion ne doit-elle pas s'accompagner du secret? Ce qui acheva cependant de semer le désarroi, c'est que le Mansa se mit à lever des troupes comme si les tondyons ne suffisaient pas. Même les esclaves étaient recrutés! On demandait les hommes dont l'âge ne dépassait pas vingt-deux saisons sèches. On leur donnait une hache, une lance ou des flèches et des arcs, plus rarement un fusil et sous la direction d'un chef portant un sabre courbe suspendu à l'épaule, on les envoyait rejoindre les lanciers peuls qui attendaient au-delà du gué de Thio.

Les volontaires ne manquèrent pas d'affluer comme si le danger que représentait El-Hadj Omar faisait naître d'extraordinaires réactions. Toutes les familles de Ségou comptèrent bientôt une demi-douzaine de jeunes volontaires qui campaient dans la cour du palais royal en attendant le jour de leur départ. Les mères ne savaient pas si elles devaient pleurer ou être fières. Les pères regrettaient secrètement d'avoir passé l'âge requis. Car ce ne serait pas déplaisant de bouffer du Toucouleur!

Bien sûr, ce n'était pas la première fois que Ségou partait en guerre puisque, depuis sa fondation, elle vivait de la guerre, des razzias, des prises de butins et de captifs, des impôts perçus sur les peuples vassalisés! Mais les départs au combat n'avaient jamais eu cette ampleur comme si l'existence même du royaume était menacée. Comme si chaque combattant en partant savait qu'il s'agissait de vaincre ou de mourir.

Olubunmi rentra dans la concession. Toute la matinée, il avait rôdé dans Ségou, excité par l'odeur de la poudre, les sonneries des trompes, les battements des tambours. Le tabala recouvert d'une peau de bœuf que l'on venait de renouveler après la mort du Mansa, tenu horizontalement par deux hommes tandis qu'un troisième, demi-nu, un filet de sueur ruisselant entre ses omoplates sous l'effort, le frappait en mesure, n'arrêtait pas de résonner. Dominant ses battements éclataient les voix juvéniles des nouveaux soldats clamant en chœur la devise des Diarra :

Lion, casseur de grand os... Tu as courbé le monde comme une faucille pour l'étendre comme un chemin. Tu ne peux pas ressusciter un grand cadavre, mais tu peux forcer beaucoup d'âmes fraîches.

L'esprit d'Olubunmi s'enflammait, s'emplissant d'images violentes de gloire et d'aventures. Ah! quitter la tutelle des aînés! Partir comme son père Malobali avant lui. Pour Olubunmi, le départ à la guerre n'était que le prélude à d'autres envols. Les querelles de religion ne l'intéressaient pas.

Allongés sur une natte à l'ombre du dubale, Mohammed et Alfa buvaient du thé vert, que leur avait préparé une esclave, en discutant d'un hadith. Pour la première fois peut-être, Olubunmi éprouva un sentiment d'exaspération devant ces compagnons qu'il chérissait pourtant. Allaient-ils toute leur vie parler d'Allah, se vautrer dans la poussière quand ils n'étaient pas ployés sur une natte? Leurs jours se passeraient-ils sans que leur esprit comme leur sexe aspirent à quelque satisfaction terrestre? Il s'accroupit près d'eux et fit :

« Je viens de m'engager...

– T'engager?

– Oui, je vais partir à la guerre, moi aussi... »

En fait, Olubunmi parlait ainsi par bravade pour tirer Alfa et Mohammed de leur inertie, et ne s'attendait guère à être cru. Or Alfa le fixa de ses yeux pleins d'éclat, murmurant :

« Savez-vous le rêve que j'ai fait? J'allais à nouveau être circoncis. Alors je protestais. Je cachais mon sexe pour ne pas recevoir le couteau une deuxième fois et clamais que j'étais déjà un homme. Brusquement quelqu'un dont je n'ai pas vu le visage a éclaté de rire et a dit : « Toi! Toi qui ne peux « même pas protéger la concession de ta mère? »

– Eh bien, qu'est-ce que ce rêve signifie, selon toi? »

Alfa devint plus grave encore :

« Ma mère! Bien sûr, on peut penser que c'est celle qui m'a donné le jour. Mais ne peut-on penser aussi que c'est la terre où je suis né, mon pays? »

Il se tut et regarda ses compagnons, qui le fixaient sans comprendre encore où il voulait en venir :

« Mon pays, le Macina que le Toucouleur finira bien par détruire! On dit qu'il a écrit à Amadou une lettre d'une rare violence! »

Olubunmi s'attendait à tout sauf à cette réaction d'Alfa qu'il jugeait encore plus timoré que Mohammed. Pris de court, il bredouilla.

Alfa baissa les paupières :

« Prêt à protéger la concession de ma mère! »

Mohammed resta sans voix, dévisageant ses compagnons comme s'ils étaient soudain devenus fous. Il n'avait aucune envie de s'engager dans la guerre! Pourquoi en vérité? El-Hadj Omar était un musulman et, s'il semait la mort, c'était au nom d'Allah! Ce serait un crime que de porter le fer contre lui! En même temps, il se demandait ce qu'il allait devenir si ses deux compagnons s'en allaient, s'il restait seul dans la concession avec les pères de famille, les femmes et les enfants, seul dans Ségou vidée de la sève de sa jeunesse.

Olubunmi devinait ce qui se passait dans son esprit et, en fin de compte, il lui dit avec un sourire sarcastique :

« Que crains-tu de laisser derrière toi? La femme que tu aimes ne t'appartient même pas! »

La longue colonne, forte de dix mille combattants, traversa le village de Ouossébougou. Il pleuvait. Les hommes s'enfonçaient jusqu'aux genoux dans la boue, ce qui achevait de démoraliser les jeunes recrues et d'inquiéter les keletigui.

L'hivernage n'est pas une bonne saison pour la guerre, car il exige un trop lourd tribut. Il épuise bêtes et hommes, ralentit la marche, coupe les routes en faisant déborder les rivières.

Seuls les lanciers du Macina, enveloppés dans leurs épaisses cottes matelassées, étaient insensibles aux intempéries. A part eux, comme il n'y avait pas de tenue réglementaire, chacun s'était vêtu comme il le pouvait. Les uns, d'un épais burnous musulman. Les autres, d'une couverture de laine. D'autres encore, de tuniques de chasseurs ou de blouses de coton. Les fétichistes exhibaient leur gris-gris. Les musulmans, leurs versets du Coran. Mais tous portaient, cachés dans les replis de leurs vêtements, les talismans que leur avaient remis leurs mères avant le départ. La troupe ne comptait pas seulement des volontaires. Outre les lanciers, il y avait deux détachements de sofas[1] de la garde personnelle du Mansa en ample culotte rouge, qui avaient semé la terreur sur tous les champs de bataille de la région.

Pourtant, ce n'était pas la présence de leurs compatriotes sofas qui rassurait en partie les jeunes recrues. C'était celle des lanciers peuls brandissant le drapeau fait d'un pagne de coton blanc qu'ils avaient rendu célèbre à Noukouma[2]. On les disait invincibles avec leurs chevaux de choc spécialement dressés à briser les murs qui entouraient les villages. En plus de leurs lances à grand fer plat cordiforme[3], ils possédaient un sabre, un couteau, un long bâton recourbé en forme de faucille ainsi qu'une entrave de fer composée d'une chaîne terminée par une boule de fer. Chose étrange, les amirabe peuls s'entendaient parfaitement avec les keletigui bambaras comme si pour l'heure ils faisaient taire toute querelle religieuse et ethnique. Ils s'étaient accordés sur le nombre d'éclaireurs chargés de débroussailler, élargir, remblayer la piste. Derrière les éclaireurs venait le « nombril », ou gros des troupes, que protégeaient précisément les lanciers tandis que des sentinelles fermaient la marche. Des espions montés sur de petits chevaux rapides revenaient régulièrement faire part des secrets qu'ils avaient pu glaner. Tout autour, cou-

1. Cavaliers.
2. Lieu d'une célèbre bataille : Peuls contre Bambaras, en 1818.
3. Gawal, en peul.

raient les griots chantant, jouant de leurs instruments, excitant le courage des hommes.

Depuis deux jours que l'on marchait, on n'avait pas encore eu vent de la présence d'El-Hadj Omar, comme s'il se terrait. Ou comme s'il n'existait que dans l'imagination et les terreurs populaires. Comme en majorité ceux qui étaient présents n'avaient jamais vu de Toucouleurs, ils se les représentaient comme des hommes assez bestiaux, courts et trapus. Ce que démentaient ceux qui avaient des connaissances en géographie et savaient qu'ils étaient apparentés aux Peuls donc de haute taille et le teint clair.

Faraman Kouyaté cheminait à hauteur du bolo[4] de Mohammed qui allait entouré de ses deux amis. C'est pour lui donner du courage qu'il chantait :

La guerre est bonne puisqu'elle enrichit nos rois,
Femmes, captifs, bétail, elle leur procure tout cela...

Car, il le savait, s'il en avait eu la possibilité, Mohammed serait retourné à Ségou. Mohammed n'avait pas eu une enfance facile. Pourtant, les souffrances qu'il avait endurées avaient une signification puisqu'elles étaient destinées à le rendre aussi parfait que possible, à le rapprocher du divin modèle. Mais, là, pourquoi souffrait-on? Pour l'islam? Lequel? Celui des Peuls du Macina? Celui d'El-Hadj Omar? Non, on se battait pour satisfaire des orgueils et des intérêts royaux. Il avait envie de se dresser et de hurler. Mais sa voix serait étouffée sous le battement des tam-tams de guerre... C'est pour cela qu'il y a des tam-tams de guerre, pour couvrir les cris de révolte des hommes!

Comme il n'arrêtait pas de pleuvoir et que la nuit

4. Nom bambara des unités de combat.

allait tomber, on fit halte dans une plaine nue comme la main sur laquelle affleuraient des pierres bleues prenant un riche poli sous la pluie. L'armée se débanda. Les sofas allumèrent des feux qui mirent longtemps à prendre, puis firent griller des épis de maïs tendre et des quartiers de viande de mouton. Ce n'était pas l'ordinaire du « nombril » du gros de la troupe, nourri d'eau mêlée de mil pilé. Les lanciers, quant à eux, sans quitter leurs montures, vidaient des outres de lait caillé.

Une fois de plus, Mohammed se demanda pourquoi il s'était engagé dans cette équipée, pourquoi il n'avait pas retenu Alfa et ensuite fait pression avec lui sur Olubunmi. Pauvre Olubunmi! Qu'espérait-il? Quelle aventure à goût de fange! Tous ces rêves dont son esprit était échauffé ne résisteraient pas à une campagne.

Grâce à l'habileté des Peuls on parvint à dresser des abris et chacun s'étendit, s'enroulant dans ses habits pour se protéger de la boue. Se retirant sans plus attendre, Mohammed ferma les yeux. Depuis qu'il était parti au combat, Ayisha avait complètement repris possession de lui. Comme il s'était trompé en croyant la rayer de ses pensées! Elle était là présente jour et nuit. Peut-être parce qu'il avait besoin de lutter contre la laideur qui l'entourait en gardant en lui cette image de beauté. Toujours est-il que, sous ses paupières closes, elle allait et venait, coiffant ses longs cheveux, frottant sa peau de parfum haoussa ou de beurre de karité, fixant des anneaux d'or à ses oreilles délicates. A quoi occupait-elle ses jours en l'absence de son mari? Attendait-elle impatiemment son retour? Peut-être lui avait-il planté un fils avant de la quitter et regardait-elle s'épanouir la courge de son ventre? Ah! non, Allah ne permettrait pas cela! Ayisha enceinte d'un autre que lui-même! A ce moment

Alfa entra à son tour sous l'abri et commença ses prières. Mohammed s'aperçut qu'il n'avait pas songé à en faire autant. Il eut honte de lui-même.

Les hommes ne dormaient pas depuis trois ou quatre heures qu'on les réveilla. Les sentinelles soupçonnaient la présence d'El-Hadj Omar dans les environs. Les ruines de quelques villages fumaient encore et on avait trouvé des monceaux de corps atrocement mutilés. La colonne se remit en marche. A l'aube, elle arriva devant un village totalement désert. Où étaient les habitants? Dissimulés dans les halliers tout proches?

La pluie avait cessé, mais cette chaleur gorgée d'eau était accablante. D'un commun accord, les keletigui et les amirabe donnèrent l'ordre aux hommes de s'arrêter. Ce fut un soulagement général. Comme le terrain formait une sorte de cirque, on dressa des abris de paille au fond de la déclivité, non loin d'un petit marigot. Les abords en étaient défoncés par le passage d'éléphants et d'hippopotames et, dans les énormes trous, une eau trouble s'accumulait. Faraman se mit à frotter les pieds endoloris de Mohammed, car ses sandales de peau de bœuf s'en étaient allées en lambeaux. Olubunmi toujours impatient et débordant d'activité s'éloigna avec quelques jeunes recrues à la recherche de fruits sauvages et l'on entendait leurs rires. Rire? Comment rire quand on est à la guerre? Mohammed se reprocha ces pensées négatives et se roula sur le côté. Près de lui, Alfa, apparemment indifférent à la crasse et à la promiscuité, insensible à la faim, lisait son Coran. Songeait-il parfois à sa jeune épouse dont, de son propre aveu, il avait aimé le corps? La désirait-il? Mohammed regarda le ciel à travers les interstices des nattes. Sombre comme le fer d'une forge. Bas comme un couvercle. Il referma les yeux.

Il s'endormit et eut un rêve. La guerre était finie. Il rentrait chez lui et voyait de l'autre côté du Joliba les murailles de Ségou. Sur ses talons, Faraman chantait. Ils prenaient tous deux place dans une barque, mais, comme elle allait aborder à la rive, la muraille située entre la porte Tintibolada et la porte Dembaka s'effondrait et des files de termites couleur de sang en sortaient, montant fiévreusement à l'assaut des embarcations somonos. L'effet de ce rêve fut tel que Mohammed s'éveilla. Autour de lui, ses compagnons épuisés dormaient. Alfa était abandonné dans le sommeil, son visage déjà amaigri, les joues salies de barbe, enroulé d'un pan de turban qui lui servait d'oreiller. Mohammed sentit l'affection gonfler son cœur. Il eut un peu de remords. C'est qu'il n'avait pas été un compagnon bien agréable depuis que l'on avait quitté Ségou, comme s'il entendait rendre le monde entier responsable de sa condition de soldat. Eh bien, puisqu'il y était, à la guerre, il fallait la faire! Peut-être même qu'il finirait par y trouver du goût.

C'est à ce moment qu'il entendit des cris, des hurlements féroces. En un clin d'œil, toute la compagnie fut debout, les recrues se précipitant au seuil des abris. Les pentes de la crique étaient noires d'hommes qui les dévalaient en flot serré. Ils portaient de larges chapeaux coniques, surmontés d'une touffe de paille, au-dessus de bonnets d'un jaune terreux. Leurs boubous étaient couleur de rouille et ils agitaient au-dessus de leurs têtes un immense pavillon rouge. Des cavaliers, le chef entouré d'un turban bleu, donnaient de grands coups d'éperons dans les flancs de leurs montures.

Il y eut un cri :

« Les Toucouleurs, les Toucouleurs, ce sont eux! »

En même temps, d'un seul coup, trompes et tam-tams se déchaînèrent, vite dominés par la voix des griots, comme si l'imminence du combat leur donnait une violence exceptionnelle. Pendant que les keletigui mettaient de l'ordre dans les rangs des recrues déjà terrifiées, les lanciers du Macina partaient à l'attaque.

« *La ilaha ill' Allah...* »

Qui avait crié cela? Sans doute tous ceux qui croyaient se battre au nom de Dieu. Mohammed se trouva entraîné par d'autres corps dans une âcre odeur de sueur, de poudre de guerre et de crottin de cheval. Bientôt, il entendit le cliquetis des armes, sabres contre sabres, lances contre lances, avec par à-coups le bruit des fusils. Fugitivement il eut envie de fuir, de tourner le dos à cette bataille dont il ne comprenait pas le sens. Comme s'ils devinaient sa faiblesse, Alfa et Olubunmi l'encadrèrent.

Sur ses talons, Faraman Kouyaté commença de chanter :

La guerre est bonne puisqu'elle enrichit nos rois.
Femmes, captifs, bétail, elle leur procure tout cela.
La guerre est sainte puisqu'elle fait de nous des
[musulmans.
La guerre est sainte et bonne,
Qu'elle embrase donc nos ciels...

Mohammed pensa à sa mère Maryem qu'il n'avait pas vue depuis tant d'années. Il pensa à Ayisha. Puis serrant les dents, il ne pensa plus à rien. Qu'à se garder en vie.

APPENDICES

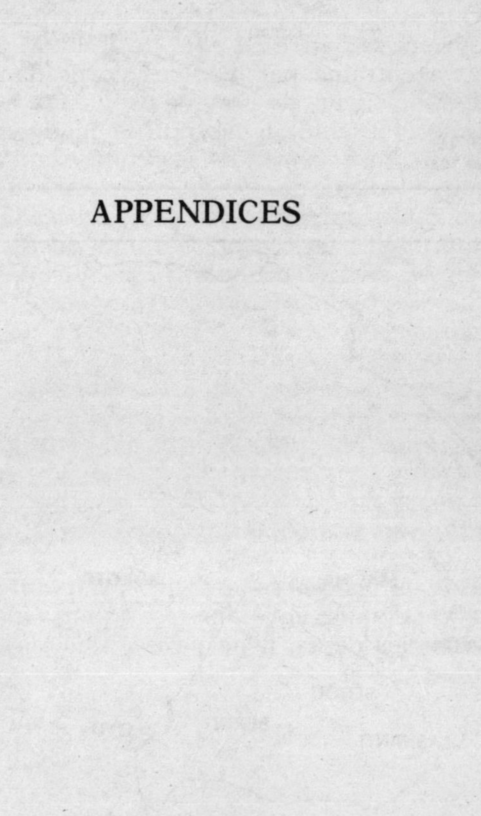

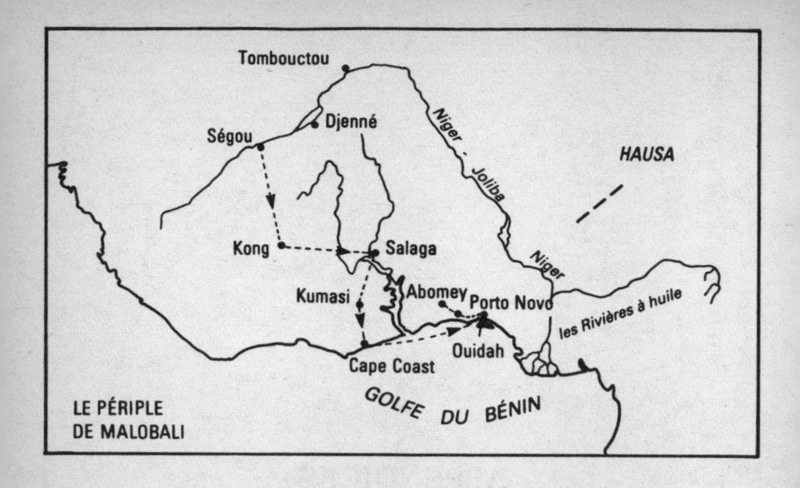
Tombouctou
Djenné
Ségou
Niger
Joliba
HAUSA
Kong
Salaga
Niger
Kumasi
Abomey
Porto Novo
les Rivières à huile
Ouidah
Cape Coast
GOLFE DU BÉNIN
LE PÉRIPLE
DE MALOBALI

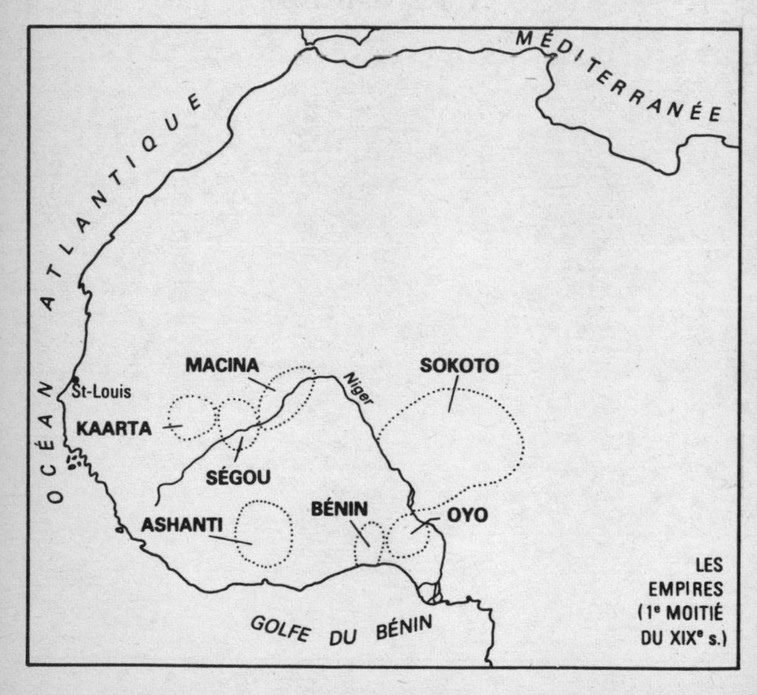
MÉDITERRANÉE
OCÉAN ATLANTIQUE
MACINA
SOKOTO
Niger
St-Louis
KAARTA
SÉGOU
ASHANTI
BÉNIN
OYO
LES
EMPIRES
(1e MOITIÉ
DU XIXe s.)
GOLFE DU BÉNIN

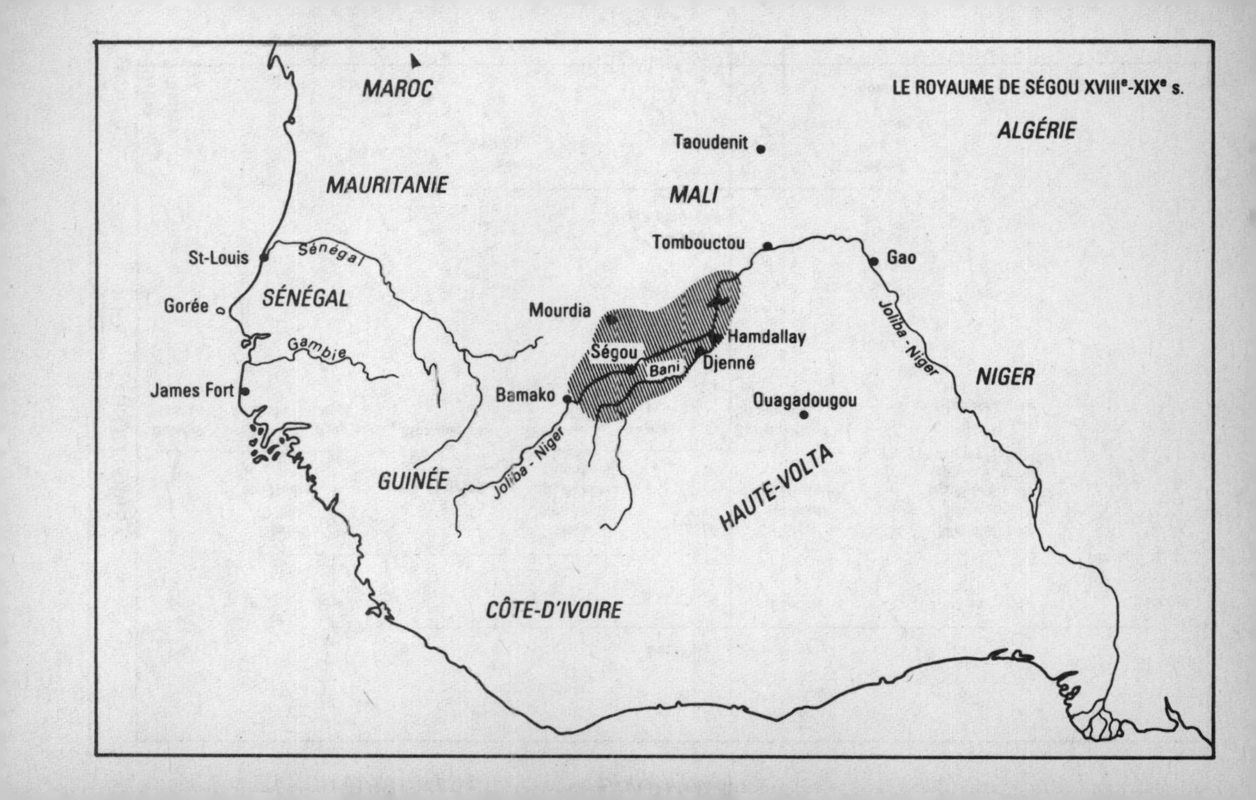
LE ROYAUME DE SÉGOU XVIIIe-XIXe s.
MAROC
ALGÉRIE
MAURITANIE
MALI
Taoudenit
Tombouctou
Gao
St-Louis
Sénégal
SÉNÉGAL
Gorée
Mourdia
Gambie
Ségou
Hamdallay
Djenné
Bani
James Fort
Bamako
Ouagadougou
Joliba - Niger
NIGER
Joliba - Niger
GUINÉE
HAUTE-VOLTA
CÔTE-D'IVOIRE

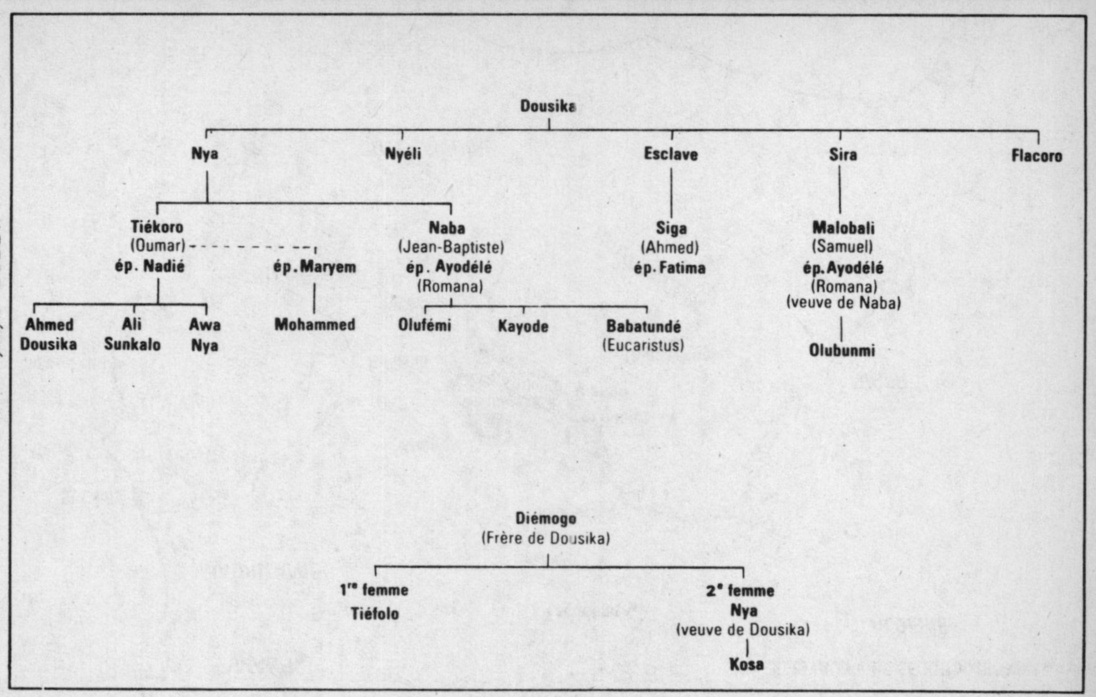

ARBRE GÉNÉALOGIQUE
DE LA 1re GÉNÉRATION

NOTES HISTORIQUES ET ETHNOGRAPHIQUES

L'ordre est celui de l'apparition dans le récit.

Les Bambaras ou Banmanas font partie du groupe mandé qui comprend également les Malinkés, les Senoufos, les Sarakolés, les Dioulas, les Khasonkés... Ils vivent principalement dans l'actuel Mali, dont numériquement ils constituent le peuple le plus important. Ils ont formé du XVIIe au XIXe siècle deux Etats puissants dont l'un avait son centre à Ségou et dont l'autre occupait la contrée dite du Kaarta entre Bamako et Nioro. Ils sont cultivateurs et travaillent le mil, le fonio, le riz, le maïs. Ils vivent en symbiose avec un peuple de pêcheurs, les Bozos.

La religion bambara est appelée imparfaitement fétichisme. Les Bambaras conçoivent le monde comme un ensemble de forces sur lesquelles l'homme parvient à avoir prise, principalement grâce aux sacrifices. Deux principes complémentaires, Pemba et Faro, sont à l'origine de la vie sur terre, Pemba étant le créateur transmettant son verbe et son pouvoir à Faro. L'homme lui-même est un microcosme résumé de la totalité des êtres et des choses. C'est le « grain du monde ».

Le limage des dents consiste à tailler en pointe les incisives supérieures et inférieures, opération effectuée par un forgeron-féticheur dès la constitution de la dentition des enfants. Le limage est censé conférer à la parole sa puissance véritable.

Le Mansa Monzon régna de 1787 à 1808. Il appartient à la seconde dynastie régnante à Ségou, la première étant celle des Coulibali. Il vint sur le trône de Ségou après une longue période d'anarchie à l'issue de laquelle son père Ngolo Diarra usurpa le pouvoir. Il est l'un des souverains les plus prestigieux dont les griots aient conservé la mémoire.

Da Monzon succéda à son père Monzon. Il régna de 1808 à 1827, et eut la dure tâche de défendre l'empire contre le Peul Amadou Hammadou Boubou du clan Barri communément appelé Cheikou Amadou du Macina. C'est avec son père l'un des souverains les plus chantés et honorés par la tradition bambara.

Les Peuls sont des pasteurs bovidiens que l'on rencontre de l'océan Atlantique au cap Vert, au bassin du Nil en passant par le lac Tchad et l'Adamaoua. Les auteurs leur ont attribué des origines très diverses allant même jusqu'à voir en eux des Sémites persécutés par les successeurs d'Alexandre le Grand au IVe siècle av. J.-C. et par les Romains et descendus en Afrique. Ils restent généralement à l'écart des agriculteurs dont parfois ils élèvent les bœufs. Au Mali, ils forment d'importants groupements entourés de leurs rimaïbés, esclaves et descendants d'esclaves. Autrefois nomades ou semi-nomades, ils se sont graduellement sédentarisés. Ils parlent la même langue que les Toucouleurs, le poular. Ils se convertissent à l'islam au XVIIIe siècle et en deviennent les ardents propagateurs.

Cheikou Hamadou du clan Barri fondateur de l'empire musulman du Macina dont la capitale fut Hamdallay. Né à Malangal, fils d'un marabout originaire du Fittouga. Il fait ses études à Djenné jusqu'à ce que sa réputation de science et d'autorité fasse ombrage aux Marocains qui contrôlent alors la ville et l'obligent à fuir. Il proclame ensuite la guerre sainte, jihad, prend le nom de Cheikh et s'attaque aux Bambaras. S'il ne parvient jamais à les battre entièrement, il débarrasse les Peuls de la tutelle de

Ségou et crée le royaume du Macina, Etat puissant sur lequel successivement régneront ses fils. Il meurt le 18 mars 1843.

Le VIe siècle de l'hégire (XIIe de l'ère chrétienne) voit apparaître dans le monde musulman le soufisme, dont les grands véhicules sont les confréries (tourouq). Les principales sont en Afrique au sud du Sahara : La Qadriya, du nom de son fondateur Abdel Qadir el-Jilani né en Perse en 472 (1078) et décédé en 561 (1166). Son centre fut Bagdad.

La Kounti, du nom d'une ancienne famille d'origine arabe de Tombouctou, les Kounta.

La Tidjaniya prend sa source en cheikh Ahmed Tidjani né en Algérie en 1150 (1737) et mort au Maroc en 1230 (1815). C'est là que se trouve son tombeau.

Les confréries puisent leur inspiration dans la loi islamique et la révélation coranique et en sont un effort d'approfondissement et d'intériorisation.

Ahmed Baba, de son vrai nom Abou Abbas Ahmed al-Takruri al-Mafusi, né en 1556 près de Tombouctou dans une famille de lettrés. Lorsque les troupes marocaines entrent dans cette ville en 1591, il devient l'âme de la résistance des intellectuels à l'occupation étrangère. Il est alors exilé au Maroc. Son œuvre écrite est considérable.

Le tatouage de la lèvre inférieure des femmes bambaras consiste à faire entrer au moyen d'épines végétales un baume de beurre de vache mêlé de charbon. L'opération est faite par une femme de la caste des cordonniers. Le proverbe dit que la femme n'est pas maîtresse de sa parole, le tatouage est censé remédier à ce défaut.

Anne Pépin, signare, c'est-à-dire métisse de père français et de mère africaine, née vers 1760, rendue célèbre par sa liaison avec le chevalier de Boufflers. Fille du chirurgien Jean Pépin. Avec son frère Nicolas elle fut un temps une des personnes les plus riches de Gorée dont les ruines de la maison existent encore. D'autres signares célèbres sont Caty Louet, Hélène Aussenac, Jeanne Laria, Marie-Thérèse Rossignol.

Chevalier de Boufflers, gouverneur du Sénégal de 1785 à 1787. Détestant Saint-Louis, il choisit de se fixer à Gorée où il trouve, dit-il, un séjour délicieux. Il fait de cette île le siège du gouvernement et le port d'attache de la station navale d'Afrique. Entretient avec son amie la comtesse de Sabran une correspondance publiée par Plon en 1875.

Michel Adanson, botaniste français, venu étudier les possibilités agricoles de la région. Il passera de longs mois jusqu'en 1754 à Gorée, au cap Vert, à Saint-Louis et sur le fleuve Sénégal. Ses conclusions paraîtront dans un livre, *Voyage au Sénégal*.

Commandant Schmaltz, envoyé avec un contingent de travailleurs agricoles pour mettre en valeur la presqu'île du cap Vert après l'abolition de l'esclavage de traite. Cette colonisation agricole est un échec, mais avec de l'aide Schmaltz s'obstine pendant plusieurs années à planter sur les rives du Sénégal de l'indigo, du café, de la canne à sucre. Il est rappelé en France en 1820 et remplacé par le baron Roger qui créera le Jardin d'essai de Richard Toll.

João VI, roi du Portugal de 1816 à 1826. Quitte son pays chassé par les guerres napoléoniennes en 1811, et se réfugie à Rio, au Brésil. Son fils sera le premier empereur du Brésil indépendant en 1822, sous le nom de Pedro I.

Les Malés : déformation probable de Malinkés, car ceux-ci vinrent au Brésil avec des Haoussas musulmans. Autre étymologie, le mot signifierait « renégat » en yoruba. Esclaves musulmans connus principalement dans la région de Bahia pour leur résistance à l'esclavage. Révoltes successives de 1822 à 1835, date à laquelle eut lieu le complot le mieux élaboré, le jour même de la fête de Na Sa da Guia, huit jours après celle de Senhor de Bomfim. Au cours des perquisitions, la police découvrit des papiers couverts d'écriture arabe. Il y eut au moins quarante esclaves tués, des centaines de blessés, autant de fugitifs.

Ganhadores, ou « nègres de gain ». Au Brésil, esclaves affranchis vivant à peu près entièrement du fruit de leur travail.

Les Ashantis. Du XIe au XIIe siècle, le pays compris entre les fleuves Bandama et Volta fut le théâtre de nombreuses migrations. Les Akans venus du nord constituèrent de petites principautés qui se regroupèrent sous la conduite d'un chef prestigieux, Osei Tutu, qui régna de 1697 à 1712. Ce fut l'origine de la Fédération ashanti dont le chef prit le nom d'Asantéhéné. Elle atteignit son apogée avec Osei Kodjoe et infligea une série de défaites aux Anglais qui tentaient de s'implanter dans la région, attirés en particulier par l'or. Ainsi l'Asantéhéné Osei Bonsu les battit en 1824 à Bonsaso. Finalement les Anglais finirent par l'emporter sur les Ashantis, mais non sans mal. Les Fantis sont aussi un peuple akan, leur langue est la même que celle des Ashantis, le twi. Mais leur position côtière en fit les protégés des Anglais contre leurs voisins, et leurs querelles avec les Ashantis furent nombreuses et sanglantes.

Wargee, né à Kisliar (Astrakhan), était probablement musulman. Il tombe entre les mains des Turcs et devient esclave, probablement vers 1787. Il parvient à racheter sa liberté et s'installe à Istanbul avant de sillonner le monde. Décide de traverser le Sahara vers 1817, visite Kano, Djenné, Kong, Tombouctou. Il est retenu prisonnier à Kumasi, capitale du royaume ashanti, puis envoyé sous bonne escorte jusqu'à la côte afin que les Anglais lui donnent les moyens de rentrer chez lui.

MacCarthy fut gouverneur de la Sierra Leone et résida à Cape Coast de 1822 à 1824. Il mourut lors du combat de Bonsaso contre les Ashantis.

Les Agoudas. A partir de 1835 débute un important mouvement de retour vers les ports africains de Ouidah, Porto Novo, Lagos... de milliers d'Africains émancipés du Brésil. Il s'agit de catholiques, mais aussi de musulmans qui se mêlent aux commerçants d'esclaves du Portugal et du Brésil, par les serviteurs de ces commerçants... désignés pêle-mêle par l'expression « les Agoudas ». Tous ces gens parlent brésilien, plus rarement espagnol (dans le cas d'Agoudas venant de Cuba). Les anciens esclaves portent le patronyme de leurs maîtres. Ils ont joué le rôle d'intermédiaire entre Africains et Européens.

Les Yorubas vivent dans l'actuel Nigeria, dans la région forestière du Sud-Ouest. Un des peuples les plus dynamiques et créateurs de l'Afrique; leur berceau est Ife, cité mère où les dieux et les hommes apparurent pour la première fois sur terre. Les Yorubas fondèrent nombre de royaumes, dont celui d'Oyo fut peut-être le plus puissant. Ils influencèrent toute la région, vassalisant de nombreux peuples, les Edos du Bénin entre autres. Au XIXe siècle la grande poussée peule les bouleversa. Oyo fut détruite en 1830 et Ife en partie saccagée.

Le Dahomey fut un des plus puissants royaumes du XVIIIe et du XIXe siècle africains. Sa capitale était Abomey. Il conquit tous les royaumes qui lui barraient accès à la mer : Alada, Ouidah, monopolisa le commerce avec les Européens qui fut déclaré monopole royal. Son apogée se situe sans doute sous le roi Guézo (1818-1856). Les intérêts coloniaux de la France qui souhaitait ouvrir une porte sur la mer aux territoires du Niger lui portèrent un coup fatal. Le roi Béhanzin fut défait en 1894 par le général Dodds et un protectorat fut imposé à Agoli-Agbo. Ce fut la fin de la monarchie dahoméenne. Le yoruba et le fon, langues parlées au royaume du Dahomey, appartiennent au même groupe et dériveraient avec le goun de Porto Novo et le mina d'une souche commune. Il faut noter que les frontières de l'ancien royaume du Dahomey ne coïncident pas avec celles de l'actuel Bénin, autrefois appelé Dahomey.

Chacha Ajinakou : de son vrai nom Francisco Félix de Souza (né en ?), mort en 1849. Etait-ce un Brésilien? Un Portugais? Les écrits le concernant diffèrent. En tout cas, ce fut l'homme le plus riche de son époque, ami personnel du roi Guézo, qu'il aida d'ailleurs à monter sur le trône au détriment de son frère. Certains historiens prétendent qu'il se réfugia à Ouidah pour échapper à la prison dans son pays. Ce qui est certain, c'est qu'il y arriva pauvre, probablement comme fonctionnaire de la factorerie d'Ajuda. Il eut des dizaines de concubines et un nombre incalculable d'enfants.

Guézo : roi du Dahomey de 1818 à 1856. Un des plus grands monarques de ce royaume, étendit très loin ses limites et fut célèbre par un corps d'armée, celui des Amazones. Les campagnes les plus meurtrières furent celles menées contre les Mahis au nord et les Yorubas à l'est. Le nom fort de Guézo était « l'oiseau cardinal ne met pas le feu à la brousse », les noms forts étant des expressions ayant en elles-mêmes une force, une valeur efficace. L'organisation du royaume du Dahomey a stupéfié les voyageurs européens de l'époque. Seule ombre, les sacrifices humains lors des funérailles royales et des grandes cérémonies religieuses.

Les Toucouleurs sont venus très tard au Mali, où leur implantation se fait à partir de la seconde moitié du XIXe siècle. Ils sont originaires des rives du Sénégal, des Fouta (Fouta Djallon, Fouta Toro...) Ils parlent la même langue que les Peuls, le poular. Leur attachement presque fanatique à l'islam en a fait des conquérants légendaires.

El-Hadj Omar Saïdou Tall : originaire du Fouta Toro. Né vers 1797, fils d'un marabout renommé. Il devient d'abord un enseignant et est maître d'école pendant douze ans avant d'entamer un pèlerinage à La Mecque en 1825. Il visite alors tous les Etats islamiques ouest-africains et séjourne longtemps au royaume de Sokoto (actuel Nigeria). L'enseignement d'un savant marocain

Mohammed el-Gâli en fait un tidjane (voir Confrérie.) De retour chez lui, il devient peu à peu le maître de toute la région du haut Sénégal. Il déclenche un jihad, plus meurtrier que celui des Peuls du Macina avant lui en 1854, se heurte aux Français qui commencent de s'implanter dans la région, puis il défait les Peuls et entre à Ségou en conquérant le 9 mars 1861. Sa mort en 1864 est mystérieuse. Assiégé par les Peuls du Macina révoltés dans Hamdallay, il se serait fait sauter avec un baril de poudre. El-Hadj Omar donne lui-même la version du conflit qui l'opposa au Macina pour la conquête de Ségou dans *Bayan ma waga'a,* présenté et traduit par Sidi Mohammed et Jean-Louis Triaud : *Voilà ce qui est arrivé* (éd. C.N.R.S.).

La Sierra Leone. En 1787, un philanthrope anglais du nom de Granville Sharp, ami de Wilberforce, leader du mouvement abolitionniste, eut l'idée d'acheter sur la côte d'Afrique occidentale quelques arpents de terre pour servir de refuge aux esclaves affranchis, rapatriés des Antilles et ensuite libérés en mer par la flotte britannique. Ce fut l'origine de Freetown, capitale de la Sierra Leone. En 1827 y fut créée la première institution d'enseignement supérieur, Fourah Bay College, séminaire formant des prêtres et des enseignants.

Samuel Ayaji Crowther. Yoruba pris en esclavage vers 1821, sauvé par un navire anglais et emmené en Sierra Leone. Il fut le premier étudiant de Fourah Bay College. Membre de l'expédition sur le Niger en 1841, il est ensuite ordonné prêtre à Islington (Angleterre) en 1842. En 1864, il devient évêque du Nigeria, le premier Africain à occuper pareille fonction. La fin de sa vie est triste, car il est en butte au racisme et est démis de ses fonctions. Il meurt, amer et frustré, en 1890.

Nanny of the Maroons : figure à demi légendaire du passé jamaïcain. Etait-elle la sœur ou la femme de Kodjoe, un autre révolté célèbre? Elle fonda une ville dans les Blue Mountains, à la confluence des fleuves Nanny et Stony et de là tint tête aux Anglais vers 1734. On peut voir sa tombe (?) à More Town dans la province de Portland, à la Jamaïque.

Mungo Park. Ecossais qui découvrit dans quel sens coulait le Niger (Joliba pour les Bambaras). Il n'eut pas l'autorisation d'entrer à Ségou.

Ignatius Sancho : né en 1729 à bord d'un négrier. Ses parents ayant été vendus, il devient le serviteur de deux Anglaises qui le traitent fort mal avant d'être recueilli par John, duc de Montagu, qui lui donne les moyens de s'instruire et d'écrire et qui lui lègue une somme d'argent très importante. Il est, lui aussi, la coqueluche de l'aristocratie anglaise, peint par Gainsborough, en correspondance avec des écrivains célèbres, en particulier L. Sterne. On peut lire sa correspondance. *Letters of the Late Ignatius Sancho, an African*, publiée par Dawson of Pall Mall. Un de ses fils, Billy, eut une librairie au 20, Charles Street, Westminster.

Sir Thomas Fowell Buxton : né dans l'Essex en 1786, célèbre philanthrope et abolitionniste anglais. Succéda à William Wilberforce. Il est l'auteur de l'ouvrage *The African Slave-Trade and its Remedies.*

Kangourou : acrobate noir qui se produisit à Argyll Rooms dans Haymarket vers 1840.

Cheikh El-Bekkay : de la grande famille des Kounta, prit en 1847 le titre de cheikh El-Kunti qui revenait en réalité à son frère aîné. Il luttera de toutes ses forces contre l'hégémonie des Toucouleurs et pour cela conseillera aux descendants de Cheikou Hamadou l'alliance avec Ségou.

Amadou Cheikou, encore appelé Amadou II, et Amadou Amadou, encore appelé Amadou III, fils et petit-fils de Cheikou Hamadou. Le premier régna sans encombre de 1844 à 1852. Le second vit son règne interrompu par l'arrivée d'El-Hadj Omar. Sa mort en 1862 est mystérieuse.

Le rêve est très important chez les Bambaras et s'appuie sur leur conception de la personne, très complexe. Outre son corps, l'homme comprend une âme (ni), visible pendant les semaines qui suivent la naissance dans les mouvements de la fontanelle; un double (dya), de sexe opposé; un tere, siégeant dans le sang et la tête, et un wanzo, force néfaste qui siège principalement dans le prépuce masculin ou le clitoris féminin. C'est le ni qui quitte le corps pendant le sommeil et donc tout rêve est le souvenir de ce qu'il a vu, prémonition importante pour l'individu ou la communauté. La mort a pour effet de dissocier les éléments composant la personne. Le dya reste dans l'eau jusqu'à la naissance d'un enfant, le ni s'échappe avec le dernier souffle, le tere, libéré lui aussi, peut s'attaquer aux vivants si la mort n'est pas naturelle. Tous ces éléments sont transmis intacts au nouveau-né dans la famille du défunt, après sacrifices et actions rituelles des prêtres-féticheurs.

Les albinos sont supposés être conçus à la suite d'une rupture d'interdit, c'est-à-dire de rapports sexuels en plein jour, ce qui explique leur couleur. Ils posséderaient des forces redoutables. Quand les Bambaras pratiquaient des sacrifices humains, ils étaient les victimes recherchées.

Oïtala Ali : dernier Mansa bambara avant l'arrivée d'El-Hadj Omar dans Ségou, régna de 1856 à 1861.

TABLE

Troisième partie (suite)
LA MAUVAISE MORT 5

Quatrième partie
LE SANG FERTILE 103

Cinquième partie
LES FÉTICHES ONT TREMBLÉ 235

Appendices
Cartes 332
Arbre généalogique de la 1re génération . . . 334
Notes historiques et ethnographiques 335

DU MÊME AUTEUR

Chez le même éditeur :

UNE SAISON À RIHATA, roman (1981).

Chez d'autres éditeurs :

HEREMAKHONON, roman.

LA POÉSIE ANTILLAISE,
(Collection « Classiques du monde », Nathan, 1977).

LE ROMAN ANTILLAIS,
(Collection « Classiques du monde », Nathan, 1978).

LE PROFIL D'UNE ŒUVRE
Cahier d'un retour au pays natal, (Hatier, 1978).

LA PAROLE DES FEMMES, (L'Harmattan, 1979).

Nouvelles éditions des « classiques »

La critique évolue, les connaissances s'accroissent. Le Livre de Poche Classique *renouvelle, sous des couvertures prestigieuses, la présentation et l'étude des grands auteurs français et étrangers. Les préfaces sont rédigées par les plus grands écrivains ; l'appareil critique, les notes tiennent compte des plus récents travaux des spécialistes.*

Texte intégral

Extrait du catalogue*

ALAIN-FOURNIER

Le Grand Meaulnes 1000

Préface et commentaires de Daniel Leuwers.

BALZAC

Le Père Goriot 757

Préface de F. van Rossum-Guyon et Michel Butor. Commentaires et notes de Nicole Mozet.

Eugénie Grandet 1414

Préface et commentaires de Maurice Bardèche. Notes de Jean-Jacques Robrieux.

La Peau de chagrin 1701

Préface, commentaires et notes de Pierre Barbéris.

BAUDELAIRE

Les Fleurs du mal 677

Préface de Marie-Jeanne Durry. Édition commentée et annotée par Yves Florenne.

DAUDET

Lettres de mon moulin 848

Préface de Nicole Ciravégna.

Contes du lundi 1058

Préface de Louis Nucéra.

DIDEROT

Jacques le fataliste 403

Préface, commentaires et notes de Jacques et A.-M. Chouillet.

DOSTOIEVSKI
Crime et châtiment
T I 1289 - T II 1291
Préface de Nicolas Berdiaeff. Commentaires de Georges Philippenko.

FLAUBERT
Madame Bovary 713
Préface d'Henry de Montherlant. Présentation, commentaires et notes de Béatrice Didier.

LA FAYETTE (Madame de)
La Princesse de Clèves 374
Préface de Michel Butor. Commentaires de Béatrice Didier.

MAUPASSANT
Une vie 478
Préface de Henri Mitterand. Commentaires et notes d'Alain Buisine.

MÉRIMÉE
Colomba et autres nouvelles 1217
Édition établie par Jean Mistler.
Carmen et autres nouvelles 1480
Édition établie par Jean Mistler.

SAND
La Mare au diable 3551
Édition préfacée, commentée et annotée par Pierre de Boisdeffre.

STENDHAL
Le Rouge et le Noir 357
Édition préfacée, commentée et annotée par Victor Del Litto.

VOLTAIRE
Candide et autres contes 657
Édition présentée, commentée et annotée par J. Van den Heuvel.

ZOLA
L'Assommoir 97
Préface de François Cavanna. Commentaires et notes d'Auguste Dezalay.
Germinal 145
Préface de Jacques Duquesne. Commentaires et notes d'Auguste Dezalay.

XXX
Tristan et Iseult 1306
Renouvelé en français moderne, commenté et annoté par René Louis.

** Disponible chez votre libraire.*

Le sigle ↓, placé au dos du volume, indique une nouvelle présentation.

IMPRIMÉ EN FRANCE PAR BRODARD ET TAUPIN
Usine de La Flèche (Sarthe).
LIBRAIRIE GÉNÉRALE FRANÇAISE - 6, rue Pierre-Sarrazin - 75006 Paris.
ISBN : 2 - 253 - 03712 - 5

30/6083/7